ハムレット！　ハムレット!!

目次

カバー口絵　山本容子のハムレット
技法：アクリル，エッチング／カンヴァス
サイズ：28.5 × 21cm, 30 × 48cm
制作年：2021 年 9 月

本文中扉・挿画　山本容子
技法：エッチング
制作年：1994 年

ハムレット！
ハムレット!!

初夏のハムレット

谷川俊太郎

父が死んだ
母は死んだ父と
しばらく
添い寝していたが
間もなく
父の弟と寝た
僕は厭な気がした

叔父は前から
母が好きだったのか
母は父を好きだったのに
死んだら

好きじゃなくなって
いきなり
叔父を好きになったのか

それともこれは
好き嫌いには関係なく
保身と保身のせめぎ合い？
はたまた派閥と派閥の
勢力争いなのか
僕らには
わからないどこかで
金が動き
口約束が交わされたのか

その筋書きは
舞台では

ホリゾントの奥で
居眠りしていて
今は似た筋書きを
誰もがSNSに
上げている
フェークニューズの
花盛り

劇場を出ると
もうこの土地の初夏のそよ風
昔のこと他国のことは
すぐに忘れる

おーいオフィーリア
通し稽古は
六時からだよ

フォーティンブラスは
今日も代役
ちょっとお茶しに行かないか

太宰治　新ハムレット

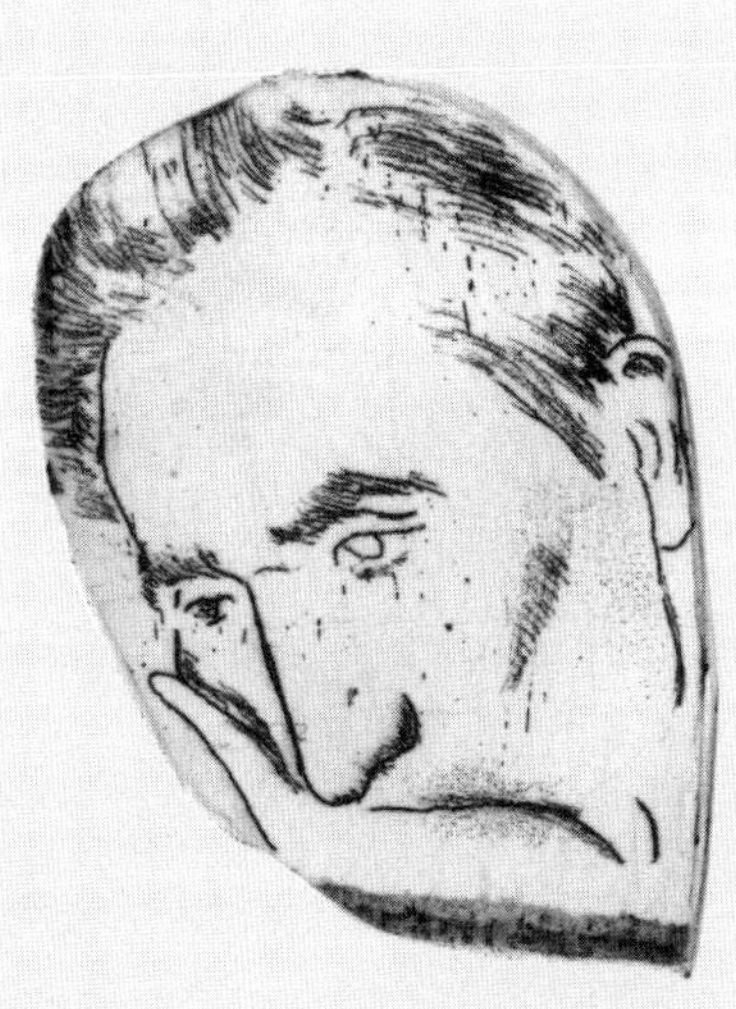

はしがき

こんなものが出来ました、というより他に仕様が無い。ただ、読者にお断りして置きたいのは、この作品が、沙翁の「ハムレット」の註釈書でもなし、または、新解釈の書でも決してないという事である。これは、やはり作者の勝手な、創造の遊戯に過ぎないのである。人物の名前と、だいたいの環境だけを、沙翁の「ハムレット」から拝借して、一つの不幸な家庭を書いた。それ以上の、学問的、または政治的な意味は、みじんも無い。狭い、心理の実験である。

過去の或る時代に於ける、一群の青年の、典型を書いた、とは言えるかも知れない。その、始末に困る青年をめぐって、一家庭の、(厳密に言えば、二家庭の、)たった三日間の出来事を書いたのである。いちどお読みになっただけでは、見落し易い心理の経緯もあるように、思われるのだが、そんな、二度も三度も読むひまなんか無いよ、と言われると、それっきりである。おひまのある読者だけ、なるべくなら再読してみて下さい。また、ひまで困るというような読者は、此の機会に、もういちど、沙翁の「ハムレット」を読み返し、此の「新ハムレット」と比較してみると、なお、面白い発見をするかも知れない。

作者も、此の作品を書くに当り、坪内博士訳の「ハムレット」と、それから、浦口文治氏著の「新評註ハムレット」だけを、一とおり読んでみた。浦口氏の「新評註ハムレット」には、原文も全部載っているので、辞書を片手に、大骨折りで読んでみた。いろいろの新知識を得たような気もするが、いまそれを、ここでいちいち報告する必要も無い。

なお、作中第二節に、ちょっと坪内博士の訳文を、からかっているような数行があるけれども、作者は軽い気持で書いたのだから、博士のお弟子も怒ってはいけない。このたび、坪内博士訳の「ハムレット」を通読して、沙翁の「ハムレット」のような芝居は、やはり博士のように大時代な、歌舞伎調で飜訳せざるを得ないのではないかという気もしているのである。沙翁の「ハムレット」を読むと、やはり天才の巨腕を感ずる。情熱の火柱が太いのである。登場人物の足音が大きいのである。なかなかのものだと思った。この「新ハムレット」などは、かすかな室内楽に過ぎない。

なおまた、作中第七節、朗読劇の台本は、クリスチナ・ロセチの「時と亡霊」を、作者が少しあくどく潤色してつくり上げた。ロセチの霊にも、お詫びしなければならぬ。

最後に、此の作品の形式は、やや戯曲にも似ているが、作者は、決して戯曲のつもりで書いたのではないという事を、お断りして置きたい。作者は、もとより小説家である。戯曲作法に就いては、ほとんど知るところが無い。これは、謂わばLESEDRAMA*ふうの、小説だと思っていただきたい。

二月、三月、四月、五月。四箇月間かかって、やっと書き上げたわけである。読み返してみると、淋しい気もする。けれども、これ以上の作品も、いまのところ、書けそうもない。作者の力量が、これだけしか無いのだ。じたばた自己弁解をしてみたところで、はじまらぬ。

昭和十六年、初夏。

---

* LESEDRAMA（レーゼドラマ）　上演を目的とせず、読まれることを目的とした戯曲形式の文学作品。

人物。

クローヂヤス。（デンマーク国王。）
ハムレット。（先王の子にして現王の甥。）
ポローニヤス。（侍従長。）
レヤチーズ。（ポローニヤスの息。）
ホレーショー。（ハムレットの学友。）
ガーツルード。（デンマーク王妃。ハムレットの母。）
オフィリヤ。（ポローニヤスの娘。）
その他。

場所。

デンマークの首府、エルシノア。

一　エルシノア王城　城内の大広間

王。王妃。ハムレット。侍従長ポローニヤス。その息レヤチーズ。他に侍者多勢。

王。「皆も疲れたろうね。御苦労でした。先王が、まことに突然、亡くなって、その涙も乾かぬうちに、わしのような者が位を継ぎ、また此の度はガーツルードと新婚の式を行い、わしとしても具合の悪い事でしたが、すべて此のデンマークの為です。皆とも充分に相談の上で、いろいろ取りきめた事ですから、地下の兄、先王も、皆の私心無き憂国の情にめんじて、わしたちを許してくれるだろうと思う。まことに此の頃のデンマークは、ノーウエーとも不仲であり、いつ戦争が起るかも知れず、王位は、一日も空けて置く事が出来なかったのです。王子ハムレットは弱冠ゆえ、皆のすすめに依って、わしが王位にのぼったのですが、わしとても先王ほどの手腕は無し、徳望も無ければ、また、ごらんのとおり風采もあがらず、血をわけた実の兄弟とも思われぬくらいに不敏の弟なのですから、果して此の重責に堪え得るかどうか、外国の侮りを受けずにすむかどうか頗る不安に思って居りましたところ、かねて令徳の誉高いガーツルードどのが、一生わしの傍にいて、国の為、わしの力になってくれる事になりましたので、もはや王城の基礎も確固たり、デンマークも安泰と思います。皆も御苦労でした。先王が亡くなられてから今日まで、もう二箇月にもなりますが、わしには何もかも夢のようです。でも皆の聡明な助言に依って、どうやら大過なく、ここまでは、やって来ました。いかにも未熟の者ですから、皆も、今日以後、変らず忠勤の程を見せ、わしを安心させて下さい。ああ、忘れていた。レヤチーズが、わしに何か願いがあるとか言っていましたね。なんですか？」

レヤ。「はい。実は、フランスへ、もう一度遊学に行かせていただきたいと思っているのでございますが。」

王。「その事でしたら、かまいません。君にも此の二箇月間、ずいぶん働いてもらいました。もう、こちらは、どうやら一段落ですから、ゆっくり勉強しておいでなさい。」

レヤ。「恐れいります。」

王。「君の父にも相談した上の事でしょうね。ポローニヤス、どうですか？」

ポロ。「はい。どうにも、うるさく頼みますので、とうとう昨夜、私も根負け致しまして、それでは王さまにお願いして見よと申し聞かせた次第でございます。ヘッヘ、どうも若いものには、フランスの味が忘れかねるようでございます。」

王。「無理もない。レヤチーズ、子供にとっては、王の裁可よりも、父の許しのほうが大事です。一家の和合は、そのまま王への忠義です。父の許しがあったならば、それでよい。からだを損わぬ程度に、遊んでおいで。若い時には、遊ぶのにも張り合いがあるから、うらやましい。ハムレットは、このごろ元気が無いようですが、君もフランスへ行きたいのですか？」

ハム。「僕ですか？　からかわないで下さい。僕は地獄へ行くんです。」

王。「何を、ぷんぷんしているのです。あ、そうか。君は、ウイッタンバーグの大学へ、また行きたいと言っていましたね。でも、それは怺えて下さい。わしからお願いします。君は、もうすぐ此のデンマークの王位を継がなければならぬ人です。今は国も、めんどうな時ですから、わしが仮に王位に即きましたが、此の危機が去って、人々の心も落ちつけば、わしは君に跡を継いでもらって、ゆっくり休息したいと思って居ります。それゆえ君は、いまからわしの傍にいて、少しずつ政治を見習うように心掛けなければいけません。いや、わしを助けてもらいたいのです。どうか、大学へ行くのは、あきらめて下さい。これは、父としての願いでもあるのです。君が、いなくなると、王妃だって淋しがるでしょう。君は、このごろ健康を害しているようにも見えます。」

ハム。「レヤチーズ、――」

レヤ。「はい。」

ハム。「君は、いい父を持って仕合せだね。」

王妃。「ハムレット、なんという事を、おっしゃるのです。私には、あなたが、ふてくされているようにしか思われません。そんな厭味な、気障な態度は、およしなさい。不満があるなら男らしく、はっきりおっしゃって下さい。私は、そんな言いかたは、きらいです。」

ハム。「はっきり言いましょうか。」

王。「わかっています。わしは此の機会に、君と二人きりでゆっくり話してみたい。王妃も、そんなに怒るものではありません。若い者には、若い者の正当な言いぶんがある筈です。わしにも、反省しなければならぬ事が、まだまだ、あるように思われます。ハムレット、泣かずともよい。」

王妃。「なに、そら涙ですよ。この子は、小さい時から、つくり泣きが上手だったのです。あまり、いたわらずに、うんとお叱りになって下さい。」

王。「ガーツルード、言葉をつつしみなさい。ハムレットは、あなたひとりの子ではありません。ハムレットは、デンマーク国の王子です。」

王妃。「それだから私も言うのです。ハムレットだって、もう二十三になります。いつまで、甘えているのでしょう。私は生みの母として此の子を恥ずかしく思います。ごらん下さい。きょうは王の初謁見式だというのに、この子ばかりは、わざと不吉な喪服なんかを着て、自分では悲壮のつもりで居るのでしょうが、それがどんなに私たちを苦しめる事なのか、この子は思ってもみないのです。私には、この子の考えている事くらい、なんでもわかります。この喪服だって、私たちへのいやがらせです。先王の死を、もはや忘れたのかという、当てつけのつもりなのでしょう。誰も忘れてやしません。心の中では誰だって、深く悲しんでいるのですが、いまは、その悲しみに沈んでばかりも居られません。私たちは、デンマークの国を思わなければいけません。デンマークの民を思わなければいけません。私たちには、悲しむ事さえ自由ではないのです。自分の身であって、自分のものではないのです。ハムレットには、それが、ちっともわかっていないのです。」

王。「いや、それは酷だ。そんな、追いつめるような言いかたをしては、いけません。人を無益に傷つけるだけの事です。王妃には、生みの母という安心があって、その愛情を頼みすぎて、そんな事を言うのでしょうが、若い者にとっては、陰の愛情よりも、あらわれた言葉のほうが重大なのです。わしにも、覚えがあります。言葉に拠って、自分の全部が決定されるような気がするものです。王妃も、きょうは、どうかしていますよ。ハムレットが喪服を着ていたって、少しも差しつかえ無いと思います。少年の感傷は純粋なものです。それを、わしたちの生活に無理に同化させようとするのは、罪悪です。大事にしてやらなければいけません。わしたちこそ、この少年の純粋を学ばなければいけないのかも知れません。わかるとは思っていながら、いつのまにやら、わしたちは大事なものを失っている場合もあるのです。とにかく、わしはハムレットと二人きりで、ゆっくり話してみたいと思いますから、みんなは暫(しばら)く向うへ行っていて下さい。」

王妃。「そんなら、お願い致します。私も少し言いすぎたようですが、でも、あなたも義理ある仲だと思って、此の子に優しくしすぎるようです。それでは、いつまで経っても、この子は立派になりません。先王がおいでになったとしても、きょうの此の子の態度には、きっとお怒りになり、此の子をお打ちになったでしょう。」

ハム。「打ったらいいんだ。」

王妃。「また、何をおっしゃる。もっと素直におなりなさい。」

王。ハムレット。

王。「ハムレット、ここへお坐りなさい。厭なら、そのままでいい。わしも立って話しましょう。ハムレット、大きくなったね。もう、わしと脊丈(せたけ)が同じくらいだ。これからも、どんどん大人(おとな)になるでしょう。でも、も少し太らなければいけませんね。ずいぶん痩せている。顔色も、このごろ、よくないようです。自重して下さいよ。君の将来の重大な責務を考えて下さい。きょうはここで、二人きりで、ゆっくり話してみましょう。わしは前から、二人きりになれる機会を待っていたのです。わしも、思っているところを虚心坦懐(きょしんたんかい)に申しますから、君も、遠慮なさらず率直に、なんでも言って下さい。どんなに愛し合っていても、口に出してそれと言わなければ、その愛が互いにわからないでいる事だって、世の中には、ままあるのです。人類は言葉の動物、という哲学者の意見も、わしには、わかるような気がします。きょうは、よく二人で話し合ってみましょう。わしも此の二箇月間は、いそがしく、君と落ちついて話をする機会もなかった。全く、そのひまが無かったのです。ゆるして下さい。君のほうでもまた、なんだか、わしと顔を合せるのを避けてばかりいましたね。わしが部屋へはいると、君は、いつでもぷいと部屋から出て行きます。わしは、その度毎に、どんなに淋しかったか。ハムレット！　顔を挙げなさい。そうして、わしの問いに、はっきり、まじめに答えて下さい。わしは、君に聞きたい事がある。君は、わしを、きらいなのですか？　わしは、いまでは君の父です。君は、わしのような父を軽蔑しているのですか？　憎んでいるのですか？　さ、はっきりと答えて下さい。一言でいい。聞かせて下さい。」

ハム。「A little more than kin, and less than kind.」

王。「なんだって？　よく聞きとれなかった。ふざけては、いけません。わしは、まじめに尋ねているのです。語呂合せのような、しゃれた答えかたはしないで下さい。人生は、芝居ではないのです。」

ハム。「はっきり言っている筈です。叔父さん！　あなたは、いい叔父さんだったけど、――」

王。「いやな父だというのですね？」

ハム。「実感は、いつわれませんからね。」

王。「いや有難う。よく言ってくれました。そのように、いつでも、はっきり言ってくれるといいのです。真実の言葉に対しては、わしは、決して怒りません。実は、わしも、君とそっくりな実感を持っているのです。何も君、そんなに顔色を変えて、わしを睨む事は無いじゃないか。君は少し表情が大袈裟ですね。わかい頃は誰しもそうなんだが、君は、自分ではずいぶん手ひどい事を他人に言っていながら、自分が何か一言でも他人から言われると飛び上って騒ぎたてる。君が他人から言われて手痛いように、他人だって君にずけずけ言われて、どんなに手痛いか、君はそんな事は思ってもみないのですからね。」

ハム。「そんな、決してそんな、――ばからしい。僕はいつでも、せっぱつまって、くるしまぎれに言ってるのです。ずけずけなんて言った覚えは、ありません。」

王。「だから、それが君だけでは無いと言うのです。わしたちだって、いつでも、せっぱつまって言っているのです。精一ぱいで生きているのです。わしたちには、何か力の余裕と自信が満ちているように君たちには見えるのかも知れないが、同じ事です。君たちと、ほとんど同じ事なのです。一日を息災に暮し得ては、ほっとして神にお礼を申している有様なのです。ことにも、わしはハムレット王家の血を受けて生れて来た男です。君もご存じのように、ハムレット王家の血の中には、優柔不断な、弱い気質が流れて居ります。先王も、わしも、幼い時から泣き虫でした。わしたち二人が庭で遊んでいるのを他国の使臣などが見て、女の子と間違ったものです。二人そろって病弱でした。けれども先王は、その後の修養に依って、あのように立派な賢王になられました。宿命を、意志でもって変革する事が出来ると、わしは今では信じて居ります。先王が、そのよいお手本です。わしは今、懸命に努力しています。何とかして、此のデンマークの為に、強い支柱になってやりたいと思っています。本当に、精一ぱいなのです。けれども、いま、わしを一ばん苦しめているものは、ハムレット、ご存じですか、君です。君は、さっき、実感はあらそわれないとか言いましたが、わしも、そのとおり、君を我が子と思えないのです。もっと、はっきり言いましょう。君は可愛い甥でした。わしは君を、利巧な甥としてしんから愛して来ました。君だって、先王がおいでの頃は、この山羊のおじさんに、なついていました。わしの顔が山羊に似ているのを、一ばんさきに見つけたのは、わしの可愛い甥でした。叔父さんも、よろこんで山羊のおじさんになっていました。あの頃が、なつかしいね。いまでは、わしと君は、親子です。そうして心は、千里も万里も離れました。むかしの二人の愛情が、そのまま憎悪に変ってしまった。わしたちが親子になったのが、不仕合せのもとでした。でも、これは、このままにしては置けません。ハムレット、わしには一つお願いがあります。あざむいて下さい。せめて臣下の見ている前だけでも、君の実感をあざむいて下さい。わしと仲の良い振りをしていて下さい。いやな事でしょう。くるしい事です。でも、その他に方法がありません。王家の不和は、臣下の信頼を失い、民の心を暗くし、ついには外国に侮られます。さっき、王妃も言いましたが、わしたちの場合は、自分のからだであって、自分のものではないのです。すべて、此のデンマークの為に、父祖の土の為に、自分の感情は捨てなければなりません。此のデンマークの土も、海も、民も、やがては君の掌に渡されるのです。わしたちは、いま協力しなければいけません。わしを愛してくれとは申しません。わしだって君を、心の底から我が子と呼んで抱きしめる程の愛情は、打ち明けたところ、どうしても感ぜられない状態なのですから、君にだけ、無理に愛せよ等とは言えません。ただ、人の見ている前だけでいいのです。それがお互いのくるしい義務です。天意だと思います。これには従わなければいけません。愛への潔癖よりも、義務への忍従のほうが、神の悦び賞するところだと信じます。また、はじめは身振りだけの愛の挨拶であっても、次第に、そこから本当の愛が滲んで湧いて来る事だってあると思います。」

ハム。「わかりました。それくらいの事は、僕にだって、わかっています。僕は、めんどうくさいんです。僕を、も少し遊ばせて置いて下さい。叔父さん、僕から一つお願いします。僕を、また、ウイッタンバーグの大学へ行かせて下さい。」

王。「二人だけの時は、叔父と呼んでも一向かまいませんが、王妃や臣下のいる前では、必ず父と呼ぶことを約束しなければなりません。こんな、つまらぬ事を、とがめだてするのは、わしは、つらくて恥ずかしいのですが、そんな些細の形式が、デンマーク国の運命にさえ影響します。わしは、此の事を、さっきから君にたのんでいるのです。」

ハム。「そうですか。どうも。」

王。「君は、どうしてそうなんでしょう。わしが、ちょっとでも、むきになって何か言うと、すぐ、ぷんとして、そんな軽薄な返事をして、わしの言葉をはぐらかしてしまいます。」

ハム。「叔父さん、いや、王こそ、僕のお願いを、はぐらかします。僕は、ウイッタンバーグへ行きたいんです。それだけなんです。」

王。「本当ですか？　わしは、それを嘘だと思っています。だから、聞えぬ振りをしようと思っていたのです。大学へ、また行きたいというのは、君の本心ではありません。それは、口実にすぎません。君は、そんな事を言って、ただわしに反抗してみているだけなのです。わしだって知っています。若いころの驕慢の翼は、ただ意味も無くはばたいてみたいものです。やたらに、もがきたいのです。わしはそれを動物的な本能だと思っています。その動物的な本能に、さまざま理想や正義の理窟を結びつけて、呻いているのです。わしは断言できる。君は、よし先王が生きておいでになっても、きっと、いまごろは先王に反抗している。そうして、先王を軽蔑し、憎み、わからずやだと陰口をきき、先王を手こずらせているでしょう。そんな年ごろなのです。君の反抗は肉体的なものです。精神的なものではありません。いま君は、ウイッタンバーグへ行っても、その結果が、わしには、眼に見えるようです。君は大学の友人たちから英雄のように迎えられるでしょう。旧弊な家風に反抗し、頑迷冷酷な義父と戦い、自由を求めて再び大学へ帰って来た、真実の友、正義潔白の王子として接吻、乾杯の雨を浴びるでしょう。でも、そのような異様の感激は、なんであろう。わしは、それを生理的感傷と呼びたいのです。犬が芝生に半狂乱でからだをこすりつけている有様と、よく似ていると思います。少し言いすぎました。わしは、その若い感激を、全部否定しようとは思いません。それは神から与えられた一つの時期です。必ずとおらなければならぬ火の海です。けれども人は一日も早く、そこから這いあがらなければいけません。当りまえの事です。充分に狂い、焦げつき、そうして一刻も早く目ざめる。それが最上の道です。わしだって、君も知っているように決して聡明な人間ではありませんでした。いや、実に劣った馬鹿でした。いまでも、わしは、はっきり目ざめているとは言えません。けれども、わしは、君にだけは失敗させたくないと思っています。君は学友たちの、その場かぎりの喝采（かっさい）の本質を、調べてみた事がありますか。あれは、ふしだらの先輩を得たという安堵（あんど）です。お互いに悪徳と冒険を誇り合い、やがて薄汚い無能の老（お）いぼれに堕落させ合うばかりです。わしは、わしの愚かな経験から君に言い聞かせているのです。わしは、永いあいだ放埒（ほうらつ）な大学生生活をして来ました。そうして、いまに残っているものは何でしょう。何もありません。ただ、いやらしい思い出です。呻くばかりの慚愧（ざんき）です。惰性の官能です。わしは、その悪習慣をもてあましました。いまだって、なおその処理にくるしんで居ります。レヤチーズの場合は、ちがいます。あれには、出世という希望があります。出世という希望のあるうちは、人はデカダンスに落ちいる事はありません。君には、その希望がありません。落ちてみたい情熱だけです。君は既に三箇年間、大学の生活をして来ました。もう充分なのです。再び昔の学友たちと、あの熱狂を繰り返したら、こんどは取りかえしのつかぬ事になるかも知れません。少年の頃の不名誉の傷は、皆の大笑いのうちに容易になおりますが、二十三歳の一個の男子の失態の傷は、なまぐさく、なかなか拭（ふ）き取り難いものです。自重して下さい。大学生たちは、無責任な強烈な言葉で、君をそそのかすだけです。わしには、よくわかっています。さっき臣下の前では、わしは、他の理由で君の大学行きを止（と）めましたが、いや、たしかに、あの時申した事も重要な理由でしたが、それよりも、わしには、君のいまの驕慢の翼が心配だったのです。その翼の情熱の行方が心配だったのです。さっき臣下の前で申した事も、君には心掛けて置いてもらいたい、すなわち、わしの傍にいて実際の政治を見習うようにしてもらいたい、けれども、そんな政治上の思惑の他に、わしは君の父として、いや、愚かな先輩の義務として、君の冒険に忠告したかったのです。わしは君に、まことの父としての愛情が実感せられないとも言いましたが、けれども人間の義務感は、また別のものです。わしは、君の役に立ちたい。わしの愚かな経験から、やっと得た結論を、君に教えて、君を守りたいと思っているのです。君を立派に育てたいと念じているのです。それを疑っては、いけません。君は、デンマーク国の王子です。二無（にな）き大事な身の上です。もっと自覚を深めて下さい。レヤチーズなどと一緒にして考えてはいけません。レヤチーズは、君の一臣下に過ぎません。フランスへ行くのも、将来その身に箔（はく）をつけたい為です。だから、あの抜け目の無い、ポローニヤスだって、ゆるしたのです。君には、そんな必要がありません。どうか、ウイッタンバーグへ行くのは、怺えて下さい。これは、もうお願いではありません。命令です。わしには、君を立派な王に育て上げる義務があります。この王城にとどまり、間もなく佳い姫を迎える事にしようではないか、ハムレット。」

ハム。「僕は何も、レヤチーズの真似をしようとは思っていません。なんでもないんです。僕は、ただ、――」

王。「よし、よし、わかっています。昔の学友たちと逢いたくなったのでしょう。わしにも打ち明けられぬ事が出来たのでしょう。そんならウイッタンバーグまで行く必要は、いよいよありません。ホレーショーを、わしが呼んで置きました。」

ハム。「ホレーショーを！」

王。「うれしそうですね。あれは、君の一ばんの親友でしたね。わしも、あれの誠実な性格を高く評価して居ります。もう、ウイッタンバーグを出発した筈です。」

ハム。「ありがとう。」

王。「それでは握手しましょう。話し合ってみると、なんでもない。これから、だんだん仲良くなるでしょう。どうも、きょうは、君にも失礼な事を言いましたが、悪く思わないで下さい。饗宴の合図の大砲が鳴っています。皆も待ちかねている事でしょう。一緒にまいりましょう。」

ハム。「あの、僕は、も少しここで、ひとりで考えていたいんです。どうぞ、おさきに。」

ハムレットひとり。

ハム。「わあ、退屈した。くどくどと同じ事ばかり言っていやがる。このごろ急に、もっともらしい顔になって、神妙な事を言っているが、何を言ったって駄目さ。自己弁解ばかりじゃないか。もとをただせば、山羊のおじさんさ。お酒を飲んで酔っぱらって、しょっちゅうお父さんに叱られてばかりいたじゃないか。僕をそそのかして、お城の外の女のところへ遊びに連れていったのも、あの山羊のおじさんじゃないか。あそこの女は叔父さんの事を、豚のおばけだと言っていたんだ。山羊なら、まだしも上品な名前だ。がらでないんだ。がらでないんだ。可哀そうなくらいだ。資格がないのさ。王さまの資格がないんだ。山羊の王さまなんて、僕には滑稽で仕方が無い。でも、叔父さんは、油断がならん。見抜いていやがった。僕が本当は、ウイッタンバーグなんかに行く気が無いという事を知っていやがった。油断がならん。蛇の路は、へびか。ああ、ホレーショーに逢いたい。誰でもいい。昔の友人に逢いたい。聞いてもらいたい事があるんだ。相談したい事があるのだ！ ホレーショーを呼んでくれたとは、山羊のおじさん大出来だ。いったい道楽した者には、また、へんな勘のよさがある。山羊め、どこまで知っているものかな？　ああ、僕も堕落した。堕落しちゃった。お父さんが、なくなってからは、僕の生活も滅茶滅茶(めちゃめちゃ)だ。お母(かあ)さんは僕よりも、山羊のおじさんのほうに味方して、すっかり他人になってしまったし、僕は狂ってしまったんだ。僕は誇りの高い男だ。僕は自分の、このごろの恥知らずの行為を思えば、たまらない。僕は、いまでは誰の悪口も言えないような男になってしまった。卑劣だ。誰に逢っても、おどおどする。ああ、どうすればいいんだ。ホレーショー。父は死に、母は奪われ、おまけにあの山羊のおばけが、いやにもったいぶって僕にお説教ばかりする。いやらしい。きたならしい。ああ、でも、それよりも、僕には、もっと苦しい焼ける思いのものがあるのだ。いや、何もかもだ。みんな苦しい。いろんな事が此の二箇月間、ごちゃまぜになって僕を襲った。くるしい事が、こんなに一緒に次から次と起るものだとは知らなかった。苦しみが苦しみを生み、悲しみが悲しみを生み、溜息(ためいき)が溜息をふやす。自殺。のがれる法は、それだけだ。」

二　ポローニヤス邸の一室

レヤチーズ。オフィリヤ。

レヤ。「荷作りくらいは、おまえがしてくれたっていいじゃないか。ああ、いそがしい。船は、もう帆に風をはらんで待っているのだ。おい、その哲学小辞典を持って来ておくれ。これを忘れちゃ一大事だ。フランスの貴婦人たちは、哲学めいた言葉がお好きなんだ。おい、このトランクの中に香水をちょっと振り撒(ま)いておくれ。紳士の高尚な心構えだ。よし、これで荷作りが出来た。さあ、出発だ。オフィリヤ、留守中はお父さんのお世話を、よくたのんだぞ。何を、ぼんやりしているのさ。此の頃(ごろ)なんだか眠(ねむ)たそうな顔ばかりしているようだが、思春期は、眠いものと見えるね。あたしにも苦しい事があるのよと思う宵にもぐうぐうと寝るという小唄(こうた)があるけど、そっくりお前みたいだ。あんまり居眠りばかりしてないで、たまにはフランスの兄さんに、音信をしろよ。」

オフ。「すまいとばし思うて？」

レヤ。「なんだい、そりゃあ。へんな言葉だ。いやになるね。」

オフ。「だって、坪内さまが、――」

レヤ。「ああ、そうか。坪内さんも、東洋一の大学者だが、少し言葉に凝り過ぎる。すまいとばし思うて？　とは、ひどいなあ。媚びてるよ。いやいや、坪内さんのせいだけじゃない。お前自身が、このごろ少しいやらしくなっているのだ。気をつけなさい。兄さんには、なんでもわかる。口紅を、そんなに赤く塗ったりして、げびてるじゃないか。不潔だ。なんだい、いやに、なまめきやがって。」

オフ。「ごめんなさい。」

レヤ。「ちぇっ！　すぐ泣きやがる。兄さんには、なんでも、全部わかっているのだぞ。いままで、わざと知らぬ振りしていたのだが、それでも、遠まわしにそれとなくお前の反省をうながして来た筈なのに、お前は、てんで気にもとめない。のぼせあがっているんだから仕様が無い。僕は、なるべくならば、こんな、くだらない事には口を出したくなかったんだ。けがらわしい。でも、きょうは、どうにも僕の留守の間の事が心配になって、つい言い出してしまったのだが、こうなれば、いっそ全部お前に言って置いたほうがよいかも知れない。いいか、あの人の事は、あきらめろ。馬鹿な事だ。わかり切った事だ。あの人が、どんなお身分の方か、それを考えたら、わかる事だ。出来ない相談だよ。断々乎として僕は反対だ。いま、はっきり言って置く。お前のたった一人の兄として、また、なくなられたお母さんの身代りとして、僕は、断然不承知だ。お父さんは、のんきだからまだ御存じないようだが、もしお父さんに知られたら、どんな事になるか。お父さんは責任上、いまの重職を辞さなければならぬ。僕の前途も、まっくらやみだ。お前は、てて無し子を抱えて乞食にでもなるさ。いいか、あの人に、こう言ってくれ、レヤチーズの妹を、なぐさみものにしたならば、どいつこいつの容赦は無い、どのようなお身分の方であっても生かして置けぬと、レヤチーズが鬼神に誓って言っていました、とそう伝えてくれ。」

オフ。「兄さん！　そんなひどい事を、おっしゃってはいけません。あの方は、――」

レヤ。「馬鹿野郎。まだそんな寝言を言っていやがる。薄汚い。それでは、もっとはっきり言ってあげる。僕の反対するのは、何もあの人のお身分のせいばかりではないのだ。僕は、あの人を、きらいなのだ。大きらいだ。あの人は、ニヒリストだ。道楽者だ。僕は小さい時から、あの人の遊び相手を勤めて来たから、よく知っている。あの人は、とても利巧だった。ませていた。なんにでも直ぐに上達した。弓、剣術、乗馬、それに詩やら、劇やら、僕には不思議でならぬくらいによく出来た。けれども少しも熱が無い。

一とおり上達すると、すぐにやめてしまうのだ。あきっぽいのだ。僕には、あんな性格の人は、いやだ。他人の心の裏を覗くのが素早くて、自分ひとり心得顔してにやにやしている。いやな人だよ。僕たちの懸命の努力を笑っているのだ。あんなのを軽薄才子というのだ。いやに様子ぶっていやがる。その癖、王さまや王妃さまに何か言われると大勢の臣下の前もはばからず、めそめそ泣き出す。女の腐ったみたいな奴だ。オフィリヤ、お前は何も知らない。けれども、僕は知っている。あの人は、全然たのみにならぬ人だ。男は、此のデンマークに、森の木の葉の数よりも多く居るのだ。兄さんは、その中でも一ばん強い、一ばん優しい、一ばん誠実な、そして誰よりも綺麗な顔の青年を、お前の為に見つけてあげる。ね、兄さんを信じておくれ。お前は今まで、兄さんの言う事なら何でも信じてくれたじゃないか。そうして兄さんは、お前を一度も、だました事は無かったね？　そうだろう？　よし、わかったね？　お願いだから、あの人の事は、もうきょう限り、あきらめろ。こんど、あの人が何かお前に、うるさく言ったら、レヤチーズが生かして置けぬと怒っていました、と知らせてやれ。あの人は意気地が無いから、蒼くなって震え上るに相違ない。わかったね？　もし万一、まあ、そんな事もあるまいけれど、お前が僕の留守中に、何か恥知らずの無分別でも起したなら、兄さんは、お前たち二人を、本当にそのままでは置かぬぞ。怒ったら、誰よりもこわい兄さんだという事を、お前は知っているね？　では、さあ、笑って別れよう。兄さんは、本当は、お前を信頼しているのだよ。」

オフ。「さようなら。兄さんもお元気で。」

レヤ。「ありがとう。留守中は、よろしく頼むよ。なんだか心配だな。そうだ、一つ、神さまの前で兄さんに誓言してくれ。どうも、気がかりだ。」

オフ。「兄さん、まだお疑いになるの？」

レヤ。「いや、そんなわけじゃないけど。じゃ、まあ、いいや。大丈夫だね？　安心していいね？　僕は、こんな問題には、あまり、しつこく口出ししたくないんだ。兄として、みっともない事だからね。」

ポローニヤス。レヤチーズ。オフィリヤ。

ポロ。「なんだ、まだこんなところにいたのか。さっき、いとま乞いに来たから、もうとっくに出発したものとばかり思っていた。さあ、さあ出発。おっと待て、待て。わかれるに当って、もう一度、遊学の心得を申し聞かせよう。」

レヤ。「ああ、それは、すでに三度、いや、たしかに四回うかがいましたけど。」

ポロ。「何度だっていい。十度くりかえしても不足でない。いいか、まず第一に、学校の成績を気にかけるな。学友が五十人あったら、その中で四十番くらいの成績が最もよろしい。間違っても、一番になろうなどと思うな。ポローニヤスの子供なら、そんなに頭のいい筈がない。自分の力の限度を知り、あきらめて、謙譲に学ぶ事。これが第一。つぎには、落第せぬ事。カンニングしても、かまわないから、落第だけは、せぬ事。落第は、一生お前の傷になります。としとって、お前が然るべき重職に就いた時、人はお前の昔のカンニングは忘れても、落第の事は忘れず、何かと目まぜ袖引き、うしろ指さして笑います。学校は、もともと落第させないように出来ているものです。それを落第するのは、必ず学生のほうから、無理に好んで志願する結果なのです。感傷だね。教師に対する反抗だね。見栄だね。くだらない正義感だね。かえって落第を名誉のように思って両親を泣かせている学生もあるが、あれは、としとって出世しかけた時に後悔します。学生の頃は、カンニングは最大の不名誉、落第こそは英雄の仕業と信じているものだが、実社会に出ると、それは逆だった事に気がつきます。カンニングは不名誉に非ず、落第こそは敗北の基と心掛ける事。なあに、学校を出て、後でその頃の学友と思い出話をしてごらん。たいていカンニングしているものだよ。そうしてそれをお互いに告白しても、肩を叩き合って大笑いして、それっきりです。後々の傷にはなりません。けれども落第は、ちがいますよ。それを告白しても、人はそんなに無邪気に笑って聞きのがしては、くれません。お前は、どこやら、軽蔑されてしまいます。出世のさまたげ、卑屈の基。人生は、学生生活にだけあると思うと、とんだ間違い。よくよく気をつけて、抜け目なくやっておくれ。ポローニヤスの子じゃないか。つぎに、学友の選びかたに就いて。これもまた重大です。一学年上の学生を、必ずひとり、友人にして置かなければならぬ。試験の要領を聞くためだ。試験官の採点の癖を教えてもらえる。さらに、もうひとり、同学年の秀才と必ず親交を結ばなければならぬ。ノオトを貸してもらい、また試験の時には、お前の座席のすぐ隣りに坐ってもらうためであります。学友は、その二人だけで充分です。不要の交友は、不要の出費。さて、次は、金銭に就いて。これは、とりわけ注意を要する。金銭の貸借、一切、まかりならん。借りる事は、もとより不埒、貸す事もならん。餓死するとも借金はするな。世の中は、人を餓死させないように出来ています。うき世の人は、娘を嫁にやった事は忘れても、一両を他人に貸してやった事は忘れません。一両を十両にして返されても、やはり自分の貸してやった一両の事だけは忘れません。これまた永く出世のさまたげ。大望を抱(いだ)く男は、一厘の借金もせぬものです。貸す事もならん。お前から借りた男は、必ずお前の悪口を言うだろう。自分で借りて肩身が狭く、お前をけむったいものだから、必ずどこかで、お前の陰口をたたきます。すなわち、やがて不和の基。お互いの友情に傷つくような事があっては残念ですから、わざとお貸し致しません、とはっきり言って相手の申し込みを断わられるくらいの男でなければ、将来の大成は、まずむずかしいね。よいか？ 金銭の取りあつかいには気をつけるのですよ。借りても駄目。貸しても駄目。つぎに飲酒。適度に行え。けれども必ず、ひとりで飲むな。ひとりの飲酒は妄想の発端、気鬱(きうつ)の拍車。飲めども飲めども気の晴れるものではない。一週一回、学友と飲め。それも、こちらから誘うのは、まずい。向うから誘われ、渋々応じるように心掛けるのが利巧者だ。意気込んで応じるのは、馬鹿のあわて者です。飲酒の作法は、むずかしい。泥酔して、へどを吐くは禁物(きんもつ)。すべての人に侮られる。大声でわめいて誰かれの差別なく喧嘩口論を吹っ掛けるのも、人に敬遠されるばかりで、何一ついい事が無い。なるべくなら末席に坐り、周囲の議論を、熱心に拝聴し、いちいち深く首肯(しゅこう)している姿こそ最も望ましいのだが、つい酒を過した時には、それもむずかしくなる。その時には、突然立ち上って、のども破れよとばかり、大学の歌を歌え。歌い終ったら、にこにこ笑って、また酒を飲むべし。相手から、あまりしつこく口論を吹っかけられた場合には、屹(き)っとなって相手の顔を見つめ、やがて静かに、君も淋(さび)しい男だね、とこう言え。いかな論客でも、ぐにゃぐにゃになる。けれども、なるべくならば笑って柳に風と受け流すが上乗。宴が甚(はなは)だ乱れかけて来たならば、躊躇(ちゅうちょ)せず、そっと立って宿へ帰るという癖をつけなさい。なにかいい事があるかと、いつまでも宴席に愚図愚図とどまっているような決断の乏しい男では、立身出世の望みが全くないね。帰る時には、たしかな学友を選んでその者に、充分の会費を手渡す事を忘れるな。三両の会費であったら、五両。五両の会費であったら十両、置いてさっと引き上げるのが、いい男です。人を傷つけず、またお前も傷つかず、そうしてお前の評判は自然と高くなるだろう。ああ、それから飲酒に於(お)いて最も注意を要する事が、もう一つあります。それは、酒の席に於いては、いかなる約束もせぬ事。これは、よくよく気をつけぬと、とんだ事になる。飲酒は感激を呼び、気宇(きう)も高大になる。いきおい、自分の力の限度以上の事を、うかと引き受け、酔が醒(さ)めて蒼くなって後悔しても、もう及ばぬ。これは、破滅の第一歩。酔って約束をしてはならぬ。つぎには、女。これもまた、やむを得ない。ただ、あの、自惚(うぬぼ)れだけは警戒しなさい。お前は、ポローニヤスの子だ。父と同様に、女に惚れられる柄でない。お前は、小さい時から大鼾をかく子であった事を忘れてはいけない。あのような大鼾では、女房以外の女なら必ず閉口します。女の誘惑に逢った時、お前は、きっとあの大鼾を思い出す事にしなさい。いいか？　フランスできらわれても、デンマークには、お前でなければいけないという綺麗な娘もいるんだから、そこはお父さんにまかせて、向うでは、あまり自惚れないほうがよい。若い時の女遊びは、女を買うのではなく、自分の男を見せびらかしに行くんだから、自惚れこそは最大の敵と思っていなさい。さて、次は、――」

レヤ。「賭博です。五両だけ損して笑って帰る事です。儲けては、いけませんのです。」

ポロ。「その次は、――」

レヤ。「服装の事です。いいシャツを着て、目立たぬ上衣を着るのです。」

ポロ。「その次は、――」

レヤ。「宿のおばさんに手土産を忘れぬ事です。あまり親しくしてもいけないのです。」

ポロ。「その次は、――」

レヤ。「日記をつける事と、固パンを買って置く事と、鼻毛を時々はさむ事と、ああ、もう船が出ます。お父さん、お達者で。むこうに着いたら、ゆっくりお便りを差し上げます。オフィリヤ、さようなら、さっき兄さんの言った事を忘れちゃいかんよ。」

ポロ。「あ、もう行ってしまった。なんて素早い奴だ。でも、まあ、あれくらい言って置いたらいいだろう。送金の限度に就いて言うのを忘れたが、あ、散策の必要も言い忘れたが、まあ、また後で手紙で言ってやる事にしよう。おや、オフィリヤ、顔色がよくないよ。兄さんが何かお前に無理な事を言ったんだね。わかっていますよ。お前にお小遣い銭をねだったのでしょう？　お父さんから貰うだけでは不足だから、これからも毎月こっそり何程かずつ送るようにお前をおどかして命令したんだ。いや、それに違いない。わるい奴さ。」

オフ。「いいえ、お父さんちがいます。兄さんは、そんな、つまらないお方じゃないわ。大丈夫よ。いまのような、こまかい御注意などなさらなくても、兄さんは、みんな心得ていらっしゃるのに。」

ポロ。「そりゃあ、そうさ。当り前の事だ。二十三にもなって、あれくらいの事を心得ていないで、どうする。同じ年齢でも、ハムレットさまなどに較べると三倍も大人だ。レヤチーズは、此の親爺よりも偉くなる子です。でも、あんなにやかましく、こまごま言ってやるのは、わしの、深く考えた上での計略なんだ。あの子だって、うるさいとは思っていながら、自分に何かとやかましく言ってくれる者が在るという思いは、また、あれにとって生きて行く張り合いになるのです。あれの行末を、ずいぶん心配している者が、ここに一人いるという事を、あれに知ってもらったら、わしはそれで満足なのだ。いろいろ、うるさい注意も与えてやりましたが、なに、みな出鱈目ですよ。どうだっていい事ばかりです。レヤチーズには、レヤチーズの生活流儀があるでしょう。時代も、かわっているでしょう。レヤチーズは、自由にやって行っていいのです。ただ一つ、わしが心配して気をもんでいるのだという事実だけを、知ってもらえたらいいのです。それを覚えている限り、あれは決して堕落しません。わしは、なくなったお母さんと二人分、気をもんでいるのだ。それを、あの子に知ってもらいたかったのです。あの子は、それさえ覚えていたら、それを覚えている限りは、ああ、わしは、同じ事ばかり言っている。老いの繰り言という奴だ。わしも、いつの間にか、としをとったよ。オフィリヤ、ここへお坐り、さあ、お父さんと並んで坐ろう。これで、よし。まあ、もう少しお父さんの愚痴も聞いておくれ。お前は、このごろ、だんだんお母さんに似て来たね。わしは、なんだか、お前のお母さんと話をしているような気がするよ。お母さんも、草葉の蔭で喜んでいるだろう。レヤチーズは、あのように丈夫に育ったし、お前も優しく、おとなしくて、わしの身のまわりの世話をよくしてくれる。お前の事は、お城の外の人たちまで褒めちぎっているそうだ。ポローニヤスのような親から、よくもあんな器量よしが生れたものだと、けしからぬ、が、まあいい、そんな噂さえ、わしは聞いている。本当に、お父さんは、いまは仕合せな筈だ。何ひとつ不足は無い筈なんだが、オフィリヤ、聞いておくれ、お父さんは、このごろ、なんだか、ふっと、とても心細くなる時があるのだ。お父さんは、もう、死ぬんじゃないか。いや、おどろく事は無い。何も、無理に死のうと言うのではない。お父さんは、いつも、百歳、いや百九歳くらいまで、なんとかして生きていたいと大真面目に考えていたものです。レヤチーズの立派に出世した姿を見て、大いに褒めて、これでわしも全く安心したと断言して、それから死にたいと思っていました。慾の深い話さ。でも、お父さんは、本気にそれを念じていました。わしには、いま、わし自身の楽しみというものは何もない。ただ、お前たちのために、生きていなければならぬと思っていたのだ。母のない子というものは、どんなに可愛いものか、レヤチーズだって、お前だって知るまい。わしは、子供のためには、どんな、つらい事だってしまいます。お父さんはね、こんな事まで考えていた。つまり、人生には、最後の褒め役が一人いなければならん。たとえばレヤチーズの場合、レヤチーズも、これから、人に褒められたいばかりに、さまざま努力するだろうが、そんな時に、世の中の人、全部があれを軽薄に褒めても、わしだけは、仲々に褒めてやるまい。早く褒められると、早く満足してしまう。わしだけは、いつまでも気むずかしい顔をしていよう。かえって侮辱をしてやろう。しかし、最後には必ず褒めます。謂わば、最高の褒め役になろう。大いに褒める。天に聞えるほどの大声で褒める。その時あれは、いままで努力して来てよかったと思うだろう。生きている事を神さまに感謝するだろう。わしは、その、最後に褒める大声になりたくて、どうしても百九歳、いや百八歳でもよい、それまで生きているように心掛けて来たものだが、このごろ、それが、ひどくばからしくなって来た。褒めたくても怺えて小言をいうのは、怒りたいところを我慢するのと、同じくらいに、つらいものです。そんなつらい役は、お父さんでなければ引き受ける人はあるまい。親馬鹿というんだね。親の慾だ。お父さんは、レヤチーズを、うんと、もっと立派にさせたくて、そんなつらい役をも引き受けようと、思っていたんだが、なんだか、このごろ、淋しくなった。いや、お父さんは、まだまだ、これからもお前たちには、こごとを言いますよ。さっきも、レヤチーズには、あんなに口うるさく、こごとを言いました。けれども、言った後で、お父さんは、ふっと心細くなるのです。つまりね、教育というものは、そんな、お父さんの考えているような、心の駈引きだけのものじゃないという事が、ぼんやりわかって来たのです。子供は親の、そんな駈引きを、いつの間にか見破ってしまいます。どうだい、わしにしては、たいへんな進歩だろう。レヤチーズは、しっかりしているけれども、やっぱり男だけに、まだ単純なところがあります。お父さんの巧妙な駈引きに乗せられて、むきになって努力するところがあります。それは、あれの、いいところだ。それを知っているから、お父さんも、レヤチーズには時々、駈引きをして、しかも成功しています。さっきお父さんが、大声でさまざまの注意を与えてやりましたが、レヤチーズは、うるさいと思っていながら、やっぱりお父さんの気をもんでいる事を知って、心底に生き甲斐を感じて出発したのです。けれども、オフィリヤ、ねえ、オフィリヤ、もっと、こっちへお寄り。お父さんが、さっきから、何を言いたがっているのか、わかりますか?」

オフ。「あたしを、叱っていらっしゃるのです。」

ポロ。「それだ。すぐ、それだ。お父さんはね、それだから、お前がこわいのです。このごろ、めっきり、こわくなった。お前には、わしの駈引きが通じない。すぐ見破ってしまう。以前は、そうでもなかったがねえ。オフィリヤ。——そうです。さっきからお父さんは、お前の事ばかり言っていたのです。本当に、お前の事ばかり心配して言っていたのです。叱ってやしない。叱ってやしないけれど、なぜ、お父さんに、もっとはっきり言ってくれないのですか？　お父さんには、それが淋しいのだ。レヤチーズの事なんか、わしは、そんなに心配していません。あれは大声で叱ってやると、いつでも、しゃんとなる子です。けれども、オフィリヤ、わしは、このごろ、お前を叱る事が出来ない。強い口調で、ものを言いつける事も出来ない。お父さんが、ふっと心細くなるのも、そのためです。百九歳まで生きるのが、いやになって来たのも、そのためです。教育は心の駈引きでないという事がわかって来たのも、そのためです。最高の褒め役なんてものが、ばからしくなったのも、そのためです。もう、死ぬんじゃないかという気がして来たのも、オフィリヤ、何もかも、お前のためです。オフィリヤ、泣く事は無い。さあ、お父さんに、お前の苦しいと思っている事をなんでも言って聞かせなさい。さっきから、お父さんは、お前が言い出すのを今か今かと待っていたのだ。だから、あんな意味もない愚痴めいた事を矢鱈に述べて、お前のほうからも気軽く言い出せるようにしてやっていたのだが、どうも、お父さんは、やっぱり駈引きが多くていけないね。ごめんよ。お父さんは、ずるくていけないね。さあ、もうお父さんも計略はしないから、お前もお父さんを信頼して思い切って言ってみなさい。これ、立ってどこへ行くのだ。逃げなくてもよい。さ、お坐り。それでは、お父さんから言ってあげます。オフィリヤ、お前はさっき兄さんから、ひどく怒られていたようだね。送金の事なんかじゃ無かったんでしょう？」

オフ。「お父さん、ひどい。もう、たくさんです。」

ポロ。「よし、わかった。オフィリヤ！　お前は、ばかだねえ。レヤチーズの怒るのも無理はない。わしは、けさ或る下役から、いやな忠告を受けた。寝耳に水の忠告であったが、お前のこのごろの打ち沈んでいる様子と思い合せて、もしや、と思った。わしは、そうでない事を信じたかったが、とにかく、お前の心を傷つけない程度に、それとなく優しく尋ねてみようと思った。わしは、そのとおりに、精一ぱいに優しくいたわって尋ねたつもりだ。けれども、お前は頑固に、だまっていて、おまけにここから逃げて行こうとさえした。けれども、もう、わかりました。オフィリヤ、お前たちの恋愛は卑怯だねえ。少しも無邪気なところが無い。濁っている。なぜ、わしたちに、そんなに隠さなければならなかったのか。相手のお方の態度も見上げたものさ。てんとして喪服なぞをお召しになって、ご自身の不義は棚にあげ、かえって王や王妃に、いや味をおっしゃる。いまの若い者の恋愛とは、そんなものかねえ。好きなら好きでよい。身分のちがいもあるが、それも、いまは昔ほど、やかましくはない筈だ。なぜ、無邪気に打ち明けてくれなかったのです。クローヂヤスさまだって、もののわからぬおかたではない。わしだって、若い時には間違いもやらかした。わるいようには、しなかったのだ。でも、もうおそい。こんなに評判が立ってからだと、具合が悪い。馬鹿だ。お前たちは、馬鹿だ。だめですよ。いくら泣いても、だめですよ。お父さんも、呆れました。それで？　レヤチーズは、全部を知っているのかね。」

　オフ。「いいえ。兄さんは、そんな事なら生かして置けないと、言っていました。」

　ポロ。「そうだろう。レヤチーズの言いそうな事だ。まあ、レヤチーズには黙っているさ。此の上あいつが飛び出して来たら、いよいよ事だ。いやな話だねえ。女の子は、これだから、いやだ。ふん、オフィリヤ。お前は、クイーンの冠を取りそこねた。」

三　高台

ハムレット。ホレーショー。

　ハム。「しばらくだったな。よく来てくれたね。どうだい、ウイッタンバーグは。どんな具合だい。みな相変らずかね。」

　ホレ。「寒いですねえ、こちらは。磯の香がしますね。海から、まっすぐに風が吹きつけて来るのだから、かなわない。こちらは、毎晩こんなに寒いのですか？」

　ハム。「いや、今夜はこれでも暖いほうだよ。一時は、寒かったがねえ。これからは暖くなる一方だ。もう、デンマークも、やがて春さ。ところで、どうだね、みな元気かね。」

　ホレ。「王子さま。僕たちの事より、御自身はいかがです。」

　ハム。「へんな言いかたをするね。何か、僕に就いて、悪い噂でも立っているのかね。ウイッタンバーグは、口がうるさいからなあ。ホレーショー。君は、へんだよ。何だか、よそよそしいね。」

　ホレ。「いいえ、決してへんな事はありません。本当に、王子さま、あなたは大丈夫なんですか？　ああ、寒い。」

　ハム。「王子さま、か。そんな筈じゃ無かったがねえ。おい、以前のようにハムレットと呼んでくれ。すっかり他人になってしまったね。君は、いったい、何しにエルシノアへ来たんだ。」

　ホレ。「ごめん、ごめん。相変らずのハムレットさまですね。すぐ怒る。案外に、お元気だ。大丈夫のようですね。」

ハム。「いやな言いかたをするなあ。何か悪い噂を聞いて来たのに違いない。なんだい？　どんな噂だい、言ってごらん。叔父さんが君に、要らない事を言ってやったんだろう。きっとそうだ。ちっとも知りゃしない癖に、要らない事ばかり言いやがる。」

ホレ。「いいえ、王さまのお手紙は、情のこもったものでした。王子が退屈しているから、話相手になりにやって来て呉れ、という勿体ない程ごていねいな文面でした。ありがたいお手紙でした。」

ハム。「嘘をつけ。何か他の事も、その手紙に書いてあったに違いない。君だけは、嘘をつかない男だと思っていたがねえ。」

ホレ。「ハムレットさま。ホレーショーは昔ながらの、あなたの親友です。いい加減の事は申しません。それでは、全部、僕がウイッタンバーグで耳にした事を、そのまま申し上げましょう。どうも、ここは寒いですねえ。部屋へ帰りましょう。どうして僕を、こんなところへ引っぱり出して来たのです。顔を見るなり、ものも言わず、こんな寒い真暗なところへ連れて来て、やあ、しばらくだね、とおっしゃるのでは僕だって疑ってみたくなりますよ。」

ハム。「何を疑うのだ。そうか。だいたい、わかったような気がする。でも、それは、驚いたなあ。」

ホレ。「おわかりになりましたか？　とにかくお部屋へ帰りましょう。僕は、ジャケツを着て来なかったので。」

ハム。「いや、ここで話してくれ。僕もそれに就いて君に、大いに聞いてもらいたい事があるんだ。山ほどあるんだ。他の人に聞かれちゃまずいんだ。ここなら大丈夫だ。寒いだろうけれど、我慢してくれ。どうも人間は、秘密を持つようになると、壁に耳が本当にあるような気がして来る。僕も、このごろは少し疑い深くなったよ。」

ホレ。「お察し致します。このたびは、お嘆きも深かった事と存じます。故王には、僕も両三度お目にかかった事がございましたけれど、――」

ハム。「それどころじゃないんだ。嘆きがめらめら燃え出したよ。まあ、とにかく君がウイッタンバーグで聞いて来たという事を、まず、話してみないか。寒かったら、ほら、僕の外套をあげるよ。文明国に、あんまり永く留学していると皮膚も上品になるようだね。」

ホレ。「おそれいります。ジャケツを着て来なかったもので、どうもいけません。では外套を、遠慮なく拝借いたします。はあ、もう大丈夫です。だいぶ暖かになりました。ありがとう存じます。」

ハム。「早く話してみないかね。君はデンマークへ寒がりに来たみたいだ。」

ホレ。「まったく寒いですね。どうも失礼いたしました。ハムレットさま。では、申し上げます。おや、そこの暗闇に人が立っているような気がしますけど。」

ハム。「何を言うのだ。あれは、柳じゃないか。その下に幽かに白く光っているのは、小川だ。川幅は狭いけれど、ちょっと深い。ついこないだ迄は凍っていたんだが、もう溶けて勢いよく流れている。僕よりも、もっと臆病だね。どうも文明国に永く留学していると、――」

ホレ。「感覚も上品になるようであります。じゃ、誰も聞いていませんね？　どんな大事を申し上げても、かまいませんね？」

ハム。「いやに、もったいをつけやがる。僕がはじめから、ここは絶対に大丈夫だって言ってるじゃないか。それだから、君をここへ引っぱって来たんだ。」

ホレ。「それでは、申し上げます。おどろいてはいけません。ハムレットさま。大学の連中は、あなたの御乱心を噂して居ります。」

ハム。「乱心？　そりゃあ、また滅茶だ。僕は艶聞か何かだと思っていた。ばかばかしい。見たら、わかるじゃないか。どこから、そんな噂が出たのだろう。ははあ、わかった。叔父さんの宣伝だな？」

ホレ。「またそんな事をおっしゃる。王さまが、なんでそんな、つまらぬ宣伝をなさいますものか。絶対に、ちがいます。」

ハム。「ばかに、はっきり否定するね。山羊の叔父さんは、あれでなかなかロマンチストだからな。僕と親子になったら、かえって心は千里万里も離れて、愛情は憎悪に変ったなんて、ひとりでひがんで悲壮がっているような人なんだから、こんどはまた、ぐっと趣向を変えて、先王が死に、嗣子のハムレットはその悲しみに堪え得ず気鬱、発狂。この一家の不幸を背負い敢然立ったる新王こそはクローヂヤス。芝居にしたら、いいところだ。叔父さんの宣伝さ。叔父さんは自分を何とかして引き立て大いに人気を取りたいものだから、僕を此の頃ばか扱いにしているんだ。いろいろ苦心して、もったいをつけているよ。見ていて可哀そうなくらいだ。でも、僕を気違いだなんて言いふらすのは、どうかと思うなあ。ひどい。叔父さんは、悪いひとだ。」

ホレ。「もう一度申し上げますが、これは、王さまの宣伝ではありません。ハムレットさま。お気の毒に。あなたは、何もご存じないのですね？　大学に伝わって来る噂は、そんな、なまやさしいものではありません。ああ、僕は、もう言えない。」

ハム。「なんだい？　いやに深刻ぶった口調じゃないか。

君は、叔父さんから何か言いつけられたね？　僕の反省をうながすように、とか何とか。そうなんだろう？」

ホレ。「もう一度、申し上げます。王さまのお手紙には、ただ、話相手になってやってくれ、とだけ書かれてございました。王さまは、よもや僕が、あなたのところに、こんな恐ろしい噂をもたらそう等とは夢にも思召されなかった事と存じます。」

ハム。「そうかなあ。いや、そうかも知れん。もし叔父さんが、大学にそんな噂を撒きちらしたのなら、君を僕のところへ呼び寄せてくれるなんて危い事は、しない筈だからね。君がやって来たら、みんなばれちゃうんだからね。叔父さんでないとすると誰の仕業だろうね。わからなくなって来た。とにかく僕が発狂したというんだから、ひどいや。もっとも今の僕には、いっそ気でも違ったら仕合せだろうと思うくらいに、苦しい事もあるんだけどね。これはまあ、あとで話そう。ホレーショー。噂というのは、それだけかい？　なんだか、つづきがあるようじゃないか。言ってごらん。僕は平気だよ。平気だ。」

ホレ。「どうしても言わなければいけないでしょうか。」

ハム。「よせよ。自分から言い出して置きながら、いまになって、そんな卑怯な逃げかたをするなんて。ウイッタンバーグじゃ、そんな呻くような、きざな台詞が流行っているのかね？」

ホレ。「そんなら申し上げます。そんなにホレーショーの誠実を侮辱なさるんだったら申し上げます。本当に、平気でお聞き流し願います。つまらない、とるにも足らぬ噂です。臣ホレーショーは、もとより、そんな不埒な噂は信じていません。」

ハム。「どうだっていいよ、そんな事は。僕は不機嫌になった。君もそんな固くるしい言いかたをするという事を、はじめて知ったよ。」

ホレ。「申し上げます。その噂は、このごろエルシノア王城に幽霊が出るという、――」

ハム。「そりゃあまた、ひどい。ホレーショー、本気かね。僕は、笑っちゃったよ。ばかばかしい。ウイッタンバーグの大学も、落ちたねえ。あの独自の科学精神を、どこへやった。もっとも、このごろ大学では、劇の研究が盛んなそうだから、中でも頭の悪い馬鹿な研究生が、そんな下手なドラマを案出したのかも知れないね。それにしても、幽霊とは、なんて貧弱な想像力だ。それを面白がって、わやわや騒ぎ立てているとは、大学も、このごろは質が落ちたものさ。幽霊に、ハムレットの発狂。三文芝居にでもありそうな外題だ。叔父さんは僕に、大学はつまらないから、よせと言ってくれたが、本当だ。叔父さんのほうが、よっぽど頭がいいや。そんなくだらない連中と交際して僕まで一緒になって幽霊騒ぎをするようになっては、叔父さんもこんどは心底から閉口だろう。も少し、気のきいた噂を立てないものかね。」

ホレ。「僕は信じていないのです。けれども、母校の悪口はおっしゃらないで下さい。僕は、何だか不愉快です。」

ハム。「しっけい。君は別だよ。叔父さんも、君の事だけは、ほめていたよ。誠実な男だと言っていた。わざわざ僕がウイッタンバーグまで行かずとも、ホレーショーひとりをこちらへ呼び寄せたならば、それでいいと言っていた。僕は本当は、大学へなど行きたくなかったんだけど、でも、君にだけは逢いたかった。」

ホレ。「忠誠をお誓い致します。なお、言葉を返すようですが、ただいまの奇怪の噂は、決して我がウイッタンバーグ大学から出たものではありません。それだけは、母校の名誉のために申し上げて置きたいと思います。その噂は、このエルシノアの城下より起り、次第にデンマーク一国にひろがり、とうとう外国の大学にいる者どもの耳にまではいって来たものであります。いかにも無礼な、言語道断の噂なので、このごろはホレーショーも、気が鬱してなりません。ハムレットさまは、きょうまで、少しもご存じなかったのですか?」

ハム。「知らんよ、そんな馬鹿げた事は。それにしても、ずいぶん広くひろがってしまったものらしいねえ。あんまり、ひろがると、馬鹿らしいと笑っても居られなくなるからね。叔父さんや、ポローニヤスたちは知っているのかしら。いったい、あの人たちは、どこに耳を持っているんだろう。聞えても、聞えぬふりをしているのかな? 腹黒いからなあ、あの人たちは。ホレーショー、いったい、それは、どんな幽霊なんだい? 少し気になって来た。」

ホレ。「その前に、はっきり、お伺いして置きたい事があります。かまいませんか?」

ハム。「ホレーショー、僕は君をこわくなって来たよ。早く言ってくれ。なんでもいいから早く言ってしまってくれ。あんまり、そんなに勿体(もったい)ぶると、僕は君と絶交したくなりそうだ。」

ホレ。「申し上げます。申し上げてしまったら、なんでも無い事なのかも知れません。きっと、また、あなたがひどくお笑いになって、それだけですむ事なのでしょう。何だか僕にも、そんな明るい気がして来ました。それでも、念のために一つお伺いして置きますが、ハムレットさま、あなたは、勿論、現王のお人がらを信じていらっしゃいますね?」

ハム。「意外の質問だね。そいつは、ちょっと難問だ。こまるね。なんと言ったらいいのかなあ。むずかしいんだ。

いいじゃないか、そんな事は。どうだって、いいじゃないか。」

　ホレ。「いいえ、いけません。この際それを、はっきり伺って置かないと、僕は何も申し上げる事が出来ません。」

　ハム。「手きびしいね。君は、変ったねえ。ばかに頑固（がんこ）になった。もとは、こんなじゃ無かったがねえ。まあ、いいや。御返事しましょう。なんだって今更、そんな事を僕に聞くんだね？　叔父さんは、だらしないところもあるけど、でも、そんなに悪いひとじゃないんだ。でも人がらを信じるかと聞かれると、僕も、ちょっと困るんだ。何か、叔父さんに就いて悪い噂でもあるのかね？　そりゃあ、いろいろ人は言うだろう。なんにしても、こんどは少し、まずかったからね。でも、あれは、もちろん叔父さんひとりできめた訳じゃ無いんだ。そんな事は出来るもんじゃない。ポローニヤスをはじめ、群臣の評定（ひょうじょう）に依（よ）って取りきめられた事なんだ。僕だって今すぐ、位に即（つ）けるほどの男じゃない。いま、デンマークは、むずかしい時らしいからね。ノーウエーとも、いつ戦争が起るか、わかったものじゃない。僕には、まだ自信が無いんだ。叔父さんが位に即いてくれて、僕はかえって気楽になった。本当だよ。僕は、もう暫（しばら）く君たちと自由に冗談を言い合って遊んでいたいよ。なんでもないんだ。もともと、叔父と、甥（おい）の仲じゃないか。一ばん近い肉親だ。そりゃあ僕は、叔父さんには何かと我がままを言うよ。いやがらせを言ってやる事もある。軽蔑してやる事もある。わざとすねて、ろくに返事もしてやらない時だって、ずいぶんある。でも、それは叔父と甥の間の事だ。僕は、甘えているのかも知れない。でも、それくらいの事は、叔父さんだってわかってくれていると思うんだ。僕は、やっぱり叔父さんを、たよりにしているところもあるんだからね。いい叔父さんだよ。気が弱いんだ。政治の手腕だって、たいした事は無いだろうし、それに、何といったって、もとをただせば山羊のおじさんなんだからね、がっかりしちゃうよ。いろいろ努力しているようだけど、もともと、がらでないんだからね。気の毒なんだ。お父さんと呼べって言うんだけど、僕には出来ない。お母さんもまた、まずい事をしたものさ。ハムレット王家の基礎を固めるためには、それが一ばんいいと皆が言うので、母もその気になったらしいが、どんなものかねえ。あの人たちは、もうとしをとっているし、まあ茶飲友達でも作るような気持で結婚したんだろうが、僕には、やっぱり何だか、てれくさいな。でも僕は、そんな事は、あまり深く考えないようにしているんだ。仕様がないじゃないか。人の子として、あれこれ親の事を下劣に穿鑿（せんさく）するのは許すべからざる悪徳だ。そんな下等の子は、人間の仲間入り出来ない。そうじゃないかね。一時は、たまらなく淋しかったけれど、僕は今では、考えないようにしている。僕ひとりの愛憎の念に拠(よ)って、世の中が動いているものでもないんだしね、まあ、あの人たちの事は、あの人たちに任せるより他は無いよ。どうだね？　答弁は、これくらいで許してくれよ。どうも、いろいろ複雑なんだ。だけど叔父さんは、悪いひとじゃない。それだけは、たしかだ。小さい策士かも知れないけれど、決して大きい悪党じゃない。何が出来るもんか。」

　ホレ。「ありがとう。ハムレットさま。それを伺って、僕は、全く安心しました。どうか、これからも王さまを、変らず信じてあげて下さい。僕も、いまの王さまを好きなのです。文化人でいらっしゃる。情の厚いお方だと思う。ハムレットさまの、いまの御意見は、僕に百倍の勇気を与えて下さいました。僕からお礼申します。ハムレットさまは、やっぱり、昔のままに明朗ですねえ。純真の判断には、曇りが無い。いいなあ、僕は嬉しくなっちゃった。」

　ハム。「おだてちゃいけない。急に御機嫌がよくなったじゃないか。勝手な奴さ。ホレーショー、君もやっぱり、昔のままの、おっちょこちょいだよ。それで？　噂っての は、何さ。僕が乱心して、幽霊が出て、それから何が出たんだ。鼠(ねずみ)でも出たか。」

　ホレ。「鼠どころか、いや実に愚劣だ。言語道断だ。けしからぬ。デンマークの恥だ。ハムレットさま、お話しましょう。いや、どうにも、無礼千万、奇怪至極(しごく)、尾籠(びろう)低級！」

　ハム。「もういい、そんな下手な形容詞ばかり並べられても閉口だ。君もウィッタンバーグの劇研究会に入会したのかね。」

　ホレ。「まず、そんなところです。ちょっと憂国の詩人という役を演じてみたかったのです。僕は、本当は、もう安心しちゃったのです。さっきハムレットさまから、あんな明快な判断を承って、心に遊びの余裕が出ました。ハムレットさま、笑っちゃいけませんよ、実に、ばからしい噂が立っているのです。あなたは、きっとお笑いになるでしょう。でも、これは、デンマークの国中にひろがり、外国の大学にいる僕たちの耳にまではいって来ているんですから、ただ笑ってすます訳にもいかないと思うんです。大いに取りしまりの必要があります。笑っちゃいけませんよ。どうも、僕も、申し上げるのが馬鹿馬鹿しくなって来ました。先王の幽霊が毎晩あらわれて、かたきをとっておくれって頼むんだそうですよ、ハムレットさま、あなたに。」

　ハム。「僕にかい？　へんだなあ。」

　ホレ。「まったく。なっちゃいないんです。その上、ばからしい、まだつづきがあるんです。その幽霊の曰(いわ)くです、我輩はクローヂヤスに殺された、わが妃に恋慕し、――」

ハム。「そいつあ、ひどい。恋慕はひどい。お母さんは総入歯だぜ。」

ホレ。「だから、笑っちゃいけませんと言ったじゃないですか。まあ、お聞きなさい。つづきがあるんです。妃を横取り、王位も共に得んとして、我輩の昼寝の折に、油断を見すまし忍び寄り、わが耳に注ぎ入れたる大毒薬、というわけなんですがね、念がいってるでしょう？　やよ、ハムレット、汝孝行の心あらば此のうらみ、ゆめゆめ忍ぶ事なかれ、と。」

ハム。「よせ！　たとえ幽霊にもせよ、父の声色を、やたらに真似るのは止し給え。死者の事は、厳粛にそっとして置いてやってくれ。少し冗談が過ぎたようだね。」

ホレ。「ごめんなさい。うっかり調子に乗りました。決して故王の御遺徳を忘却したわけではありません。あまり馬鹿らしい話なので、つい、ふざけ過ぎてしまいました。ごめんなさい。心ならずも、ハムレットさまの御愁傷の筋に触れてしまいました。どうも、ホレーショーは、おっちょこちょいでいけません。」

ハム。「いや、なんでもないんだ。僕こそ大声で怒鳴ったりなんかして失礼した。わがままなんだよ。気にかけないでくれ。それから、その幽霊は、どうなるんだね？　話してくれよ。奇想天外じゃないか。」

ホレ。「はい、その幽霊は、毎晩のようにハムレットさまの枕もとに立ってそう申しますので、ハムレットさまは、恐怖やら疑心やら苦悶やらで、とうとう御乱心あそばされたという根も葉も無い話でございます。」

ハム。「あり得る事だ。」

ホレ。「え？」

ハム。「あり得る事だろうよ。ホレーショー、僕は何だか、気持が悪くなった。ひどい噂を立てやがる。」

ホレ。「やっぱり、申し上げないほうがよかったんじゃないでしょうか。」

ハム。「いや、聞かせてもらって大いによかった。汝、孝行の心あらば、か。ははん、ホレーショー、その噂は本当だよ。僕は、お人好しだったよ。」

ホレ。「何をおっしゃる。つむじを曲げるとは、その事です。はしたない民の噂に過ぎません。どこに根拠があるのです。」

ハム。「君には、わからん。僕は、くやしいのです。わからんだろうね。根も葉も無い事で侮辱をうけるのと、はっきりした根拠があって噂を立てられるのと、どっちが、くやしいものか、考えてごらん。僕は必ず、その根拠を見つける。ハムレット王家の者、お父さんも、叔父さんも、お母さんも僕も、まるっきり根拠の無い事で、そんなに民に嘲弄されているのは、僕として我慢が出来ん。何か根拠があるのだろうよ。そんなに、まことしやかに言い伝えられている程だから、或いは、本当にあり得る事かも知れないじゃないか。何か根拠があったなら、かえって僕も気が楽だ。根拠も何も無い不当の侮辱には、僕は堪えられない。ハムレット王家は、民に嘲弄せられたのだ。叔父さんも、可哀そうに。せっかく一生懸命努力しているところなのに、そんな噂を立てられちゃ、台無しだ。ひど過ぎる。不愉快だ。僕が直接、叔父さんに尋ねてやる。何か根拠を、突きとめてやらなくちゃ気がすまん。ホレーショー、手伝ってくれるね？」

ホレ。「そんなら、責任は、僕にあります。ああ。僕に任せて下さいませんか。ハムレットさま、失礼ですが、あなたは少し、すねています。僕には、あなたが悪くすねて居られるのだとしか思われない。あなたは、さっきあれほど濁りなくお笑いになっていらっしゃったじゃありませんか。もとより根も葉も無い不埒な噂なのです。王さまに、ぶしつけにお尋ねになるなんて、とんでもない事です。いたずらに王さまを、お苦しめなさるだけです。僕は、あなたの先刻の明快な御判断を、あくまでも信じたい。あなたは、もう、お忘れになったのですか。王さまを、信頼なさっているとおっしゃったじゃありませんか。あれは、出鱈目だったのですか？」

ハム。「程度があるよ。侮辱にも、程度があるよ。僕の父が、幽霊になってそんな、不潔な無智な事をおっしゃるようなお方だと思っているのか。わあ、何もかも馬鹿げている。そんならいっそ、僕も本当に乱心してやろうか。よろこぶだろう。ホレーショー、僕は、すねた。すねてやるとも。わからん、君には、わからん。」

ホレ。「あとで、ゆっくり御相談申したいと思います。臣ホレーショー、一代の失態でした。こんなに興奮なさるとは、思いも寄りませんでした。ハムレットさま、相変らずですね。」

ハム。「ああ、相変らずだよ。相変らずのお天気屋だよ。おっちょこちょいは、僕のほうでもらってもいいぜ。僕は、修養が足りんよ。こんなに馬鹿にされてまで、にこにこ笑って居れるほどの大人物じゃないんだ。ホレーショー、その外套を返しておくれ。こんどは、僕のほうで寒くなった。」

ホレ。「お返し致します。ハムレットさま、いずれ明日、ゆっくりお話いたしたいと存じますが。」

ハム。「望むところだ。ホレーショー、怒ったのかい？ああ、浪の音が聞えるね。ホレーショー、僕は今夜、もっと大事の秘密も君に聞いてもらいたいと思っていたんだけど、も少し、つき合ってくれないか？ 今の噂に就いても、もっと話し合ってみたいし、それから、も一つ僕には苦しい秘密があるんだよ。」

ホレ。「いずれ、明日、お互いに落ちついてからにしていただきたく存じます。今夜は、おゆるし下さい。僕も、ゆっくり考えてみたいと思っています。僕は、何せ、ジャケツを着て居りませんので。」

ハム。「勝手にし給え。君は人の興奮の純粋性を信じないから駄目だ。じゃ、まあ、ゆっくりお休み。ホレーショー、僕は不仕合せな子だね。」

ホレ。「存じて居ります。ホレーショーは、いつでも、あなたの味方です。」

四　王妃の居間

王妃。ホレーショー。

王妃。「私が、王にお願いして、あなたをウイッタンバーグからお呼びするように致しました。ハムレットには、ゆうべ、もう逢いましたでしょうね。どうでしたか？　まるで、だめだったでしょう？　どうして急に、あんなになったのでしょう。言う事は、少しも取りとめがなく、すぐ、ぷんと怒るかと思えば、矢鱈に笑ったり、そうかと思えば大勢の臣下のいる前で、しくしく泣いて見せたり、また、あらぬ事を口走って王に、あなた、食ってかかったりするのです。あの子ひとりの為に、私は、どんなにつらい思いをするかわかりません。以前も、気の弱い、どこか、いじけたところのある子でしたが、でも、あれ程ではありませんでした。気がむくと、とても奇抜なお道化を発明して、私たちを笑わせてくれたものでした。たいへん無邪気なところもありました。なくなった父の、としとってからの子ですから、父も、ずいぶん可愛がって、私も、大事な一人きりの子ですし、なんでもあの子の好きなようにさせて育てましたが、それが、あの子の為に、よくなかったようでした。どうも、両親の、としとってからの子は、劣るようです。いつまでも両親を頼りにして、甘えていけません。あの子は、なくなった父を好きでして、大学へはいるようになっても、休暇でお城へ帰ると、もう朝から晩まで父のお居間にいりびたりでした。子供の頃には、尚ひどくて、ちょっとでも父が見えなくなると、もう不機嫌で、どこへいらっしゃったかと、みんなに尋ね廻って閉口でした。その父が、あんな不慮の心臓病とやらで、突然おなくなりになったものですから、あの子は、もう、どうしていいか、わからなくなったのでしょう。先王が、おなくなりになってから、急に目立っていけなくなりました。それに私が、まあ、みっともない事ですが、此のデンマークの為とあって、クローヂヤスどのと、名目ばかりですが、夫婦になったという事も、あの子にとっては意外な事件で、よっぽど気持を暗くさせたのではないかと思います。いろいろ考えてみると、あの子が可哀そうにもなります。無理もないとも思います。でも、あの子だって、デンマーク国の王子ハムレットです。やがては位を継がなければならぬ人です。父や母が、一時に身辺から去ったといって、いつまでも、泣いたり、すねたりしていると、第一、臣下に見くびられます。いまは大事なところだと思います。私がクローヂヤスどのと結婚したとは言っても、別段よそのお城へ行くわけでなし、今までどおりに、やっぱりハムレットの実母として、一緒に暮して行く筈ですし、また、現在の王も、もともと他人ではなし、ハムレットとあんなに仲のよかった叔父上なのですから、ハムレットさえこの頃のひがんだ気持を、ちょっと持ち直してくれたら、すべてが円満に、おだやかに行くものと、私は思います。クローヂヤスどのも、昔のような軽薄の行状をつつしみ、いまは、先王に劣らぬ立派な業績を挙げようとして一生懸命なのです。ハムレットの事も、ずいぶん心配して居られます。義理ある仲ですから、いろいろ遠慮もある事でしょう。私が、その二人の仲にはいって、いつも、はらはらしています。ハムレットは、てんで、もう叔父上を、ばかにしているのですもの。あれでは、いけません。かりにも父となり、子となったからには、ハムレットも、も少し礼儀を弁えなければいけません。もう昔の、山羊のおじさんではないのですものね。デンマークは今、あぶない時なのだそうです。ノーウエーでは、もう国境に兵隊を繰り出しているという噂さえあるじゃありませんか。本当に、そんな大事なときに、なんという事でしょう。ハムレットさえ、機嫌よく私たちに、なついてくれたら、このエルシノア王城の人心も治り、王も意を強うして外国との交渉に専心出来ますのに。ばかな子ですよ。デンマーク国の王子だという、自覚が足りないと思います。二十三にもなって、女の子のように、いつまでも、先王や母の後を追っています。ホレーショー、あなたは、ことしいくつになります。」

　ホレ。「はい、おかげさまで、二十二歳になりました。」

　王妃。「そうでしょう。ハムレットは、あなたより一つ兄の筈だと思っていました。まるで逆です。あなたのほうが、五つも年上のように見えます。おからだも御丈夫のようだし、学校の成績もいいそうですし、何よりも態度が落ちついていらっしゃる。お父さんも、お母さんも変りなく、お達者でいますか？」

ホレ。「ありがとう存じます。相かわらず田舎(いなか)の城で、のんきに暮して居ります。御仁政のおかげでございます。」

王妃。「私は、あなたのお母さんを、うらやましく思います。こんな立派なお子さんがおありだと、どんなに楽しみな事でしょう。それに較べてハムレットは、もう私は、あんな具合だと末の見込みも無いような気がします。ささいな悲しみにも動転して、泣くやら、ふてくされるやら、――」

ホレ。「お言葉に逆らうようですが、ハムレットさまは、いや王子さまは、いや、ハムレットさまは、決して、そのように劣ったお方ではございません。僕の尊敬している唯一のお方です。僕こそ、つまらぬ、おっちょこちょいなのです。僕は、いつでも、ハムレットさまに叱られてばかりいるのです。僕は、ハムレットさまを大好きです。だから僕は、ハムレットさまの前に立つと、いつも、しどろもどろになります。ハムレットさまは、とても頭がいいから、僕の言おうとしている事は、言わないさきから御承知になっています。やりきれないくらいです。」

王妃。「それは何も、あの子の美点ではありません。あなたが、親友をかばう気持も、わかりますが、何も、あの子の欠点を特に挙げて褒(ほ)めるには及びません。あの子は、小さい時から、人の顔いろを読みとるのが素早かったのです。それは、かえって性質のいじけている証拠なのです。立派な男子には、不必要な事です。」

ホレ。「お言葉に逆らうようですが、そんなにいちいち、ハムレットさまを悪くおっしゃるのは、いけないと思います。僕の母は、僕より先に寝室へひっこんだ事は、一度もありませんでした。僕が寝るまでは、起きていました。さきに寝よ、と僕が言っても、お前は私ひとりの子ではない、いまに、王さまの立派なお家来になるべき人です、私はお前を王さまからお預り申しているのです、失礼な事があってはならぬ、と言って、決してさきに寝ませんでした。僕のような取り柄(え)のない子供でも、そんなに、まともに敬愛されると、それでは、しっかりやろうと思うようになります。王妃さまは、あんまりハムレットさまを悪く言いすぎます。それでは、ハムレットさまの立つ瀬が無くなります。王妃さまだって、さきほど、おっしゃったではございませんか。ハムレットさまは、デンマーク国の王子だ、とおっしゃったのをお忘れでございますか。ハムレットさまは、デンマーク国の王子です。王妃さまおひとりのお子ではございません。また、僕たちがこれから身命を献(ささ)げてお守り申すべき御主人です。ハムレットさまを、もっと大事にしてあげて下さい。」

王妃。「おやおや、あなたから逆に頼まれるとは思い掛けない事でした。ハムレットへの一途(いちず)の忠誠の気持は、わかりますが、やはり子供ですね。そんな思い上ったものの言いかたは、これからは、許しませんよ。実の親子の真情は、他のものには、わからぬ場合が多いものです。決して、とやかく口出ししてはならぬものです。あなたのお母さんも、本当に賢母のようで、私と流儀が違うようですが、けれどもそれは、私でさえ、とやかく言ってはならぬ事です。親子の事は、親子に任せるのがいいのです。臣下の場合と、王家の場合とでは、ずいぶん事情もちがいますから、一時の熱狂から無礼の指図は、これからは、許しませんよ。時に、ハムレットは、あなたに何か申しましたか。」

ホレ。「はい、別に何も、――」

王妃。「急に、そんなに固くならなくてもいいのです。さっきの元気は、どうしました。ハムレットに似ていると言われますよ。男の子なら男らしく、叱られても悪びれず、はっきり応答するものです。ハムレットは、また、私たちの悪口を言っていたでしょう？　そうですね？」

ホレ。「お言葉に逆らう、いや、お言葉に、お言葉に、――お逆らい、――」

王妃。「何を言っているのです。男は、あんまり、びくびくするのも、みっともないものです。無闇な指図の他は、お逆らいでも何でも許してあげますから、男らしく、もっとはっきり言いなさい。ハムレットは、私たちの事を何と言っていました。」

ホレ。「お気の毒だと、御同情申して居られました。」

王妃。「御同情？　お気の毒？　へんですね。あなたは、また、かばっているのですね？　ハムレットから、いろいろ口どめされたのでしょう。」

ホレ。「いいえ、お言葉に逆らうようですが、ハムレットさまは、口どめなどと、そんな卑怯な事をなさるお方ではありません。ハムレットさまは、その人に面とむかって言えない事は、陰でも決して申しません。言いたい事があると、必ず、面と向って申します。大学時代もそうだったし、いまだってそうです。だから、ハムレットさまは、いつも、そんばかりしています。」

王妃。「あなたは、ハムレットの事になると、すぐそんなに口をとがらせて、大声になりますが、よっぽど気が合っているものと見える。ハムレットは、身分を忘れ、もの惜しみという事も知らない質だから、目下の者には人気があるようですね。」

ホレ。「王妃さま。何をか言わんです。僕は、もうお答え致しません。」

王妃。「あなたの事を言ったのではありません。あなたは、ハムレットの親友じゃありませんか。ハムレットだけでなく、私だって、あなたを頼りにしています。こうしてお話を伺っているうちに、いろいろ私にもわかって来る事があるのです。そんなにすぐ怒るところなど、本当にハムレットそっくりです。いまの若い人たちは、少しずつ、どこか似ていますね。そんなに蒼い顔をなさらず、もっと打ち解けて私になんでも話して聞かせて下さい。ハムレットが他人の陰口を言わない子だという事も、あなたから伺ってはじめて知りました。もし、それが本当なら、私だってうれしく思います。あの子にも案外、いいところがあったのかも知れません。」

ホレ。「だから、僕がさっき、――」

王妃。「もうよい。ぶんを越えた、指図はゆるしません。あなたたちは、興奮し易くていけません。ハムレットはまた、何だって私たちを、気の毒だの何だのと、殊勝な事を言っているんでしょう。ふだんの、あの子らしくも無いじゃありませんか。本当かしら。」

ホレ。「王妃さま。僕でさえ、王妃さまをお気の毒に思います。」

王妃。「また、そんな事を言う。としよりをからかうのは、あなたたちの悪い癖です。私が、どうして気の毒なのです。さ、はっきり言ってみて下さい。私は、そんな、思わせぶりの言いかたは大きらいなのです。」

ホレ。「申し上げます。王妃さまは、ハムレットさまのお心を、何もご存じないからです。ハムレットさまは、ゆうべホレーショーに、こう言いました。僕がこのように弱冠ゆえ、叔父上にも母上にも御迷惑をおかけする事が多くて、お気の毒だ、としみじみ申して居りました。叔父上が位に即いて下さって、僕はどんなに助かるかわからない、とも申して居りました。ハムレットさまは、現王の愛情を信じていらっしゃるのです。或いは、わがままを申し、或いは、いやがらせをおっしゃる事がありましても、それは叔父上と甥の間の愛情に安心して居られるからであります。一ばん近い肉親じゃないか、なんでもないんだ、僕は、甘えているのかも知れないが、でも叔父上だってわかって下さってもいいものを、愛情が憎悪に変ったなどと叔父上はおひとりで、ひがんでおいでになるのだから可笑しいと申して居られたくらいです。僕は叔父上を本当は好きなんだ、とも申していました。それを伺ってホレーショーは、泣くほど嬉しく有難く思いました。デンマーク万歳を、心の中で叫びました。ハムレットさまは、立派な王子です。みだりに人を疑いません。御判断は麦畑を吹く春の風のように温かく、爽やかであります。一点の凝滞もありません。王妃さまの事は、もちろん生みの御母上として絶対の信頼と誇りとを以てホレーショーに語って下さいます。この度の御結婚に就いても、人の子としてとやかくそれを下劣に批判申し上げるのは最大の悪徳、人間の仲間いりが出来ないと申して居ります。」

王妃。「誰が？　誰が、人間の仲間いりが出来ないのです。はっきり、もう一度、言ってみて下さい。」

ホレ。「はっきり申し上げている筈でございます。王妃の御結婚を、人の子として、とやかく卑しく想像するような下等な奴は、死んだほうがいいという意味であります。ハムレットさまの御気質は高潔です。明快であります。山中の湖水のように澄んで居ります。ホレーショーは、ゆうべはハムレットさまから数々の尊い御教訓を得たのであります。ハムレットさまは、僕たち学友一同の手本であります。」

王妃。「たいへんですね。ハムレットを、そんなに褒めていただいては、私まで顔が赤くなります。あなたの尊敬している子は、あの子ではなくて、どこかよその、ハムレットという名前の、立派な子なのでしょう。私には、あの子が、そんな男らしい口をきける子だとは、どうしても思えません。あなたは、どうしてそんなに言い繕うのですか。生みの母ほど、子の性質を、いいえ、子の弱点を、知っているものはありません。それは、そのまま母の弱点でもあるからです。私だって欠点の無い人間じゃないのです。私の人間としての到らなさは、可哀そうにあの子にも伝わっているのです。私は、あの子の事に就いては、あの子の、右足の小指の黒い片端爪まで知り抜いているのです。あなたが私を、うまく言いくるめようたって、それは出来ません。もっと打ち明けた話を聞かせて下さい。あなたは何か隠して居られる。ハムレットが、いまのあなたのおっしゃったように、ものわかりのいい素直な子だったら、私も心配はありません。けれども私には信じられないのです。あなたが私に、まるっきり嘘をついていると思いません。あなたは、嘘の不得手な純真なお子です。また、あの子にも、いまあなたのおっしゃったような、あっさりした一面がたしかにある事も、私はとうから存じて居ります。ゆうべは、あなたに、そのいい一面も見せたのでしょう。けれども、あなたは他に、何か隠して居られる。あの子の此の頃の様子を見たって、すぐにわかる事ですが、あの子の本心は決して、いまのあなたのお言葉どおりに曇りなく割り切れているようでないのです。ただ、肉親という事実に安心し、甘えて駄々をこねているのだとは、どうしても私には思われません。ホレーショー、どうですか。本当のところを知らせて下さい。母としての愛ゆえに、疑い深くなるのです。あなたが、懸命にハムレットを弁護して下さるのは、私も内心は嬉しく思っているのです。なんで嬉しくない事がありましょう。ハムレットは、いいお友達を持って仕合せです。でも、私の心配は、もっと深いところにあるのです。あの子が、何か苦しい事でもあるならば、率直に此の母に打ち明けてくれたらいいと私ひとりは、はらはらしているのに、ハムレットは、言を左右にして、ごまかしてばかりいるのです。ハムレットの今の難儀に、母も一緒に飛び込んで、誰にも知られず解決したいと念じているのです。わかりますか？　母は、おろかなものです。さっきから、あなたに意地の悪いような事ばかり申しましたが、決してハムレットを憎くて言っているのではないのです。こんな事は、あんまり当り前すぎて、言うのも恥ずかしいのですが、私が、此の世で一ばん愛しているのは、あの子です。やっぱり、ハムレットです。愛しすぎているほどです。あの子が、ひとりで悶えているさまを、私は見て居られないのです。お願いです、ホレーショー、私の力になって下さい。ハムレットは、どんな事でくるしんでいるのですか。あなたは、ご存じない筈がありません。」

ホレ。「王妃さま。僕は、存じていないのです。」

王妃。「まだ、そんな、――」

ホレ。「いいえ、残念ながら、僕は、本当に知らないのです。ゆうべ、実は、僕、大失態を致しました。たしかに、ハムレットさまには、王妃さまのおっしゃるように特別な内心の苦悩がおありのようでした。それを僕に、たいへん聞かせたい御様子でありましたが、僕はジャケツを着て居りませんでしたので、非常に寒く、落ちついて承る事が出来ませんでした。僕は、馬鹿であります。なんのお役にも立ちません。お役に立たないばかりか、ゆうべは、かえって罪をさえ犯しました。王妃さま、とんでもない事になってしまいました。僕はウイッタンバーグから、わざわざ放火をしにやって来たようなものでした。ゆうべは僕は、ベッドの中で唸りました。少しも眠られませんでした。責任は、すべて僕にあるのです。此の始末は、なんとしても、僕が必ず致します。きょうは、これからハムレットさまと、ゆっくり話し合うつもりであります。」

王妃。「何をおっしゃる事やら。私には、ちっともわかりません。あなたたちのおっしゃる話は、まるで、雲からレエスが降って来るような、わけのわからない事ばかりで、何が何やら、さっぱり見当もつきません。それは一体、どんな意味なのです？　何かハムレットと言い争いでもしたのですか。それならば、私が仲裁をしてあげてもいいのです。わけもない、哲学の議論でもはじめたのでしょう。そんなに心配する事は、ありません。」

ホレ。「王妃さま。僕たちは、子供ではありません。そんな単純な事ではないのです。僕は、平和な御家庭に火を放けました。僕は、ユダです。ユダより劣った男です。僕は、愛している人たち全部を裏切ってしまいました。」

王妃。「急に泣き出したりして、立派な男の子が、みっともない。どうしたらいいのです。あなたたちは、いつでも、そんなユダが火を放けたのなんのとお芝居のような大袈裟な、きざな事を言い合って、そうして泣いたり笑ったりして遊んでいるのですか？　けっこうな遊戯です。たのもしい事です。ホレーショー、おさがりなさい。きょうは許してあげますが、これからは気をつけて下さい。」

王。王妃。ホレーショー。

王。「ここにいたのか。ずいぶん捜しました。おお、ホレーショーも。ちょうどよい。けさ挨拶に来てくれた時には、わしは、いそがしくて、ろくに話も出来ませんでしたが、いろいろ君に相談をしたい事もあったのです。元気が無いじゃないか。どうかしたのですか？」

王妃。「ホレーショーは、もう、おさがり。ユダが火を放けたのなんのと言って、大の男が、泣いて見せるのですもの。なんの役にも立ちゃしません。」

王。「ユダが火を放けた？　初耳です。何か、わけがあるのでしょう。王妃は、すぐ怒るからいけません。ホレーショーは、まじめな人物です。あとで、ゆっくり話してみましょう。」

ホレ。「失礼いたしました。実に、不覚でありました。王妃さまから、子の母としての御真情を承り、つい胸が一ぱいになって、あらぬ事まで口走りました。お許し願いたく存じます。見苦しい姿を、お目にかけました。」

王。「ホレーショー、お待ちなさい。退出せずともよい。ここにいなさい。君にも聞かせて置きたい事があります。もっと、こっちへ来なさい。大きい声では言えない事です。ガーツルード、わしは驚いたよ。わかったのです。ハムレットの、いらいらしているわけが、やっと、わかりました。」

王妃。「そう。やはり私たちの事で？」

ホレ。「いいえ、責任は、すべて僕にあるのです。僕は、必ずや、――」

王。「二人とも、何を言っているのです。まあ、落ちつきましょう。わしも、ここへ坐ります。ホレーショー、おかけなさい。君にも、相談に乗ってもらいたいのです。わしはいま、ポローニヤスから聞いて、驚いたのです。まったく、思いも寄らぬ事でした。ポローニヤスはわしに、辞表を提出しました。わしは、とにかく一応はお預りして置く事にしましたが、王妃、おどろいてはいけませんよ。落ちついて聞いて下さい。困った事です。オフィリヤが、――」

王妃。「オフィリヤが？　そうですか。一度、私も疑ってみた事がありました。」

王。「まあ、立たずに。ガーツルード、お坐りなさい。

坐って落ちついて、ゆっくり考えてみて下さい。ホレーショー、お聞きのとおり、面目次第も無い事です。」

ホレ。「そうでしたか。やっぱり張本人がいたのですね。オフィリヤといえば、ポローニヤスどのの娘さんですね。あんな美しい顔をしていながら、この平和なハムレット王家に対して、根も葉も無い不埒の中傷を捏造し、デンマーク一国はおろか、ウイッタンバーグの大学まで噂を撒きちらすとは、油断のならぬものですね。で、原因は何でしょう。やはり、かなわぬ恋の恨みとか、または、――」

王妃。「ホレーショー、あなたは、やはり、おさがり下さい。何もわかってやしません。夢のような事ばかり言っています。オフィリヤは、妊娠したというのです。」

王。「王妃！　つつしみなさい。わしは、まだ、そこまでは言っていません。男として、言いにくい事でした。はっきり言うのは残酷です。」

王妃。「女は、女のからだには敏感です。オフィリヤの此の頃の不快の様子を見れば誰だって、一度は疑ってみます。ばからしい。ホレーショー、眼が醒めましたか？」

ホレ。「夢のようです。」

王。「無理もない。わしだって、夢のようです。でも、これは、このまま溜息ついて見ているわけに行きません。それで、ホレーショー、君に一つお願いがあります。君は、ハムレットの親友の筈ですね。これまで何でも、互いに打ち明けて語り合っていた仲でしたね。」

ホレ。「はい、きのうまでは、そのつもりで居りましたが、いまは、もう自信がなくなりました。」

王。「そんなに、しょげて見せる必要はありません。落ちついて考えてみると、そんなに意外な大きい事件でもありません。この二箇月間、故王のお葬いやら、わしが位を継いだお祝いやら、また婚儀やらで、城中は、ごったがえしの大騒ぎでした。その混乱の中にハムレットひとりは、故王になくなられた悲しみに堪え得ず、優しい慰めの言葉を或る人に求めたのです。オフィリヤです。悲しみと恋が倒錯したのだと思います。ハムレットだって、いまは、オフィリヤにどんな気持を抱いているか、それはわかりません。おそらく、今は、少し冷くなりかけているのではないかと思う。それだったら簡単です。オフィリヤが、しばらく田舎へ引き籠ったら、それで万事が解決します。城中には、すでに噂もひろまっているようで、ポローニヤスもその事を、いたく恐縮していましたが、どんなひどい噂だって、六箇月経ったら忘れられます。オフィリヤの事は、ポローニヤスが巧みに処理してくれるでしょうし、わしとしても出来るだけの事は、してあげるつもりでいます。それは、わしたちに任せて置いていいのです。オフィリヤの生涯が、台無しになるような、まずい事は決してしません。そこは安心するように。とにかく君から、ハムレットに、よく話してみてくれませんか。ハムレットの、心の底の、いつわりの無いところも、よく聞き訊(ただ)してみて下さい。決して悪いようには、しないつもりです。」

王妃。「ホレーショー、いやな役ですねえ。私だったら、断ります。ハムレットが、し出かした事ですもの、ハムレットに責任を負ってもらって、一切あの子ひとりにやらせてみたらいいのに。王は、ハムレットに御理解がありすぎるようですね。王のお若い頃お遊びなされた時のお気持と、いまの男の子の気持とは、また違うところもございますからねえ。」

王。「なに、男の気持というものは、昔も今も変りはありません。ハムレットは、いまに此のわしに、心から頭をさげるようになるでしょう。ホレーショー、どう思います。」

ホレ。「僕は、僕は、ハムレットさまに聞いてみたい事があります。」

王。「おお、それがよい。よく、しんそこの、いつわらぬところを聞き訊し、わしたちの意向も、おだやかに伝えてやって下さい。君を見込んで、お願いします。ハムレットは、イギリスから姫を迎える事になっているのですから。」

王妃。「私は、オフィリヤに聞いてみたい事があります。」

五　廊下

ポローニヤス。ハムレット。

ポロ。「ハムレットさま！」

ハム。「ああ、びっくりした。なんだ、ポローニヤスじゃないか。そんな薄暗いところに立って、何をなさっているのです。」

ポロ。「あなたを、お待ち申していました。ハムレットさま！」

ハム。「なんです。気味の悪い。放して下さい。僕は、いま、ホレーショーを捜しているのです。ホレーショーが、どこにいるか、知りませんか？」

ポロ。「他所話(よそばなし)は、およし下さい。ハムレットさま。わしは、けさ辞表を提出しました。」

ハム。「辞表を？　なぜです。何か、問題が起ったのですか？　軽率ですね。あなたは、いまのエルシノア王城に無くてかなわぬ人です。」

ポロ。「何をおっしゃる。あなたの、その無心なお顔に、ポローニヤスは、いま迄だまされて来ました。わしは城中の残念な噂を、やっと、きのう耳にしました。」

ハム。「噂を？　なあんだ、その事か。でも、あれは重大です。僕だって、あなたをだましていたわけではないのです。あんないやな噂を聞かされて、それでも知らぬ振りしてとぼけている事など、とても僕には出来ません。本当に、僕も知らなかったのです。実は、ゆうべ或る人から、はじめて聞かされ、おどろいたのです。けれども、あなたが今まで、ご存じなかったとは意外です。日頃のあなたらしくも無いじゃありませんか。ちょっと、迂闊でしたね。本当に、ご存じなかったのですか？　そんな事は無いでしょう。もし、本当に、ご存じなかったとしたら、それは、引責辞職の問題も起るでしょうけど、でも、あなたほどの人が、ご存じなかったという筈は無い。」

ポロ。「ハムレットさま、失礼ながら、正気でいらっしゃいますか？」

ハム。「なんですって？　ばかにしないで下さい。見ればわかるじゃないですか。まさか、あなたまで、あの噂を信じていらっしゃるわけじゃないでしょうね。」

ポロ。「嘘の天才！　よくもそんな、白々しい口がきけるものだ。ハムレットさま、そんな浅墓な韜晦は、やめて下さい。若い者なら若い者らしく、もっと素直におっしゃったら、いかがです。とても隠し切れるものでは、ありません。わしは、きのう直接、当人から聞いてしまいました。」

ハム。「なんです、いったい、なんの事を言っているのです。ポローニヤス、言葉が過ぎやしませんか？　僕は、あなたの主人だとか何とか、そんな事は考えていませんが、あなたの言葉は、たとい親しい友人同志の間であっても笑っては済まされん。僕は、御推量のとおり、だらしのない、弱虫の、道楽者です。何一つ、あなた達のお手伝いが出来ません。けれども、僕だってデンマーク国の為には、いつでも命を捨てるつもりなのだ。ハムレット王家の将来に就いても、心をくだいている筈だ。ポローニヤス、言葉が過ぎます。何をそんなにこわい顔をして怒っているのです。失敬ですよ。」

ポロ。「見上げたものです。涙も出ません。これが、わしの二十年間、手塩にかけてお育て申したお子さまか。ハムレットさま、ポローニヤスは夢のようです。」

ハム。「困りますね。ポローニヤスも、おとしをとられたようですね。往年の智慧者も、僕の乱心などを信じるようじゃ、おしまいだ。」

ポロ。「乱心？　そうです、あなたは、たしかに気が狂って居られる。むかしのハムレットさまは、なんぼなんでも、これほどじゃなかった。」

ハム。「寄ってたかって、僕を本物の気違いにしようとしている。それではポローニヤス、あなた迄が、あの噂を本当に全部、信じているのですね？」

ポロ。「信じるも何も。いまさら、何をおっしゃる。もういい加減に、そんな卑怯な言いかたは、およしなさい。」

ハム。「卑怯だと？　何が卑怯だ。僕は、どうして卑怯なのだ。あなたこそ失敬至極じゃないか。僕にはあなたに、おわびしなければならぬ事もあるのだし、これまでずいぶん、あなたには遠慮して来た。いまだって、殴りつけてもやりたい気持を何度も抑えて、あなたと話しているのです。するとあなたは、いよいよ僕を見くびって、聞き捨てならぬ悪口雑言を並べたてる。僕も、もう容赦しません。ポローニヤス、僕は、はっきり言います。あなたは、不忠の臣だ。叔父上の悪事の噂を信じ、母上を嘲笑し、僕を本物の気違いにしようとしている。ハムレット王家の、おそるべき裏切者だ。辞表を提出するまでも無い。即刻、姿を消してもらいたい。」

ポロ。「なるほど、いろいろの手があるものだ。そういう出方をなさろうとは、智慧者のポローニヤスにも考え及ばぬ事でした。ポローニヤスも、お言葉のように、としをとったものと見えます。なるほど、いやな噂が、もう一つあった。此の際に、そのほうだけを騒ぎ立て、ご自分の不仕鱈な噂のほうは二の次にしようとなさる。ご自分の悪事を言われたくないばかりに、やたらに他人の噂を大事件のように言いふらし、困ったことさ等と言って思案投首、なるほど聡明な御態度です。醜聞の風向を、ちょいと変える。クローヂヤスさまこそ、いい迷惑だ。あ、痛い！　ハムレットさま、ひどい、何をなさる。殴りましたね。おう痛い。気違いにあっちゃ、かなわない。」

ハム。「もう一方の頰を殴ってやろうか。あなたの頰は、ひどく油切っているから、殴り甲斐があります。僕は、あなたと、これ以上話をしたくない。」

ポロ。「お待ちなさい。逃げようたって、逃がしません。ハムレットさま、あなたは卑怯です。あなたのおかげで、わしの一家は滅茶滅茶です。わしは田舎にひっこんで貧乏な百姓親爺として余生を送らなければならなくなりました。レヤチーズも、可哀想に。いさんでフランスへ出かけていったのに、呼び戻さなければなりますまい。あの子の将来も、まっくら闇です。それから、あの、――」

ハム。「オフィリヤは、僕と結婚します。御心配に及びません。ポローニヤス、あなたがそれほどまで僕を憎んでいるんだったら、僕も、はっきり申しましょう。僕はあなたを、もっと闊達な文化人だと思っていた。もっと軽快な、ものわかりのいい人だと思っていました。やがては僕の味方になってくれる人だろうとさえ思っていました。あなたには、おわびしなければならぬ事がありました。その事に就いては、いずれゆっくり相談をするつもりで居りました。あなたに、力になっていただきたいと思っていました。ご存じのように僕は今、叔父上とも母上とも、どうしても、うまく折合いが附かず困って居ります。僕だって何も、好きこのんで、あの人たちと気まずくしているわけではないのですが、どうも、いけないのです。こだわりを感じるのです。しっくり行かないのです。僕は、あの人たちに、僕のくるしい秘密を打ち明ける事が、どうしても出来ず、夜も眠られぬ程ひとりで悶えていました。何としても、あの人たちを、信頼する事が出来ぬのです。打ち明けて相談すると、かえって、ひどく悪い結果になるような気がして、僕は此の頃あの人たちと逢うのを、避けるようにさえなりました。こわいのです。なんだか、とても暗い、いやな気がするのです。あの人たちと顔を合せると、僕は、ただ、おどおどするばかりです。なんにも言えなくなるのです。あの人たちだって、悪い人ではない。いつも僕の事を、心配してくれています。それは、わかっている。或いは深く愛していて下さるのかも知れないが、けれども、僕はいやなんだ。相談するのがいやなんだ。ポローニヤス、僕は、あなたを最後の力とたのんでいました。どうにも仕様が無くなれば、あなたに何もかも打ち明けて、おゆるしを願い、今後の事も相談しようと思っていました。あなたは、きっと僕たちの事を、ゆるして下さるだろうと、なぜだか、そんな気がしていたのです。さっき、あなたに呼びとめられ、ひやっとしました。来たな、と思いました。ちょうどよい機会だ、こちらから全部、打ち明けてやろうと覚悟して、あなたの顔を見ると真蒼で、ひどく取り乱して居られる様子なので、急にいやになり、逃げようとしたら、あなたが僕の腕をつかんで辞表を出したのなんのと、大変な事を言うので僕は、他にも何か事件が起きたのかしらんと思い、あなたに尋ねたら、あなたは城中の噂、とおっしゃったので、ああ、あれか、と早合点してしまったわけなのです。決して、故意にはぐらかしたのではありません。僕は卑怯な男ではないのです。」

ポロ。「御弁舌さわやかでございます。なかなか、たくみに言いのがれをなさる。けれども、ポローニヤスは、もう、だまされません。何も、今さらそんなにクローヂヤスさまや、王妃さまの事を、出し抜けに問題になさる必要が無いじゃありませんか。あなたは、それを、てれ隠しの道具に使っていらっしゃるのだ。こじつけです。やはり、なんだか、ごまかそうとしていらっしゃる。もっと、当面の問題を、はっきりお伺いしたいのです。」

ハム。「疑い深いね。そんなに、しつっこく追及されると、僕も開き直って、もっと馬鹿正直に言ってやりたくなります。きのう迄は、僕の悩みは一つしか無かった。オフィリヤ。それだけです。けれどもゆうべ、僕は、もう一つの不愉快極まる話を聞いてしまったのです。もうオフィリヤどころでは無い、と言えば、あなたはすぐに醜聞の風向きを変えるの、てれ隠しの道具に使うのと冷笑しますが、決して、そんなことはない。僕は、ゆうべは、くるしみましたよ。淋しかった。たまらなく淋しかった。ベッドの中で泣きました。何もかも、ばからしく、腹立たしく、やり切れない思いでした。二つの問題が、異様にからみ合って、手がつけられない。オフィリヤどころでは無い、というのは言いかたが、まずいので、オフィリヤの事も念頭より離れず、それに今度の恐ろしい疑惑が覆いかぶさり、乱雲が、もくもく湧き立ち、流れ、かさなり、僕の苦しみが三倍にも五倍にも、ふくれあがって、ゆうべは、本当に、一睡も出来ませんでした。発狂したら、いっそ気楽だ。ポローニヤス、わかりますか？　あなたから、城中の残念な噂、と言われて、オフィリヤの事か？　とちらと考えてもみたのですが、僕には、その事よりも、もっと色濃く、もう一つの噂のほうが問題だったので、ついそのほうに話を持って行きましたが、決して故意に、そらとぼけたわけではないのです。そんな出方もあったか、などと言われると、僕は実に、どうにも不愉快だ。殴ったのは、僕の失態でした。ごめんなさい。かっとしちゃったのです。でも、あなたも、これからは、あんな不愉快な言いかたは、しないで下さい。オフィリヤの事なら、心配は要りません。結婚します。あたり前の事です。どんな障害があっても、結婚しなければいけません。僕は、オフィリヤを愛しています。ただ、僕のくるしんでいるのは、王と王妃に僕たちの事を告白し、そのおゆるしを得る事です。僕は、あの人たちに打ち明けて、お願いするのは、なんとしても、いやなのです。死んだほうがいい。ことにも、ゆうべ、あんな噂を耳にしたので、なおさら打ち明けるのが苦痛になった。僕は、とにかく、あの噂の根元を、突きとめてみたい。何か、ある。きっと、ある。僕には、そんな予感がする。根も葉も無い噂だとしたなら、僕は幸福だ。かえって、それを機会に、あの人たちに僕の日頃の無礼を素直に詫びて釈然と笑い合う事が出来るようになるかも知れない。とにかく僕は、あの噂の真偽を、もっと追及してみたい。すべては、それからだ。ポローニヤス、わかりますか？　オフィリヤの事は、しばらく、そっとして置いて下さい。無責任な事は、致しません。ああ、ポローニヤス、僕もなんだか勇気を得ました。きょうから僕は、勇気のある男になるんだ。くるしさの、とても逃げられぬどん底まで落ちると、人は新しい勇気を得るものだね。」

ポロ。「どうだか、あぶないものです。ハムレットさま、あなたは、お若い。あなた達のおっしゃる事は、なんだか、わしには信用できない。新しい勇気、とおっしゃるけれど、勇気ばかりで、もの事が、うまく行くものではありません。また、勇気を得たのなんのと、その場かぎりの興奮から軽薄な大袈裟な事ばかりを言い散らす人は、昔から、なまけものの、お体裁屋にきまって居ります。くるしいの、淋しいの、乱雲が湧き立ったのという気障な言葉は、見どころのある男子の口にせぬものです。とても本気では聞いて居られぬ言葉です。もう薄髭も生えているのに、情無い。いつまで、いい気な夢を見ているのでしょう。もっと、しっかりして下さい。いまのあなたのお話で、とにかく、オフィリヤを一時のなぐさみものになさるおつもりでは、無かったという事だけは、わかりました。あなたを、お痛わしく思います。けれども、真の難関は、これからです。及ばずながら、ポローニヤスも御助勢申し上げますが、あなたも、もっと、しっかりして下さらなければ困ります。本当に、お願い致します。乱雲がもくもく湧き立ったのなんのという言葉は、これからは、なるべくおっしゃらないように。とても、まともには聞いて居られません。なんという、まずい事ばかりおっしゃるのでしょう。あなたも、そろそろ子供の父になるのですよ。」

ハム。「だから、だから、それだから僕は、くるしんでいるのです。くるしい時に、くるしいと言ってはいけないのですか？　なぜですか？　僕は、いつでも、思っていることをそのまま言っているだけです。素直に言っているのです。本当に、淋しいから、淋しいと言うのです。勇気を得たから、勇気を得たと言うのです。なんの駈引きも、間隙も無いのです。精一ぱいの言葉です。乱雲が覆いかぶさったという言葉も、あなたには、大袈裟な下手な形容のように聞えるかも知れませんが、僕にとっては、そのまま、目に見えるような事実なのです。皮膚感触なのです。真実、といっていいかも知れない。僕は、あなたを、オフィリヤとの血のつながりに依って、やっぱり愛しているのだから、それで安心して、僕の真実をそのままお伝えしようと思っているのだ。ちえっ！　僕は、どうも、人を信頼し過ぎる。愛に夢中になりすぎる。」

ポロ。「どうだっていいじゃありませんか、ハムレットさま。世の中は、哲学の教室でもなし、あなただって、失礼ながら聖人賢者におなりになるおつもりでもございますまい。愛だの真実だの乱雲だのと、賢者の口真似をなさっている間にも、オフィリヤのおなかが、刻一刻と大きくなります。それだけは、たしかに、目に見える事実です。わしは、いまあなたに愛されたって、安心されたって、ちっとも有難い事は、ありません。かえって迷惑ですよ。いまは、ただ、オフィリヤの事が、――」

ハム。「だから、それだから、ああ、わからん、あなたには、わからん。それは安心していても、いいのですよ。ただ、僕のくるしさは、――」

ポロ。「くるしさという言葉は、ない事にしましょう。背中がぞくぞくする。あなたは、さっきからその言葉を、もう百回は、おっしゃっています。くるしいのは、あなただけでは、ありません。わしの一家だって、あなたのおかげで滅茶滅茶なのですよ。わしは、もう辞表を提出しました。あすにも此の王城から出て行かなければなりません。事態は切迫しているのです。ハムレットさま、お力を貸していただきとう存じます。第一に、あなたのため、それからポローニヤス一家のために、執るべき手段は、ひとつしかありません。わしも、ゆうべ、眠らずに考えました。執るべき手段を考えました。ハムレットさま、お力を貸していただきとう存じます。」

ハム。「ポローニヤス、急にあらたまって、どうしたのです。僕みたいな若輩が、あなたの力になるなんて、とんでもない。からかわないで下さい。あなたこそ夢でも見ているのでは、ありませんか？」

ポロ。「ゆめ？　そう、夢かも知れません。けれども、これこそは窮余の一策だ。ハムレットさま、ポローニヤスの忠誠を信じますか？　いや、そんな事は、どうでもいい。つまらぬ事を言いました。ハムレットさま、あなたは正義を愛しますか？」

ハム。「気味が悪い。急にロマンチストになりましたね。まるで逆になった。こんどは僕が現実主義者になりそうだ。あなたの口から、正義だの忠誠だのという言葉を伺えるとは思いませんでした。いったい、どうしたのです。そんなに、うなだれてしまって、どうしたのです。何を考えているのです。」

ポロ。「ハムレットさま、わしは悪い人間ですねえ。おそろしい事を考えていました。娘の幸福のためには、王をさえ裏切ろうとする人間です。全部、打ち明けて申し上げます。ああ、いけない、ホレーショーがやって来ました。」

ホレーショー。ハムレット。ポローニヤス。

ホレ。「ハムレットさま、ひどい、ひどいなあ。僕は、大恥をかきましたよ。だまっているのだから、ひどいよ。もっとも、ゆうべは僕もいけませんでした。僕が要らない事ばかりおしゃべりして、それに何せ寒かったものですから、あなたのお話をよく聞こうとしなかったのが、失敗のもとでした。でも、もう、わかりました。ポローニヤスどの、このたびは、どうもとんだ事でしたねえ。御心配でしょう。それで？　ハムレットさまは、いったい、どういう御意向なのですか？　此の際、ハムレットさまの御意向が、一ばん問題になると思うのですがね。」

ハム。「ひとりで何を早合点しているのだ。相変らず、そそっかしいねえ、君は。何をそんなに騒いでいるのだ。僕が君に恥をかかせた覚えは、無いよ。」

ホレ。「だめ、だめ。とぼけたって駄目です。僕は、いま王さまから一切を聞いて来たのですからね。いや、笑い事じゃない。慎重に考えなければ、いけない事です。」

ハム。「そういう君こそ、なんだか、にやにや笑っているじゃないか。ひやかしちゃ、だめだよ。いったい何を、聞いて来たのさ。」

ホレ。「なあんだ、そんなにお顔を赤くなさっている癖に、まだ、とぼけようとしている。かえって僕のほうで、てれくさくって、くすぐったくて、つい、笑わざるを得ざる有様でございます。」

ハム。「畜生め。とうとう、見破りやがったな。畜生め、行くぞ！」

ホレ。「よし来た、組打ちならば、負けやしません。さあ、どうだ！　これでもか。」

ハム。「平気、平気。畜生め、一ひねりだ。おっちょこちょいの、此の咽を、こんな具合にしめつけると、ぴいと鳴るから奇妙なものさ。」

ポロ。「およしなさい、およしなさい。なんです。こんな廊下でいきなり組打ちをはじめるなんて、乱暴じゃありませんか。お二人とも、悪ふざけは、およしなさい。わけがわからん。そんなに、お二人とも、げらげら笑って、摑み合いして、いったい、どうしたのです。よして下さい。いまは、そんな悪ふざけをしている場合ではありません。お互いに、も少し緊張する事にしましょうよ。さあさ、もういい加減におよしなさい。ホレーショーどのも、いったい、どうしたのです。ここは、大学と違うのですよ。」

ハム。「ポローニヤス、あなたには、わからんよ。僕たちは、ひどく、てれくさい時には、こうして滅茶な組打ちをする事にしているんだ。こうでもしなけりゃあ、おさまりがつかんじゃないか。」

ホレ。「まったくですよ。僕は、まんまと、だまされていたのだからなあ。ハムレットさま、ひどいよ。」

ハム。「そんなでもないさ。これにも、いろいろ、わけがありましてね、ヘッヘ。」

ポロ。「ああ、そんな下品な笑いかたをなさって、なんという事です。わけもなんにもありゃしない。事件は、実に単純です。ホレーショーどの、まあ、もっとこっちへおいでなさい。おやおや、あなたの上衣の裾は破れたじゃありませんか。どうも、あなたがたは乱暴でいけません。うちのレヤチーズも、ずいぶん乱暴者のようですが、でも、あなたがた程ではありませんよ。まあ、ハムレットさまも落ちつきなさい。いまは、重大な時です。笑って、ふざけている場合ではありません。ホレーショーどのも、これからは、わしたちの力になって下さらなければいけません。これからは、此の三人で、さまざま相談も致したいと思います。それで？　ホレーショーどのは、いま王さまから、どんな事を伺って来たのです。聞かせて下さい。わしは、きょうからハムレットさまのお味方なのですから、信頼して、なんでも知らせて下さい。王さまは、あなたに、なんとおっしゃったのですか？」

ホレ。「おどろいた、夢のようだと、おっしゃっていましたよ。」

ハム。「それから、僕の悪口も言っていたろう。」

ホレ。「ひがんじゃ、いけません。王さまは、なかなか、わかっていらっしゃる。いや、どうだかな？　とにかく、おどろいていらっしゃる。」

ポロ。「要領を得ない。もっと、はっきりおっしゃって下さい。王さまの御意見は、どうなんですか？」

ホレ。「いや、それが、その、いや、実に古くさい。ばかばかしい。僕は、あきれましたよ。僕には、ハムレットさまのお気持は、わかっているんだ。けれども王さまは、ひどい勘違いをなさっているので、僕は呆れました。おそれつつしんで退出したのですけれど、いや、ひどいなあ。」

ハム。「わかったよ。とても許されぬ、と言うんだろう？　イギリスから姫を迎える、と言うんだろう？　わかっているよ。」

ホレ。「そのとおり。いや、まだひどい。ハムレットさまのお気持も、そろそろ冷くなっている筈だと思う、とおっしゃっておいででした。だから、オフィリヤさんを、しばらく田舎へ引き籠らせて、それで万事を解決させる。人の噂も、二箇月だとか、五箇月だとか、いや六箇月だったかな？　とにかくそんな具合の御意見でした。悪いようにはしないそうです。王さまも、決して悪意でおっしゃっているのではないのです。それだけは、誤解なさらぬように。ただ、王さまは、勘違いなさって居られるだけなんだ。僕は、とにかく、ハムレットさまに、王さまの御厚志をお伝えするように言いつかったというわけなのです。王妃さまは、なんだか、ひとりで笑って居られました。ハムレットさまのお気持を、よくわかっておいでの御様子でありました。だから決して、絶望というわけではないのです。此の際、王妃さまにお願いするのですね。王さまは、だめです。根っから、いけません。つまり、古いという事になりますかねえ。」

ハム。「ホレーショー、いい加減の事を言うのは、よせよ。古い、新しいの問題じゃない。現世主義者は、いつでもそうなんだ。叔父さんは、現世の幸福を信じているんだ。叔父さんとしては当然の意見だ。僕だって、それくらいの事は、はじめっから知っていたさ。問題は、そこだよ。そこが苦しいところなんだ。忍従か、脱走か、正々堂々の戦闘か、あるいはまた、いつわりの妥協か、欺瞞か、懐柔か、to be, or not to be, どっちがいいのか、僕には、わからん。わからないから、くるしいのだ。」

ポロ。「二度！ くるしいという言葉を、二度もおっしゃいました。あなたは、すぐにそんな大袈裟な哲学めいた事を、口走って意味も無い溜息ばかり吐いて、まるで下手な役者の真似みたいな表情をなさいますが、実にみっともない。王さまのお言葉は、わしだって覚悟していました。これしきの事で、取り乱してはいけません。ポローニヤスには、王さまの御処置がわかっていました。だから、わしも、辞表を提出したのです。いまは、たのみとすべきは、ハムレットさま、あなただけです。わしには、わしの考えがあります。ホレーショーどのも、御助勢下さい。すべて、ハムレットさまのためです。さあ、ホレーショーどの、誓って下さい。わしの、これから言う事を必ず他言しないと誓って下さい。」

ホレ。「どうしたのです。ポローニヤスどの、急に鹿爪らしくなってしまいましたね。」

ポロ。「ハムレットさまのためです。誓言は、おいやなのですか？」

ホレ。「誓いますよ、誓いますよ。なんだか、木に竹を継いだみたいに唐突なので、めんくらったのです。誓いますよ。ハムレットさまのためなら、どんないやな事だって致します。」

ポロ。「あなたを信頼します。それでは、申し上げます。ハムレットさま、さっき、ちょっと言いかけて、ホレーショーどのが来たので止しましたが、実は、このごろの城中の、もう一つの暗い噂、あれを、ポローニヤスは信じています。」

ハム。「なに？ 信じている？ ばかめ！ あなたこそ気が狂った。さもなくば、あなたこそ、いやな噂を種に王をおどかし、無理矢理オフィリヤを僕の妃に押しつけようとする卑劣下賤の魂胆なのだ。きたない、きたない。ポローニヤス、あなたは、さっき言いましたね。わしは娘の幸福のためには、王をさえ裏切ろうとする人間だ、わしは悪い人間だ、と呟いていましたね。僕は、あの時は、なんの事やらわけがわからなかったが、もう、はっきりわかりました。ポローニヤス、あなたは、おそろしい人だ。」

　ポロ。「ちがう！　ちがいます。わしの気持が変ったのです。はじめから、全部、申し上げましょう。わしが先王の幽霊の噂を耳にしたのは、ごく最近の事でした。困った事だと思っていました。そのうち王にも御相談申し上げ、適当の対策を講ずるつもりで居りましたが、このごろ、王の御様子を窺うと、なんだか曇りがあるのです。わしは、相談を躊躇しました。なぜだか、相談しにくいのです。はっきり申し上げましょう。わしは、少しずつ王さまを疑うようになって来たのでした。まさか、と思いながらも、王の御様子を拝見していると、なんだか、いやな、暗い気持がして来るのです。わしは、その気持を、いままで誰にも打ち明けず、自分ひとりの胸に畳んで、おのずから明朗に解決される日を待っていました。杞憂であってくれたらいいと、ひそかに念じていたのです。けれども、さっき、娘が不憫のあまり、ふいと恐ろしい手段を考えました。ただいまハムレットさまのおっしゃったような陋劣な事を考えました。けれども、ポローニヤスは、不忠の臣ではありません。それは、信じて下さい。ほんの一瞬、ちらと考えてみただけです。ゆうべ一晩、眠らずに考えたというのは嘘でした。つい興奮して、心にも無い虚飾を申しました。わしは、とっても、子供の事になると、わしもハムレットさまのように大袈裟な言葉を、つい言いたくなります。一瞬、ほんの一瞬だけ考えて、すぐにその陋劣に身震いし、こんどは逆に、猛烈に、正義という魂魄を好きになりました。たまらなく好きになりました。オフィリヤの事よりも、まず、あの不吉な噂の真偽をたしかめる。その事こそ、臣下の義務、いや人間の義務だと気が附きました。ハムレットさま、いまでは、わしは、あなた達の味方です。きょうからは、わしも青年の仲間に入れていただくつもりなのです。青年の正義。世の中に、信頼できるものは、それだけです。」

　ハム。「へんですねえ。こっちが、てれてしまいます。なんだか、へんだ。ホレーショー、人生には、予期せぬ事ばかり起るものだねえ。」

　ホレ。「僕は、信じます。ポローニヤスどの、ありがとう。僕は、信じますよ。感激しました。でも、なんだか、へんだなあ。唐突すぎる。」

　ポロ。「へんな事はありません。あなた達こそ、臆病なのです。わしは、もう、破れかぶれなのかも知れません。いや、ちがう。正義だ。正義。正義！　いい言葉だ。わしは、突貫しますよ。お力を貸して下さい。三人で、まず王さまを、ためしてみましょう。失礼な事かも知れないが、何も皆、正義のためだ。王さまの顔色を探ってみましょう。たしかな証拠をつきとめましょう。いかがです。わしには、一つ、いい考えがあるのです。相談に乗って下さい。何も皆、正義のためです。わしの行くべき路は、それだけです。」

ハム。「正義のほうで、顔負けしますよ。ポローニヤス、あなたは錯乱していいます。いいとしをして、みっともない。落ちつきなさい。あなたは、いったい、あのばかな噂を本気に信じているのですか？　嘘でしょう？　なんだか、底に魂胆がありそうですね。」

ポロ。「情無い事を、おっしゃる。ハムレットさま、あなたは、可哀想なお子です。なんにも御存じないのです。」

ホレ。「ああ、いけない。ポローニヤスどの、もう、およし下さい。王さまは、いいお方です。ハムレットさまだって、心の底では王さまを、お慕い申しているのですよ。いまさら、そんな、薄気味わるい事は、おっしゃらないで下さい。いけない、いけない、ああ、僕は、また寒くなって来ました。震える。全身が、震える。」

ハム。「ポローニヤス、重大な事ですよ。浮薄な言動は、つつしみなさい。たしかに、信ずべき節が、あるのですか？」

ポロ。「残念ながら、――ございます。」

ハム。「ははん、ホレーショー、僕たちが冗談に疑って遊んでいたら、それが、本当だってさ。なんて事だい。馬鹿笑いが出るよ。」

六　庭園

王妃。オフィリヤ。

王妃。「あたたかになりましたね。ことしは、いつもより、春が早く来そうな気がします。芝生も、こころもち、薄みどり色になって来た様じゃありませんか。早く、春が来ればよい。冬は、もう、たくさんです。ごらん、小川の氷も溶けてしまった。柳の芽というものは、やわらかくて、本当に可愛いものですね。あの芽がのびて風に吹かれ、白い葉裏をちらちら見せながらそよぐ頃には、この辺いっぱいに様々の草花も乱れ咲きます。金鳳花、いらくさ、雛菊、それから紫蘭、あの、紫蘭の花のことを、しもじもの者たちは、なんと呼んでいるか、オフィリヤは、ご存じかな？　あの顔を赤くしたところを見ると、ご存じのようですね。あの人たちは、どんな、みだらな言葉でも、気軽に口にするので、私には、かえって羨ましい。オフィリヤたちは、あの、紫蘭の花を何と呼んでいるのですか？　まさか、あの露骨な名前で呼んでいるわけでもないでしょう。」

オフ。「いいえ、王妃さま、あたしたちだって、やっぱり、同じ事でございます。幼い時に無心に呼び馴れてしまいましたので、つい、いまでも口から滑って出るのです。あたしばかりではなく、よそのお嬢さん達だって、みんな平気で、あの露骨な名を言って澄まして居ります。」

王妃。「おやおや、そうですか。いまの娘さん達の、あけっぱなしなのには、驚きます。そのほうが、かえって罪が無くて、さっぱりしているのかも知れませんけど。」

オフ。「いいえ。でも、男のひとの居る前では気を附けて、死人の指、なぞという名で呼んでいますの。」

王妃。「なるほど、そうでしょうね。さすがに男のひとの前では言えない、というのも面白い。けれども、死人の指とはまた考えたものですね。死人の指。なるほどねえ。そんな感じがしないこともない。可哀そうな花。金の指輪をはめた死人の指。おや、悲しくもないのに涙が出ました。こんな歳になって、つまらぬ花の事で涙を流すなんて、私もずいぶんお馬鹿ですね。女は、いくつになっても、やっぱり甘えたがっているものなのですね。女には、かならず女の、くだらなさがあるものなのでしょう。どう仕様も無いものですね。こんな歳になっても、まだ、デンマークの国よりは雛菊の花一輪のほうを、本当は、こっそり愛しているのですもの。女は、だめですね。いいえ、女だけでなく、私にはこのごろ、人間というものが、ひどく頼りなくなって来ました。よっぽど立派そうに見える男のかたでも、なに、本心は一様にびくびくもので、他人の思惑ばかりを気にして生きているものだという事が、やっとこのごろ、わかって来ました。人間というものは、みじめな、可哀そうなものですね。成功したの失敗したの、利巧だの、馬鹿だの、勝ったの負けたのと眼の色を変えて力んで、朝から晩まで汗水流して走り廻って、そうしてだんだんとしをとる、それだけの事をする為に私たちは此の世の中に生れて来たのかしら。虫と同じ事ですね。ばかばかしい。どんな悲しい、つらい事があっても、デンマークのため、という事を忘れず、きょうまで生きて努めて来たのですが、私は馬鹿です。だまされました。先王にも、現王にも、またハムレットにも、みんなに、だまされていたのです。デンマークのため、という言葉は、なんだか大きい崇高な意味を持っているようで、私はいつでも、デンマークのためとばかり思って、くるしい事でも悲しい事でも怺えて来ました。神さまからいただいた尊い仕事をしているのだという誇りがあったものですから、ずいぶん淋しい時でも我慢が出来たのです。私が神さまから特に選ばれて重い役目を言いつけられている人間だという自負があったからこそ忍従の生活を黙って続けて来たのですが、いま考えてみると、ばからしい。私のような弱い腕で、どんな仕事が出来るものですか。人は、私のひそかな懸命の覚悟なぞにはお構い無しに、勝ったの負けたのと情ない、きょろきょろ細かい気遣いだけで日を送って、そうして時々、なんの目的も無しに卑劣な事件などを起して、周囲の人の運命を、どしどし変えて行くのです。それから後が、また、お互い責任のなすり合いでたいへんです。私ひとりが、デンマークの為だのハムレット王家の為だのと緊張してみたところで、濁流に浮んでいる藁のようです。押し流されてしまいます。本当に、ばからしい。オフィリヤ。からだの調子は、どうですか？」

オフ。「え？　べつに。」

王妃。「隠さずとも、よい。私は知っているのですから。御安心なさい。私だって、ハムレットの母として、あなたをいとしく思っています。きょうは、顔色もいいようですね。もう気分が、わるくなるような事は無くなりましたか。」

オフ。「はい。王妃さま、お礼の言葉もございません。実は、けさ眼が覚めたら、すっと胸がひらけて、ものの臭いも平気になりました。きのう迄は、自分のからだの匂いも、夜具やら、下着やらの臭いも、まるで韮のようで、どんなに香水を振りかけても、我慢が出来ず、ひとりで泣いて居りました。でも、けさは、悪い夢から覚めたように、すっとからだも軽くなり、スウプも、幾日ぶりかで本当においしかった。何かの拍子に、また、きのう迄のあんな地獄の気分に落ちるのではないかと、まだ少し心配でございます。自分のからだが、こわれもののような気がして、はらはらしています。いまだって、おっかなびっくりで、なるべく静かに呼吸しながら一歩一歩、こわごわ芝生を踏んでいます。もう、大丈夫なのかしら。あんな、つらい思いを二度くりかえすのは、いやでございます。」

王妃。「ええ、もう大丈夫ですとも。これからは、食慾もすすむ一方です。本当に、あなたは、なんにもご存じないのですねえ。無理もない。これからは、私が相談相手になってあげてもよい。あなたは、さっきから何でも思ったとおりに、正直におっしゃるので、私は可愛くなりました。悪びれず、大胆に言う人を、私は好きです。」

オフ。「いいえ、王妃さま。あたしは、きのう迄、嘘ばかりついていましたの。ひとをだますという事ほど、くるしい、つらい地獄はございませぬ。でも、もう嘘をつく必要は無くなりました。みんなに知られてしまいました。からだの具合も、さいわい今朝から、こんなにすっきりして来ましたし、もうこれからは、いじけずに、昔のとおりにお転婆なオフィリヤになるのです。本当に、此の二箇月、毎日毎日、意外な事ばかり続いて、ゆめのようでございます。」

王妃。「なに、ゆめのような思いは、あなたばかりではありません。誰もかれも、此の二箇月間は、おそろしい夢を見ているような気持でした。先王がおいでなされた頃の平和は、いま考えると、まるで嘘のような気さえ致します。あんなに、お城の中も、またデンマークの国も、希望に満ちて一日一日を送り迎えしていたような時代は、もう二度と帰って来る事はありますまい。誰が、どうわるいというのでも無いのに、すっかり陰気に濁ってしまって、溜息と、意地悪い囁きだけが、エルシノアの城にも、またデンマークの国中にも満ち満ちているような気がします。きっと、何か、ひどく悪い事が起る、悲惨な事が起る、というような、不吉な予感を覚えます。せめて、ハムレットだけでも、しっかりしていてくれるといいのですけれど、あの子は、あなたの事で半狂乱の様子ですし、他の人だって、自分の地位や面目の事ばかり心配して、あちこち走り廻っているような具合ですから、ちっとも頼りになりません。女も、浅墓なものですが、男のひとも、あんまり利巧とは言えませんね。あなた達には、まだ、わかっていないでしょうが、男のひとは、それは気の毒なくらい、私たちの事を考えているものなのですよ。そんなに、お笑いになっては、いけません。本当なんです。私は、自惚れて言っているわけではありません。男のひとは、口では何のかのと、立派そうな事を言っていながら、実のところはね、可愛い奥さんの思惑ばかりを気にして、生きているものなのです。立身も、成功も、勝利も、みんな可愛い奥さんひとりを喜ばせたい心からです。いろんな理窟をつけて、努力して居りますが、なに、可愛い女に、ほめられたいばかりなのです。だらしの無い話ですね。可哀想なくらいです。私は此の頃それに気がついて、びっくりしました。いいえ、がっかりしました。私は、男の世界を尊敬してまいりました。私たちには、とてもわからぬ高い、くるしい理想の中に住んでいるものとばかり思っていました。及ばずながら、私たちは、その背後で、せめて身のまわりのお世話でもしてあげて、わずかなお手伝いをしたいと念じていたのですが、ばかばかしい、その背後のお手伝いの女こそ、男のひとたちの生きる唯一の目当だったとは、まるで笑い話ですね。背後からそっとマントを着せてあげようとすると、くるりとこちらを向いてしまうのですから、まごついてしまいます。理想だの哲学だの苦悩だのと、わけのわからんような事を言って、ずいぶん空の高いところを眺めているような恰好をしていますが、なに、実は女の思惑ばかりを気にしているのです。ほめられたい、好かれたいばかりの身振りです。私には此のごろ、男がくだらなく見えて仕様がありません。オフィリヤたちには、わからない事です。あなたなどには、まだ、ハムレットなんかが、いい男に見えて仕様がないのでしょうね。あの子は、馬鹿な子です。周囲の人気が大事で、うき身をやつしているのです。わかい頃には、お友達や何かの評判が一ばん大事なものらしい。馬鹿な子です。根からの臆病者のくせに、無鉄砲な事ばかりやらかしてお友達や、オフィリヤには、ほめられるでしょうが、さて後（あと）の始末が自分では何も出来ないものですから、泣きべそをかいて、ひとりで、すねているのです。そうして内心は私たちを、あてにしているのです。私たちが後の始末をしてくれるのを、すねながら待っているのです。気障（きざ）な、思いあがった哲学めいた事ばかり言って、ホレーショーたちを無責任に感服させて、そうして陰では、哲学者どころか、私たちに甘えてお菓子をねだっているような具合なんですから、話になりません。甘えっ子ですよ。朝から晩まで、周囲の者に、ほめられて可愛がられていたいのです。その場かぎりの喝采が欲しくて、いつも軽薄な工夫をしています。あんな出鱈目（でたらめ）な生きかたをして、本当に、将来どうなることでしょう。あなたの兄さんのレヤチーズなどは、ハムレットと同じ歳（とし）なのに、もう、ちゃんと世の中のからくりを知っていらっしゃる。」

オフ。「いいえ、それが兄の、かえって悪いところでございます。王妃さまは、たったいま、よほど立派そうに見える男のかたでも、本心は一様にびくびくもので、他人の思惑ばかりを気にして生きているものだ等とおっしゃっていながら、すぐそのお口の裏から、レヤチーズをおほめになるなんて、可笑（おか）しゅうございます。兄だって、やっぱり本心は、そんなところでございましょう。それは兄が、ハムレットさまに較べては、少し武骨（ぶこつ）で、しっかり者のところもありますけれど、でも、あんまり、はっきり割り切れた気持で涼しく生きている者は、かえって私たちを淋しくさせます。あたしは兄を、決してきらいではないのですけど、でも、兄に何でも打ち明けて語ろうという親しい気持は起りません。父に対しても同じ事でございます。あたしは、わるい娘、いけない妹なのかも知れません。仕方が無いのでございます。肉親に、したしみを感じないで、かえって、――」

王妃。「ハムレットだけに、親しみを感じているというわけですね。つまらない。およしなさいよ。恋に夢中になっている時には、誰だって自分の父や兄を、きらいになります。当り前の事じゃありませんか。本当に、あなた達の言うことを、真面目（まじめ）に聞いていると馬鹿を見ます。何を言う事やら。」

オフ。「いいえ、王妃さま。あたしは、夢中ではございませぬ。あたしは、こんな事になってしまう前から、ずっと以前から、おしたい申して居りました。いいえ、ハムレットさまでなく、王妃さまを、こっそり、懸命に、おしたい申して居りました。そのうちに、つい、ハムレットさまと、こんなになって喜びやら、くるしみやら、意外の思いやら、いろんな事がございましたが、あたしには、失礼ながら王妃さまを母上とお呼びして甘える事が出来るようになるのではないかしらという淡い期待が何にも増して、うれしかったのでございます。お信じ下さいませ。あたしは小さい時から王妃さまを、どんなに敬い、そうしてどんなに好きで好きでたまらなかったか、王妃さまには、おわかりになりますまい。あたしは今まで、身振りでも、ものの言い様でも、何でもかでも王妃さまの真似ばかりしてまいりました。ごめんなさい。王妃さまのお身分のせいでは無しに、ただ、女性として魅力あるおかた、いいおかた、すばらしいおかた、ああなんと申し上げたらいいのでしょう、王妃さま、あたしをお笑い下さいませ。あたしは、馬鹿な娘です。ハムレットさまが、もし、王妃さまのお子でなかったら、あたしだって、こんな間違いは起さなかったろうと思います。あたしは、みだらな女ではございませぬ。王妃さまの大事な大事なお子さまですから、あたしも、大事におあずかりしようと思ったのです。」

　王妃。「可愛い冗談ばかりおっしゃる。あなた達は、ふいと思いついた言葉を、そのまま、まことしやかに言い出すので、いつも私たちは閉口します。あなたが私を、少しでも好きだとしたら、それは、やっぱり私の身分のせいです。身分がきらきらしているので、それに眼がくらんで、のぼせ気味になって何でもかでも矢鱈に素晴らしく見えるようになったのでしょう。私は、つまらないお婆さんです。あなたが、ハムレットを拒み得なかったのも、ハムレットの身分のせいです。王妃の大事な子供だから、あたしも大事にしようと思いました等という突飛な意見は、私ひとりは笑って聞き流して、許してもあげますが、他のひとにそんな事を言ったら、あなたは白痴か気違い扱いにされてしまいます。あなたが私を母と呼んで甘えたい、それが一ばんの喜びだと無邪気そうにおっしゃっていましたが、わかり切った事です。それは、あなたがデンマーク国の王子の妃になる事の喜びを、申し述べているのに過ぎません。王子の妃になって、王妃を母と呼べる身分になるのは、デンマーク国の女の子と生れて最上のよろこびの筈です。あたり前の話です。あなた達は、自分の俗な野心を無邪気な甘えた言いかたで、巧みに塗りかえるから油断がなりません。うっかり、だまされます。今の若い人たちは、なんにも知らぬ振りをして子供っぽい口をきいて私たちを笑わせながら、実は、どうして、ちゃっかり俗な打算をしているのだから、いやになります。ほんとうに、抜け目がなくて、ずるいんだから。」

オフ。「ちがいます、王妃さま。どうしてそんなに意地わるく、どこまでもお疑いになるのでしょう。あたしには、そんな大それた浅墓な野心などは、ございません。あたしは、ただ王妃さまを、本当に、好きなのでございます。泣くほど好きです。あたしの生みの母は、あたしの小さい時になくなりましたけれど、いま生きていても、王妃さまほどではないだろうと思います。王妃さまには、あたしのなくなった母よりも、もっと優しく、そうして素晴らしい魅力がございます。あたしは、王妃さまのためには、いつ死んでもいいと思っています。王妃さまのようなおかたを、母上とお呼びして一生つつましく暮したいと、いつも空想して居りました。ご身分の事などは、いちども考えたことがございません。不忠の娘でございます。やっぱり、あたしには母が無いので一そう、お慕いする気持が強いのかも知れません。本当に、あたしには、なんの野心もございません。なさけ無い事をおっしゃいます。あたしは、ハムレットさまのご身分をさえ忘れていました。ただ、王妃さまのお乳の匂いが、ハムレットさまのおからだのどこかに感ぜられて、それゆえ、たまらなくおいとしく思われ、とうとう、こんな恥ずかしい身になりました。あたしは、ちっとも打算をしませんでした。それは、神さまの前ではっきり誓うことが出来ます。王子さまの妃になって出世しようなどと、そんな大それた野心は、本当に、夢に見たことさえございません。あたしは、ただ、王妃さまの遠いつながりを、わが身に感じている事が出来れば、それで幸福なのでございます。あたしは、もうみんな、あきらめて居ります。いまは、王妃さまのお孫を無事に産み、お丈夫に育てる事だけが、たのしみでございます。ハムレットさまに捨てられても、あたしは、子供と二人で毎日たのしく暮して行けます。王妃さま。ポローニヤスの娘として、オフィリヤには、オフィリヤの誇りがございます。あたしは、なんでも存じて居ります。ハムレットさまに、恥ずかしからぬ智慧も、きかぬ気もございます。あたしは、ただわくわく夢中になって、あのおかたこそ、世界中で一ばん美しい、完璧な勇士だ等とは、決して思って居りません。失礼ながら、お鼻が長過ぎます。お眼が小さく、眉も、太すぎます。お歯も、ひどく悪いようですし、ちっともお綺麗なおかたではございません。脚だって、少し曲って居りますし、それに、お可哀そうなほどのひどい猫背です。お性格だって、決して御立派ではございません。めめしいとでも申しましょうか、ひとの陰口ばかりを気にして、いつも、いらいらなさって居ります。いつかの夜など、信じられるのはお前だけだ、僕は人にだまされ利用されてばかりいる、僕は可哀想な子なのだからお前だけでも僕を捨てないでおくれ、と聞いていて浅間しくなるほど気弱い事をおっしゃって、両手で顔を覆い、泣く真似をなさいました。どうして、あんな、気障なお芝居をなさるのでしょう。そうしてちょっとでもあたしが慰めの言葉を躊躇している時には、たちまち声を荒くして、ああ僕は不幸だ、誰も僕のくるしみをわかってくれない、僕は世界中で一ばん不幸だ、孤独だ等とおっしゃって、髪の毛をむしり、せつなそうに呻くのでございます。ご自分を、むりやり悲劇の主人公になさらなければ、気がすまないらしい御様子でありました。突然立ち上って、壁にはっしとコーヒー茶碗をぶっつけて、みじんにしてしまう事もございます。そうかと思うと、たいへんな御機嫌で、世の中に僕以上に頭脳の鋭敏な男は無いのだ、僕は稲妻のような男だ、僕には、なんでもわかっているのだ、悪魔だって僕を欺く事が出来ない、僕がその気にさえなれば、どんな事だって出来る、どんな恐ろしい冒険にでも僕は必ず成功する、僕は天才だ等とおっしゃって、あたしが微笑んで首肯くと、いやお前は僕を馬鹿にしている、お前は僕を法螺吹きだと思っているのに違いない、お前は僕を信じないからだめだ、お前なんかにはわからない、と急に不機嫌におなりになって、あたしがどんなに誓言しても、こんどは、ひどく調子づいて御自分の事を滅茶苦茶に悪くおっしゃいます。僕は、実は法螺吹きなんだ。山師だよ。いんちきだ。みんなに見破られて、笑われているのだ。知らないのはお前だけだよ。お前は、なんて馬鹿な奴だ。だまされているのだよ。僕に、まんまと、だまされているのさ。ああ、僕も、みじめな男だ。世の中の皆から相手にされなくなって、たったひとり、お前みたいな馬鹿だけをつかまえて威張っている。だらしがないねえ等と、それはもう、とめどもなく、聞いているあたしのほうで泣きたくなる程、御自分の事を平気で、あざ笑いつづけるのです。そうかと思うと一時間も鏡の前に立って、御自分のお顔をさまざまにゆがめて眺めていらっしゃる事もございます。長いお鼻が気になるらしく、鏡をごらんになりながら、ちょいちょい、つまみ上げてみたり等なさるので、あたしも噴き出してしまいます。けれども、あたしは、あのお方を好きです。あんなお方は、世界中に居りません。どこやら、とても、すぐれたところがあるように、あたしには思われます。いろいろな可笑しな欠点があるにしても、どこやらに、神の御子のような匂いが致します。あたしだって、誇りの高い女です。ただ、やたらに男のかたを買い被り有頂天になるような事はございません。たとい御身分が王子さまであっても、むやみに御胸におすがりするような事は致しません。ハムレットさまは、此の世で一ばんお情の深いおかたです。お情が深いから、御自分を、もてあましてしまって、お心もお言葉も乱れるのです。きっとそうです。王妃さまだって、ハムレットさまのいいところは、ちゃんとご存じの癖に。」

王妃。「何が何やら、あなた達の言う事は、まるで筋道がとおっていません。私を慕っているからハムレットをも好きになった等とへんな理窟を言うかと思うと、こんどは、ひどくハムレットの悪口をおっしゃって、すぐにまたその口の下から、ハムレット程いいひとは世の中にはいない、神の御子だ、なんて浅間しい勿体ない事をおっしゃる。私のようなお婆さんをつかまえて、素晴らしい魅力があるのなんのと、馬鹿らしい事を口走るかと思えば、いいえ、ちっとも夢中になっていない、もう諦めている等と殊勝な事をおっしゃる。いったい、どこを、どう聞けばいいのか、私は困ってしまいます。あなたも、ハムレットの影響を受けたのでしょう。第一の高弟とでもいうところでしょうか。ホレーショーだけかと思ったら、あなたも、なかなか優秀なお弟子のようです。」

オフ。「王妃さまから、そんなに言われると、あたしも、しょげてしまいます。あたしは感じた事を、いつわらず、そのまんま申し上げた筈でございます。あたしの申し上げた事は、皆ほんとうなのです。あれこれと食いちがうのは、きっと、あたしの言いかたが下手なせいでしょう。あたしは王妃さまにだけは嘘をつくまいと思っていますし、また、嘘をついても、それにだまされるような王妃さまでもございませんから、あたしは感じた事、思っている事を、のこらず全部申し上げようと、あせるのですが、申し上げたいと思う心ばかりが、さきに走っていって、言葉が愚図愚図して、のろくさくて、なかなか、心の中のものを、そっくり言い現わす事が出来ません。あたしは、神さまに誓って申し上げますが、あたしは正直でございます。あたしは、愛しているおかたにだけは正直になろうと思います。あたしは王妃さまを好きなので、一言も嘘を申し上げまいと努めているのでございますが、努力すればする程あたしの言葉が、下手になります。人間の正直な言葉ほど、滑稽で、とぎれとぎれで、出鱈目に聞えるものはない、と思えば、なんだか無性に悲しくなります。あたしの言葉は、しどろもどろで、ちっとも筋道がとおらないかも知れませんが、でも、心の中のものは、ちゃんと筋道が立っているのです。その、心の中の、まんまるいものが、なんだかむずかしくて、なかなか言葉で簡単には言い切れないのです。だから、いろいろ断片的に申し上げて、その断片をつなぎ合せて全部の感じをお目にかけようと、あせるのですけれども、なんだか、言えば言う程へまになって困ります。あたしは、愛しすぎているのかも知れません。常識を知らないのかも知れません。」

王妃。「みんなハムレットから教えられた理窟でしょう。いまの若い人たちは自己弁解の理窟ばかり達者で、いやになります。そんな、気取った言いかたをなさらず、いっそ、こう言ったらどうですか。あたしは、わからなくなりました、胸が一ぱいです、とだけおっしゃれば、私たちには、かえってよくわかります。あなたは、他の事だと、悪びれず大胆にはきはきおっしゃって、いい子なのに、ハムレットの事になると、へんな理窟ばかりおっしゃって、ご自分の恥ずかしさを隠そうとなさる。あなたは、まだ私に、すみませんというお詫（わ）びをさえ言っていません。」

オフ。「王妃さま。心から、すみませんと思って居れば、なぜだか、その言葉が口から出ないのでございます。あたしたちの今度の行いが、すみませんという一言で、ゆるされるものとは思われませぬ。あたしのからだ一めんに、すみませんという文字が青いインキで隙間も無く書き詰められているような気がしているのですけれど、なぜだか、王妃さまに、すみませんと申し上げる事が出来ないのです。白々しい気がするのです。ずいぶんいけない事をしていながら、ただ、すみませんと一言だけ言って、それで許してもらおうなんて考えるのは、自分の罪をそんなに意識していない図々（ずうずう）しい人のするわざです。あたしにはとても出来ません。ハムレットさまだって、やはり同じ事で、いまお苦しみなさっていらっしゃるのだと思います。何かで、つぐないをしなければいけない、とあせっていらっしゃるのだと思います。ハムレットさまも、あたしも、このごろ考えている事は、どうして王妃さまにお詫びをしようかという苦しみだけでございます。王妃さまは、いま、お淋しい御境遇なのですから、あたしたちは、お慰めしなければならないのに、ついこんな具合になってしまって、かえって、御心配をおかけして、こんな事は、悪いとか馬鹿とかそんな簡単な言葉では、とても間に合いません。死ぬる以上に、つらい思いがございます。あたしは、王妃さまを、ずっと昔から、本当に、お慕い申していたのです。それは、本当でございます。一生に一ぺんでも、王妃さまに、褒（ほ）められたいと念じて、お行儀にも学問にも努めてまいりましたのに、まあ、あたしは何というお馬鹿でしょう。つい狂って、王妃さまに、一ばんすまない事を致しました。ハムレットさまだって、あたしに負けずに、いいえ、あたし以上に王妃さまを敬い、なつかしがっていらっしゃいます。あたしたちは、王妃さまが、いつまでもお達者で、お元気で居られるように祈っています。生きておいでのうちには、きっと、つぐないをしてお目にかけましょうと、あたしはハムレットさまに、しみじみお話申し上げた夜もございました。王妃さま、王妃さま、あら！」

王妃。「ごめんなさい。泣くまいと、さっきから我慢して心にも無い意地悪い事ばかり言っていました。オフィリヤ、私はあなたから、そんなに優しく言われ、慕われると、せつなくなります。この胸が、張り裂けるようでした。オフィリヤ、あなたは、いい子だね。あなたは、きっと正直な子です。おずるいところもあるようだけど、でもまあ、無邪気な、意識しない嘘は、とがめだてするものでない。そんな嘘こそ、かえって美しいのだからね。オフィリヤ、この世の中で、無邪気な娘の言葉ほど、綺麗で楽しいものはないねえ。それに較べると、私たちは、きたない。いやらしい。疲れている。あなたたちが、それでも私を、しんから愛してくれて、いつまでも生きていてくれと祈っている、という言葉を聞いて、私は、たまらなくなりました。ああ、あなたたちの為にだけでも、私は生きていなければ、ならないのに、オフィリヤ、ゆるしておくれ。」

オフ。「王妃さま、何をおっしゃいます。まるで、あべこべでございます。王妃さまは、何か他の悲しい事を思い出されたのでございましょう。おお、ちょうどよい。ここに腰掛がございます。さ、お坐りなさって、お心を落ちつけて下さいませ。王妃さまが、そんなにお泣きなさると、あたし迄が泣きたくなります。さ、こう並んで腰かけましょう。おや、王妃さま。これは先王さまの御臨終の時の腰掛でございましたね。先王さまが、お庭の此の腰掛にお坐りになって日向ぼっこをなされていると、急に御様子がお悪くなり、あたしたちの駈けつけた時には、もう悲しいお姿になって居られました。あれは、あたしが、新調の赤いドレスをその朝はじめて着てみた日の事でございましたが、あたしは、悲しいやら、くやしいやらで、自分の赤いドレスが緑色に見えてなりませんでした。うんと悲しい時には、赤い色が緑色に見えるようでございます。」

王妃。「オフィリヤ、もう、およし。私は、間違った！私には、もう、なんにも希望が無いのです。何もかも、つまらない。オフィリヤ、あなたは、これからは気を附けて生きて行くのですよ。」

オフ。「王妃さま、お言葉が、よくわかりませぬ。でも、オフィリヤの事なら、もう御心配いりません。あたしは、ハムレットさまのお子を育てます。」

七　城内の一室

ハムレットひとり。

ハム。「馬鹿だ！　馬鹿だ、馬鹿だ。僕は、大馬鹿野郎だ。いったい、なんの為に生きているのか。朝、起きて、食事をして、うろうろして、夜になれば、寝る。そうして、いつも、遊ぶ事ばかり考えている。三種類の外国語に熟達したが、それも、ただ、外国の好色淫猥の詩を読みたい為であった。僕の空想の胃袋は、他のひとの五倍も広くて、十倍も貪慾だ。満腹という事を知らぬ。もっと、もっとと強い刺戟を求めるのだ。けれども僕は臆病で、なまけものだから、たいていは刺戟へのあこがれだけで終るのだ。形而上の山師。心の内だけの冒険家。書斎の中の航海者。つまり、僕は、とるにも足らぬ夢想家だ。あれこれと刺戟を求めて歩いて、結局は、オフィリヤなどにひっかかり、そうして、それっきりだ。どうやら僕はオフィリヤに、まいってしまっているらしい。だらしの無い話だ。ドンファンを気取って修行の旅に出かけて、まず手はじめにと、ひとりの小娘を、やっとの事で口説き落したが、その娘さんと別れるのが、くるしくて一生そこに住み込んで、身を固めたという笑い話。まず、小手しらべに田舎娘をだましてみて、女ごころというものを研究し、それからおもむろにドンファン修行に旅立とうという所存でいたのに、その田舎娘ひとりの研究に人生七十年を使ってしまったという笑い話。僕は、深刻な表情をしていながら、喜劇のヒロオだ。案外、道化役者の才能があるのかも知れぬ。このごろの僕の周囲は、笑い話で一ぱいだ。たわむれに邪推してみて、ふざけていたら、たしかな証拠があります等と興覚めの恐ろしい事を真顔で言われて、総毛立った。冗談から駒が出たとは、この事だ。入歯のおふくろが、横恋慕されたというのも相当の喜劇だ。ポローニヤスが、急に仔細らしく正義の士に早変りしたというのも噴飯ものだ。僕が、やがてパパになるというのも奇想天外、いや、それよりも何よりも、今夜の此の朗読劇こそ圧巻だ。ポローニヤスは、たしかに少し気が変になっているのだ。一挙に三十年も四十年も若返り、異様にはしゃぎ出して、朗読劇をやろうなんて言い出すのだから呆れる。イギリスの女流詩人のなんだか、ひどく甘ったるい大時代の作品を、ポローニヤスが見つけて来て、これを台本にして三人で朗読劇をやろうと言い出す始末なのだから恐れいる。しかもポローニヤスの役は、花嫁というのだから滅茶だ。なるほどその詩の内容は、いまの叔父上と母にとっては、ちょっと手痛いかも知れない。ポローニヤスは、此の朗読劇に、王と王妃を招待して、劇の進行中にお二人が、どんな顔をなさるか、ためしてみようという魂胆なのだが、馬鹿な事を考えたものだ。たとい真蒼な顔をなさったところで、それが、どんな証拠になるものか。また、平気で笑っていたとて、それが無罪の証拠になるとは限らぬ。お二人の感覚の、鋭敏遅鈍の判定は出来るだろうが、有罪、無罪の判定にはなりやしない。全く、ポローニヤスは、どうかしている。馬鹿らしいとは思っていながら、僕も又だらし無い。オフィリヤの親爺のご機嫌をそこねたくないばかりに、それはいい考えだなんてお追従を言って、ホレーショーにも賛成を強要し、三人で朗読の稽古をはじめたのは、きょうの昼過ぎだ。ホレーショーは、最初あんなに気がすすまないような事を言っていながら、稽古がはじまると急に活気づいて来て、ウイッタンバーグの劇研究会仕込みとかいう奇妙な台詞まわしで黄色い声を張りあげていた。あいつは、本当に正直な男だ。自分の感情を、ちっとも加工しないで言動にあらわす。どんな、へまを演じても何だか綺麗だ。いやらしいところが無い。しんから謙譲な、あきらめを知っている男だ。それに較べて此の僕は、ああ、馬鹿だ。大馬鹿野郎だ。僕は、あきらめる事を知らない。僕の慾には限りが無い。世界中の女を、ひとり残らず一度は自分のものにしてみたい等と途方も無い事を、のほほん顔で空想しているような馬鹿なのだ。世界中の人間に、しんから敬服されたいものだ、僕の俊敏の頭脳と、卓抜の手腕と、厳酷の人格を時折ちらと見せて、あらゆる人間に瞠目させたい等と頬杖ついて、うっとり思案してもみるのだが、さて、僕には、何も出来ない。世界中の女どころか、お隣りの娘さんひとりを持てあまして死ぬほど苦しい思いをしている。卓抜の手腕どころか、僕には国の政治は、なんにもわからぬ。瞠目されるどころか、人に、だまされてばかりいる。人を、こわがってばかりいる。人を、畏敬してばかりいる。人が、僕にかたちばかりのお辞儀をしても、僕は、そのお辞儀を、まごころからのものだと思い込んで、たちまち有頂天、発狂気味にさえなって、その人の御期待にお報いせずんばあるべからずと、心にも無い英雄の身振りを示し、取りかえしのつかぬ事になったりして、みんなに嘲笑せられるくらいが落ちさ。人に悪口を言われても、その人の敵意には気が附かず、みんな僕の為を思って、言いにくい悪口でも無理に言ってくれるのだ、ありがたい、この御厚情には、いつの日かお報いせずんばあるべからずと、心の中の手帳にその人の名を恩人として明記して置くという始末なのだ。人から軽蔑せられても、かえってそれを敬意か愛情と勘違い恐悦がったりして五、六年経って一夜ふっとその軽蔑だった事に気附いて、畜生！　と思うのだが、いや、実に、めでたい！　かと思うとその反面に、打算の強いところもあって、友人達に優しくしてやって心の隅では、かならずひそかに、情は人のためならず等と考えているんだから、やりきれない男さ。底の知れない馬鹿とは、僕の事だ。どだい僕には、どんな人が偉いんだか、どんな人が悪いんだかその区別さえ、はっきりしない。淋しい顔をしている人が、なんだか偉そうに見えて仕様が無い。ああ、可哀想だ。人間が可哀想だ。僕も、ホレーショーも可哀想。ポローニヤスも、オフィリヤも、叔父さんもお母さんも、みんな、みんな可哀想だ。僕には、昔から、軽蔑感も憎悪も、怒りも嫉妬も何も無かった。人の真似をして、憎むの軽蔑するのと騒ぎ立てていただけなんだ。実感としては、何もわからない。人を憎むとは、どういう気持のものか、人を軽蔑する、嫉妬するとは、どんな感じか、何もわからない。ただ一つ、僕が実感として、此の胸が浪打つほどによくわかる情緒は、おう可哀想という思いだけだ。僕は、この感情一つだけで、二十三年間を生きて来たんだ。他には何もわからない。けれども、可哀想だと思っていながら、僕には何も出来ないんだ。ただ、そう思ってそれを言葉で上手に言いあらわす事さえ出来ず、まして行動に於いては、その胸の内の思いと逆な現象ばかりがあらわれる。なんの事は無い、僕は、なまけ者の大馬鹿なんだ。何の役にも立ちやしない。ああ、可哀想だ。まったく、笑い事じゃない。ホレーショーも、叔父さんも母も、ポローニヤスも、みんな可哀想だ。僕のいのちが役に立つなら、誰にでも差し上げます。このごろ僕には人間がいよいよ可哀想に思われて仕様がないんだ。無い智慧をしぼって懸命に努めても、みんな、悪くなる一方じゃないか。」

ポローニヤス。ハムレット。

ポロ。「ああ、いそがしい。おや、ハムレットさまは、もうこちらへおいでになっていたのですか。どうです、これは、ちょっとした舞台でしょう？　わしが先刻、毛氈やら空箱やらを此の部屋に持ち込んで、こんな舞台を作ったのです。なあに、これくらいの舞台で充分に間に合いますよ。朗読劇でございますから、幕も、背景も要りません。そうでしょう？　でも、何も無いというのも淋しいので、ここへ、蘇鉄の鉢を一つ置いてみました。どうです、この植木鉢一つで舞台が、ぐんと引き立って見えるじゃありませんか。」

ハム。「可哀想に。」

ポロ。「なんですって？　何が可哀想なんです。蘇鉄の鉢を、ここへ置いちゃ、いけないとおっしゃるのですか？　それじゃ、もっと、舞台の奥のほうに飾りましょうか。なるほど、そう言われてみると、この舞台の端に置かれたんじゃ、蘇鉄の鉢も可哀想だ。いまにも舞台から落っこちそうですものね。」

ハム。「ポローニヤス、可哀想なのは、あなただよ。いや、あなただけでは無く、叔父さんも、母も、みんな可哀想だ。生きている人間みんなが可哀想だ。精一ぱいに堪えて、生きているのに、たのしく笑える一夜さえ無いじゃないか。」

ポロ。「いまさら、また、何をおっしゃる。可哀想だなんて縁起でも無い。あなたは、ひとの折角の計画に水を差して、興覚めさせるような事ばかりおっしゃる。わしは、ただ、あなたのお為を思って、此の度のこんな子供だましのような事をも計画してみたのですよ。わしは、あなた達の正義潔癖の心に共鳴を感じ、真理探求の仲間に参加させてもらったのです。他には、なんの野心もないのです。此の度の、あの怪しからぬ噂が、いったいどこ迄、事実なのか、此の朗読劇を御覧にいれて、ためしてみようという、――」

ハム。「わかった、わかった。ポローニヤス、あなたは、いかにも正義の士だよ。見上げたものです。けれども、自分ひとりの正義感が、他人の平穏な家庭生活を滅茶滅茶にぶちこわす事もあります。どちらが、どう悪いというのでは無い。はじめから、人間は、そんな具合に間がわるく出来ているのだ。叔父さんが、何か悪い事をしているという証拠を得たとて、どうなろう。僕たちみんなが、以前より一そう可哀想になるだけじゃないか。」

ポロ。「いや、ハムレットさま、失礼ながら、まだお若い。もし此のこころみに依って、王さまに何のうしろ暗いところも無かったという事が、わかったら、わしたちは申す迄も無くデンマークの国民ひとしく、ほっと安堵の吐息をもらし、幸福な笑顔が城中に満ちるでしょう。正義は必ずしも、人の非を挙げて責めるものではなく、ある時には、無実の罪を証明してその人を救ってやるものです。ポローニヤスは、その万一の幸福な結果をも期待しているのです。万一！　万一、そんな結果になったら、ああ、それは奇蹟に近い、いや、しかし、まあ、とにかく、やってみましょう。その後の事は、ポローニヤスに任せて下さい。決して悪いようには致しません。」

ハム。「ポローニヤス、一生懸命だね。可哀想に。僕には、みんなわかっているよ。ああ、いやだ。叔父さんが、たといどんな事をしていたって、かまわないじゃないか。叔父さんは、叔父さんの流儀で精一ぱいに生き伸びているだけなんだ。僕の気持は、どうやら、くるりと変ったようだ。けさまで、あんなに叔父さんを悪く言い、あの、いまわしい噂の根元を突きとめなければなんて騒ぎ立てていたのだが、ポローニヤス、あれは、あなたに見事ぐさりと突かれたように、醜聞の風向きを変えるためだったのかも知れぬ。やっぱりてれ隠しの道具に使っているだけの事だったのかも知れぬ。先刻、あなたから、たしかな証拠が、残念ながらありますと言われて、急に叔父さんを可哀想になってしまった。可哀想だ。叔父さんは精一ぱいなのだ。叔父さんは、そんな、馬鹿な、悪い事の出来る人じゃない。

叔父さんは、僕以上に弱い人なんだ。一生懸命に努めているのだ。ああ、僕は馬鹿だ。叔父さんを冗談にも一時、疑っていたなんて、僕はおっちょこちょいの、恥知らずだ。ポローニヤス、もう正義ごっこは、やめにしようよ。この軽薄な遊戯が、どんな恐ろしい結果になるか、ああ、その恐ろしい結果を考えると、生きて居られない気持がする。」

ポロ。「どうも、あなたは大袈裟でいけません。けさほどは、くるしいという言葉の連続、ただいまは、可哀想の連発。どこで教えられて来たのか、ひとつ覚えみたいに、連発していらっしゃる。世の中は、情緒だけのものじゃありません。正義と、意志です。立派に生き果すためには、憐憫や反省は大の禁物。あなたは、オフィリヤの事だけを考えて居れば、それでいいのです。ハムレットさまに較べると、ホレーショーどのなんかは、淡泊で無邪気で、本当に青年らしい単純な夢の中で生きています。少しは見習いなさいよ。ホレーショーどのは、もう、此の朗読劇の底の魂胆を忘れてしまったかのように、ただただ、芝居をするという事の嬉しさに浮かれ、あんなに熱心に稽古をしていたじゃありませんか。あれでいいのです。あなたは、台詞の稽古は充分ですか。間もなくお客さまたちが、ここへお見えになりますよ。ホレーショーどのが、いま皆さまをお誘い申しにあがったのです。あのひとは、たいへんな張りきりかたですね。内心は、花嫁の役のほうをやりたかったらしいんですけど、あの役は、わしでなければ、うまく出来ない。おや、もうお客さまたちが、やって来たようです。」

王。王妃。侍者数名。ホレーショー。ポローニヤス。ハムレット。

王。「やあ、今夜はお招きを有難う。ホレーショーが、ウイッタンバーグ仕込みの名調子を聞かせてくれるというので、皆を連れて拝聴にまいりました。ほんの近親の者たちばかりで、こういう催しをするのは、実にたのしいものですね。一家団欒というものが、やっぱり人生の最高の幸福なのかも知れない。わしには、このごろ、たのしい事がなくなりました。人生は、どうも重苦しい事ばかりです。本当に、今夜は有難う。ハムレットも、きょうは元気のようですね。親友のホレーショーと遊んでいると機嫌もなおるものと見える。これからは時々こんな催し事をするがよい。ハムレットの気も晴れるでしょう。」

ポロ。「はい、実は、わしもその積りで、としを忘れて青年の劇団に加入させてもらいました。まず、此のたびの御即位と御婚儀のお祝いのため、つぎには、ハムレットさまのお気晴し、最後に、ホレーショーどのの外国仕込みの発声法御披露のため、この発声法は又、格別に見事なもので。」

ホレ。「ひやかしちゃ困ります。発声法などと言われては、かえって声が出なくなります。さあ、王妃さま、どうぞ。観客席はそちらでございます。どうぞ、お坐り下さいまし。」

王妃。「足もとから鳥が飛び立つように、朗読劇なんか、どうしてはじめる事にしたのでしょう。ハムレットの気まぐれか、ポローニヤスの悪智慧か、ホレーショーは、いい加減におだてられて使われているようですし、何にしても合点のゆかぬ事ですね。」

王。「ガーツルード。芝居の通人は、そんなわかり切った事は言わぬものです。さあ、皆もお坐り。うむ、なかなか舞台もよく出来た。ポローニヤスの装置ですか。意外にも器用ですね。人は、それでも、どこかに取柄があるものだ。」

ポロ。「たしかに。いまに、もっと器用なところを御覧にいれます。さて、それでは、ハムレットさま、舞台へあがりましょう。ホレーショーどのも、どうぞ。」

ハム。「アルプスの山よりも、高いような気がする。断頭台に、のぼるか。よいしょ。」

ホレ。「初演の時は、どなたでも舞台が高くて目まいがします。僕は、三度目だから大丈夫。あ！ 足が滑った。」

ポロ。「ホレーショーどの、気を附けて下さい。空箱を寄せ集めて作ったのですから、でこぼこがあるのです。では、皆さまわたしたち三人、これこそは正義の劇団。こよいは、イギリスの或る女流作家の傑作、『迎え火』という劇詩を演出して御覧にいれまする。不馴れの親爺もまじっている劇団ゆえ、むさくるしいところもございましょうが御海容のほど願い上げます。ホレーショーどのは、外国仕込みの人気俳優、まず、御挨拶は、そちらから。」

ホレ。「え？ 僕は、その、何も、いや、困ります。僕は、ただ、花聟の役を演じてみたいと思っているだけなのです。」

ポロ。「かく申す拙者は、花嫁の役を演じ上げます。」

王妃。「気味が悪い。ポローニヤスどのは、お酒に酔っているらしい。」

王。「酒どころか。もっと、ひどい。あの眼つきを見なさい。」

ハム。「僕は、亡霊の役だそうです。ポローニヤス、早くはじめたら、どうですか。観客が、酔っぱらい劇団だと言っていますよ。」

ポロ。「なに、酔ってないのは、わしだけさ。ばかばかしいが、はじめましょう。では、皆さま。」

花嫁。（ポローニヤス。）

恋人よ。やさしいおかた。しっかり抱いて下さいませ。
あの人が、あたしを連れて行こうとします。
ああ、寒い。
松かぜの音のおそろしさ。この冷い北風は、あたしのか
　らだを凍らせます。
遠い向うの、
森のかげから、ちらちら出て来た小さいともし火。
あれは、あたしの迎え火です。

花聟。（ホレーショー。）
おお、抱いてやるとも、私の小鳩（こばと）。
向うの森のあたりには、星がまばたいているだけだ。
あやしい者は、どこにもいない。
朔風（きたかぜ）の勁（つよ）い夜には、星の光も、するどいものです。
亡霊。（ハムレット。）
もし、
もし。
花嫁さん。
一緒においで。よもや、わしを、見忘れた筈はあるまい。
わしの声は、こがらし。わしの新居は泥の底。
わしと一緒に来ておくれ。
氷の寝床に来ておくれ。
呼んでいるのは、私だよ。忘れた筈は、よもや、あるまい。
おいで、と昔ひとこと言えば、はじらいながら寄り添っ
　た咲きかけの薔薇（ばら）。
いまは、重く咲き誇るアネモネ。
綺麗な嘘つき。
おいで。

花嫁。（ポローニヤス。）
あなた。もっと強く抱いて！
あの人は、昔の影で、あたしを苦しめに来ています。
あの人は、冷い指で、あたしの手頸（てくび）を摑（つか）んでいます。
ああ、あなた。しっかり抱いて下さいませ。あたしのか
　らだが、あなたの腕から、するりと抜けて、あの森の
　墓地までふわふわ飛んで行きそうです。
あの松籟（まつかぜ）は、人の声。
ふとした迷いから、結んだ昔の約束を、絶えず囁（ささや）く。ひ

そひそ語る。

あなたもっと強く抱いて！

ああ、おろかしい過去のあやまち。

あたしは、だめだわ。


花聟。（ホレーショー。）


私が、ついている。

なくなった人のことを今更おそれるのは、不要の良心。

私が、ついている。

あやしい者は、どこにもいない。

風の音がこわかったら、しばらく耳をふさいでいなさい。


亡霊。（ハムレット。）


おいで。

耳をふさいでも、目をつぶっても、わしの声は聞える筈、わしの姿も見える筈。

行こう。

さあ、行こう。

むかしの約束のとおりに、わしはお前を大事に守ってあげるつもりだ。

お前の寝床の用意もしてある。醒めることの無い、おいしい眠りを与えてくれる佳い寝床だ。

さあ、おいで。

わしの新居は泥の底。ともかくも、ひたむきに一心不乱に歩いて、行きついた道の終りだ。

さあ、行こう。わし達の昔の誓いを果すのだ。


花嫁。（ポローニヤス。）


あなた。

もう、抱いてくださるには及びませぬ。だめなの。

こがらしの声のあの人は、無理矢理あたしを連れて行きます。

左様なら。

あたしがいなくなっても気を落さず、お酒もたんと召し上れ。ひなたぼっこも、なさいませ。

ああ、もう少し。もう一言。

わかれの言葉も髪もキスも、なにも、あなたに残さずに、あたしは連れてゆかれます。

もう、だめなの。

あたしを忘れないで下さいませ。

亡霊。（ハムレット。）

むだな事だ。

そんな、いじらしい言葉は、むだです。

お前は、その花聟の心を知らぬ。

お前の愛するその騎士は、お前が去って三日目に、きっとお前を忘れます。

うつくしい、それゆえ脆(もろ)い罪のおんなよ。

お前は、やがてあの世で、わしがきょう泣くるしんだ同じ苦しみを嘗(な)めるのだ。

嫉妬。

それがお前の、愛されたいと念じた揚句の収穫だ。

実に、見事な収穫だ。

いまに、その花嫁の椅子には、お前よりもっと若く、もっと恥じらいの深い小さい女が、お前とそっくりの姿勢で腰かけて、花聟にさまざまの新しい誓いを立てさせ、やがて子供を産むだろう。

この世では、軽薄な者ほど、いつまでも皆に愛されて、仕合せだ。

さあ、行こう。

わしとお前だけは、

雨風にたたかれながら、

飛び廻り、泣き叫び、駈けめぐる！

王妃。「よして下さい！　ハムレット、いい加減に、およしなさい。これは一体、誰の猿智慧(さるぢえ)なんです？　ばかばかしくて、見て居られません。どうせ、いやがらせをなさる積りなら、も少し気のきいた事でやって下さい。あなたがたは卑怯です。陋劣(ろうれつ)です。私は、おさきに失礼します。なんだか、吐きそうになりました。」

王。「ちっとも怒る事は、ありません。面白いじゃないか。まだ、此のつづきもあるようです。ポローニヤスの花嫁は、お手柄でした。もっと強く抱いて、と息をつめて哀願するところもよかったし、あたしは、だめだわと言って、がっくりと項垂(うなだ)れるところなど、実に乙女の感じが出ていました。うまいものですね。」

ポロ。「お褒めにあずかって、おそれいります。」

王。「ポローニヤス、あとで、わしの居間にちょっとおいでを願います。ハムレットは、台本にない台詞(せりふ)まで言っていましたね。でも、なんだか熱が無かった。表情が投げやりでした。」

王妃。「私は、失礼いたします。こんな下手(へた)くその芝居は、ごめんです。ポローニヤスの花嫁には、海坊主(うみぼうず)の花聟でなければ釣合がとれません。では、おさきに。」

王。「まあ、お待ちなさい。ハムレット、もう此の芝居は、すんだのですか？」

ハム。「ああ、すみました。もっと、つづきもあるんですけど、どうだっていいんです。もうよしましょう。芝居を演ずるのが、真の目的ではなかったのですから。さあ、みなさん、お帰り下さい。どうも今夜は、お退屈さまでした。」

王。「そんなところだろうと思っていました。さあ、ガーツルード、それでは、わしも一緒に失礼しましょう。いや、なかなか面白かった。ホレーショー。ウイッタンバーグ仕込みの名調子は、どもりどもり言うところに特色があるようですね。」

ホレ。「いやしい声を、お耳にいれました。どうも、此の朗読劇に於いては、僕は少し役不足でありました。」

王。「ポローニヤスは、あとでちょっと、わしの居間に。では、失礼。」

ポローニヤス。ハムレット。ホレーショー。

ポロ。「一筋縄では、行かぬわい。」

ホレ。「なにほどの事も、無かったようですねえ。」

ハム。「当り前さ。王妃は怒り、王は笑った。それだけの事がわかったとて、それが、何の鍵になるのだ。ポローニヤス、あなたは、馬鹿だよ。オフィリヤ可愛さに、少し、やきがまわったようですね。わしとお前だけは、雨風にたたかれながら、飛び廻り、泣き叫び、駈けめぐる！」

ポロ。「なに、事件は、これから急転直下です。まあ、見ていて下さい。」

八　王の居間

王。ポローニヤス。

王。「裏切りましたね。ポローニヤス。子供たちを、そそのかして、あんな愚にも附かぬ朗読劇なんかをはじめて、いったい、どうしたのです。気が、へんになったんじゃないですか？　自重して下さい。わしには、たいていわかっています。君は、あんなふざけた事をしてわしたちを、おどかし、自分の娘の失態を、容赦させようとたくらんでいるのでしょう？　ポローニヤス、やっぱり、あなたも親馬鹿ですね。なぜ直接に、わしに相談しないのですか。うらみがあるなら、からりとそのまま打ち明けてみたらいいのだ。君は不正直です。陰険です。それも、つまらぬ小細工ばかり弄して、男らしい乾坤一擲の大陰謀などは、まるで出来ない。ポローニヤス、少しは恥ずかしく思いなさい。

あんな、喙の青い、ハムレットだのホレーショーだのと一緒になって、歯の浮くような、きざな文句を読みあげて、いったい君は、どうしたのです。なにが朗読劇だ。遠い向うの、遠い向うの、とおちょぼ口して二度くりかえして読みあげた時には、わしは、全身、鳥肌になりました。ひどかったねえ。見ているほうが恥ずかしく、わしは涙が出ました。君は、もとから神経が繊細で、それはまた君の美点でもあり、四方八方に、こまかく気をくばってくれて、遠い将来の事まで何かと心配し、わしに進言してくれるので、わしは大変たすかり、君でなくてはならぬと、心から感謝し、たのもしくも思っていたのですが、それが同時に君の欠点でもあって、豪放磊落の気風に乏しく、物事にこせこせして、愚痴っぽく、思っていることをそのまま言わず、へんに紳士ふうに言い繕う癖があります。詩人肌とでもいうのでしょうかね。どうも陰気でいけません。胸の中に、いつも、うらみを抱いているように見えるものですから、城中の者どもにも、けむったがられ、あまり好かれないようじゃありませんか。たいして悪い事も出来ない癖に、どこやら陰険に見えるのです。性格が、めめしいのです。濁っているのです。」

ポロ。「この王にして、この臣ありとでも言うところなのでしょう。ポローニヤスのめめしいところは、王さまからの有難い影響でございましょう。」

王。「血迷って、何を言うのです。無礼です。何を言うのです。その、ふくれた顔つきは、まるで別人のように見えます。ポローニヤス、君は、本当に、どうかしているのではないですか。さきほどは、あんな薄気味のわるい黄色い声を出して花嫁とやらの、いやらしい役を演じ、もともと神経が羸弱で、しょげたり喜んだり気分のむらの激しい人だから、何かちょっとした事件に興奮して地位も年齢も忘れて、おどり出したというわけか、でも、それにも程度がある、ポローニヤスとわしとは、三十年間、謂わばまあ同じ屋根の下で暮して来たようなものですが、今夜のように程度を越えた醜態は、はじめてだ。これには、或いは深いわけがあるのかも知れぬ、ゆっくり問いただしてみましょう、と思ってわしは君をここへお呼びしたのですが、なんという事です。一言のお詫びどころか、顔つきを変えて、このわしに食ってかかる。ポローニヤス！　さ、落ちついて、はっきり答えて下さい。君は、いったい、なんだってあんな子守っ子だって笑ってしまうような甘ったるい芝居を、年甲斐もなくはじめる気になったのですか。とにかくあの芝居は、いや、朗読劇か、とにかくあの、くだらない朗読劇は、君の発案ではじめたものに違いない。わしには、ちゃんとわかっています。ハムレットだって、ホレーショーだって、もっと気のきいた台本を択びます。あんな大仰な、身震いせざるを得ないくらいの古くさい台本は、君でなくては、択べません。何もかも、君の仕業です。さ、ポローニヤス。答えて下さい。なんだってあんな、無礼な、馬鹿な真似をするのです。」

　ポロ。「王さまは御聡明でいらっしゃるのですから、べつにポローニヤスがお答え申さずとも、すべて御洞察のことと存じます。」

　王。「こんどは又、ばか丁寧に、いや味を言う。すねたのですか？　ポローニヤス、そんな気取った表情は、およしなさい。ハムレットそっくりですよ。君も、ハムレットのお弟子になったのですか？　さっき王妃から聞いた事ですが、このごろあちこちにハムレットのお弟子があらわれているそうですね。ホレーショーは、あれは前からハムレットには夢中で、口の曲げかたまでハムレットの真似をしているのですが、このごろはまた、わかい女のお弟子も出来たそうです。それからまた、ただいまは、おじいさんのお弟子も出来たようです。ハムレットも、こんなにどしどし立派な後継者が出来て、心丈夫の事でしょう。ポローニヤス、いいとしをして、そんなにすねるものではありません。不満があるなら、からりと打ち明けてみたら、どうですか。オフィリヤの事なら、わしはもう覚悟をきめています。」

　ポロ。「おそれながら、問題は、オフィリヤではございません。あれの運命は、もうきまって居ります。田舎のお城に忍んで行って、ひそかにおなかを小さくするだけの事です。そうしてわしは、職を辞し、レヤチーズの遊学は中止。わしたち一家は没落です。それはもう、きまっている事です。ポローニヤスは、あきらめて居ります。ハムレットさまは、やはりイギリスから姫をお迎えなさらなければなりませぬ。一国の安危にかかわる事です。オフィリヤも不憫ではありますが、国の運命には、かえられませぬ。ポローニヤス一家は、いかなる不幸にも堪え忍んで生きて行くつもりでございますから、その点は御安心下さい。さて、問題は、オフィリヤではございませぬ。問題は、正義です。」

　王。「正義？　不思議な事を言いますね。」

　ポロ。「正義。青年の正義です。ポローニヤスは、それに共鳴したという形になっているのでございます。王さま、いまこそポローニヤスは、つつまず全部を申し上げます。」

　王。「なんだか、朗読劇のつづきでも聞かされているような気がします。へんに芝居くさく、調子づいて来たじゃありませんか。」

　ポロ。「王さま、ポローニヤスは真面目です。王さまこそ、そんなに茶化さずに、真剣にお聞きとりを願います。まず第一に、わしから王さまにお伺い申し上げたい事がございます。王さまは、このごろの城中の、実に不愉快千万の噂に就いて、どうお考えになって居られますか。」

王。「なんですか、君の言う事は、よくわからないのですが、オフィリヤの噂だったら、わしは、けさはじめて君から聞いて知ったので、それまでには夢にも思い設けなかった事でした。」

ポロ。「おとぼけなさっては、いけません。オフィリヤの事など、いまは問題でございません。それはもう、解決したも同然であります。わしのいまお伺い申しているものは、もっと大きく、おそろしく、なかなか解決のむずかしい問題でございます。王さまは、本当に何もご存じないのですか。お心当りが無いのでしょうか。そんな筈はない。そんな筈は、――」

王。「知っている。みな知っています。先王の死因に就いて、けしからぬ臆測が囁き交されているという事は、わしも承知して居ります。怒るよりも、わしは、自分の不徳を恥ずかしく思いました。そんな途方もない滅茶な噂が、まことしやかに言い伝えられるのも、わしの人徳のいたらぬせいです。わしは、たまらなく淋しく思っています。けれども、噂は、ひろがるばかりで、このごろは外国の人の耳にもはいっている様子でありますから、このまま、わしが自らを責めて不徳を嘆いているだけでは、いよいよ噂も勢いを得て、とりかえしのつかぬ事態に立ちいたるかも知れぬと思い、この噂の取締りに就いて、君と相談してみたいと考えていたところでした。わしは、まあ、平気ですが、王妃は、やはり女ですから、ずいぶん此の噂には気を病んで、このごろは夜もよく眠っていない様子であります。このまま荏苒、時を過していたなら、王妃は死んでしまいます。わしたちの、つらい立場を知りもせぬ癖に、わかい者たちは何かと軽薄な当てこすりやら、厭味やらを言って、ひとの懸命の生きかたを遊戯の道具に使っています。なさけ無い事と思っていたら、こんどは君まで、どんな理由か、わかりませんが、わかい者の先に立って躍り狂っているのだから、本当に世の中がいやになります。ポローニヤス、まさか君まで、あの噂を信じているわけじゃないだろうね。」

ポロ。「信じて居ります。」

王。「なに？」

ポロ。「いいえ、信じて居りません。けれども、わしは信じている振りをしていようと思っています。ポローニヤスの、これが置土産の忠誠でございます。王さま、いや、クローヂヤスさま、三十余年間、臣ポローニヤスのみならず、家族の者まで、御寵愛と御庇護を得てまいりました。此の度オフィリヤの残念なる失態に依り、おいとましなければならなくなって、ポローニヤスの胸中には、さまざまの感慨が去来いたして居ります。つらい別離の御挨拶を申し上げる前に、一つ、忠誠の置土産、御高恩の万分の一をお報いしたくて、けさほどから、わかい人たちに対して、最善と思われる手段を講じて置きました。わかい人たちは、あの噂を、はじめは冗談みたいに扱って、たわむれに大袈裟に騒ぎまわっていたのですが、わしはその騒ぎを否定せず、かえって、あの噂には根拠がある、あの噂は本当だと教えてあげました。」

王。「ポローニヤス！　それが、なんの忠誠です。若い者をそそのかし、蜚語を撒きちらして、忠誠も御恩報じもないものだ。ポローニヤス、君の罪は、単に辞職くらいでは、すまされません。わしは、君を見そこなった。こんな、くだらぬ男だとは思わなかった。」

ポロ。「お怒りは、あと廻しにしていただきたく思います。もし、ポローニヤスの此の度の手段が間違って居りましたら、どんな御処刑でも甘んじてお受け致します。クローヂヤスさま、おそれながら此の度の奇怪の噂は、意外なほど広く諸方に伝えられ、もみ消そうとすればするほど、噂の火の手はさかんになり尋常一様の手段では、とても防ぐ事の出来ぬと見てとりましたので、死中に活を求める手段、すなわち、わしが頗る軽率に騒ぎ出して、若い人たちに興覚めさせ、王に同情の集まるように仕組んだものでございますが、果して、もうハムレットさまも、ホレーショーも、いまでは、わしが正義、正義と連呼して熱狂する有様に閉口し、王さまの弁護をさえ言い出している始末でございます。この風潮が、城中の奥から起って、やがて、ざわざわ四方に流れていって、噂の火焔を全部消しとめてくれるのも、遠い将来ではございますまい。すべてが、うまく行ったようです。噂というものは、こちらで、もみ消そうとするとかえって拡がり、こちらから逆に大いに扇いでやると興覚めして自然と消えてしまうものでございます。わしだって、いいとしをして、若い人たちにまじって、やれ正義だの、理想だのと歯の浮くような気障な事を言って、とうとう、あの花嫁の役まで演じなければならなくなり、ずいぶんつらい思いをしました。いま考えても、冷汗が湧きます。微衷をお汲み取り願い上げます。」

王。「よく言った。見事な申し開きでありました。けれども、ポローニヤス、わしは子供ではありません。そんな、馬鹿げた弁解を、どうして信じる事が出来ましょう。信じたくても、馬鹿らしくて、つい失笑してしまいます。噂の火の手を消すために、逆に大いに扇いだ、なんて、そんな、馬鹿な、子供だましの言い繕いは、ハムレットあたりに聞かせてあげると、或いは感服させる事が出来るかも知れんが、わしには、ただ滑稽に聞えますよ。たいへんな忠臣も、あったものだ。ポローニヤス、もう何も言うな！　ばからしくて聞いて居られぬ。わしから言ってあげます。君は、ガーツルードに、昔から或る特殊な感情を抱いて居った筈でした。この度、先王が急になくなって、ガーツルードが悲嘆の涙にくれていた時、君の慰めの言葉には、異様な真情がこもっていたので、わしには、はっきりわかったのです。不埒なやつだ。あわれな男だ、とその時から、わしは君を、ひそかに警戒していたのです。ポローニヤス、君は、ご自分では気が附かず、ただもう、いらいらして、オフィリヤの失態に極度に恐縮してみたり、かと思うと唐突に、正義だの潔癖だのと言い出して子供たちのお先棒をかついで、わしたちに当り散らしたり、または、遽かに忠臣を気取ってみたり、このたびのオフィリヤの事件を転機として、しどろもどろに乱れていますが、それは君のきょうまで堪えに堪えて来た或る種の感情が、いま頗る滑稽な形で爆発したというだけの事です。君はご自分では気がつくまい。ただもう、いらいらして、老いのかんしゃく玉を誰かれの区別なくぶっつけてやりたいような気持なのでしょうが、ポローニヤス、その気持は、昔から或る名前で呼ばれて、ちゃんと規定されてあります。さっきの朗読劇でハムレットの読み上げた言葉の中にもありましたね。気がつきましたか。嫉妬、と呼ばれているようですね。」

　ポロ。「ぷ！　自惚れもたいがいになさいまし。恋ゆえ人は、盲目にもなるようです。王さまこそ、どうかなさって居られます。ご自分が恋していらっしゃると、人も皆、恋しているもののように見えるらしい。とにかく、その、嫉妬とやらいうお言葉だけは、お返し申し上げます。ポローニヤスは、男やもめの生活こそ永く致してまいりましたが、不面目の色沙汰ばかりは致しませぬ。王さまこそ、へんな嫉妬をなさって居られる。本当に、王さまの只今の御心情こそ、嫉妬とお呼びして然るべきものと存じます。永い間の秘めたる思いが先方にとどいて、王さまも、お喜びなさって居られるのが当然のところ、こんな、わしみたいな野暮ったい老人にまで嫉妬なさるとは、さては、お内の首尾があまり上乗でないと、ポローニヤス拝察つかまつりますが、いかがなものでありましょう。」

　王。「だまれ！　ポローニヤス、気が狂ったか。誰に向って言っているのだ。娘の失態から、もはや、破れかぶれになっているものと見える。いまの無礼の雑言だけでも充分に、免職、入牢の罪に価いします。けがらわしい下賤の臆測は、わしの最も憎むところのものだ。ポローニヤス、建設は永く、崩壊は一瞬だね。君の三十年間の忠勤も、今宵の無礼で、あとかたも無く消失した。はかないものだね。人の運命なんて、一寸さきも予測出来ないものだね。どんな事になるものか、まるっきり、わからない。宿命を、意志でもって左右できると、わしは之まで信じていたが、やっぱり、どこかに神のお思召しというものもあるらしい。ポローニヤス。わしは、ついさきまで君を、ゆるして上げるつもりで居りました。オフィリヤの事も、わしは最悪の場合を覚悟していたのです。ハムレットが、真実、オフィリヤにまいっていて、わしたちの忠告に耳を傾けてくれそうも無い時には、仕方がありません、イギリスの姫の事は断念して、オフィリヤとの結婚を、ゆるしてあげるつもりでした。王妃は、もはや、オフィリヤの味方になっています。王妃は、きょうの夕刻このわしに、泣いて跪いてたのみました。きょう迄わしを冷笑して来たガーツルードが、初めて誇りを捨ててたのみました。わしとしても、覚悟せざるを得なかった。イギリスから姫を迎える事は、重大な政策の一つではあったが、わが家を不和にして迄、それを敢行する勇気は、わしには無いのだ。わしは、弱い！　良い政治家ではないようだ。デンマーク国の運命よりも、一家の平和を愛している。よい夫、よい父にさえなれたら、それで満足なのです。わしには、国王の資格が無いのかも知れぬ。わしは君たちを、ゆるしてやろうと思っていました。みんな、弱い者同志だ。助け合って、これからも仲良くやって行こうと覚悟をきめた矢先に、ポローニヤス、君はなんという馬鹿な男だろう。ひとりで、ひがんで、君たち一家が、もう没落するものとばかり思い込み、自暴自棄になってしまって、王妃には、かなわぬ恋の意趣返し、つまらぬ朗読劇などで、あてこすりを言い、また、此のわしには、はじめは忠臣の苦肉の策だ等と言いくるめようとして、見破られると今度は居直って、無礼千万の恐喝めいた悪口雑言をわめき立てる。ポローニヤス、わしは、もう君たちを許すのが、いやになった。君は、おろかだ。見え透いている。わしは、人間の悪を許す事は出来ますが、人間のおろかさは、許す事が出来ない。愚鈍は、最大の罪悪だ。ポローニヤス、此の度は、職を辞するくらいでは、済みませんよ。わかっているでしょうね。」

ポロ。「嘘だ！　嘘だ。王さまの、おっしゃる事は、みな嘘だ。ハムレットさまとオフィリヤとの結婚を、ゆるす気でいらっしゃったなんて、嘘も嘘、大嘘だ。お弱い？　よい政治家ではない？　デンマーク国よりも、一家の平和のほうを愛していらっしゃる？　何もかも嘘だ。王さまほどのお強い、卓抜の手腕をお持ちの政治家は、欧州にも数が少うございます。ポローニヤスは、かねてより、ひそかに舌を巻いて居ります。王さま、おかくしになってはいけません。此の部屋には、王さまと、ポローニヤスと二人きり、他には誰も居りません。時刻も、もはや丑満時です。城内の者は、もとより、軒端に宿る小鳥たち、天井裏に巣くう鼠、のこらずぐっすり眠って居ります。聞いている者は、誰も無い。さあ、おっしゃって下さい。ポローニヤスは何もかも、よく存じ上げて居るのです。王さまは、此の二箇月間、ポローニヤスの失脚の機会を、ひそかにねらって居られた筈です。」

王。「つまらぬ譫言ばかり言っている。丑満時が、どうしたというのです。恥ずかしげもなく、芝居がかった形容詞を並べたて、いったい、何をそんなに、いきまいているのですか？　みっともない。ポローニヤス、もう、おさがりなさい。追って、申し渡す事があります。」

ポロ。「いますぐ、お沙汰を承りましょう。ポローニヤスは、覚悟をしています。とても、のがれられぬと、あきらめて居ります。此の二箇月間、わしは王さまに、つけねらわれて居りました。何か失態は無いものかと鵜の目、鷹の目で、さぐられていたのです。わしはそれを知っていたので、何事も、王さまの御意向にさからわぬよう充分に気をつけて、きのう迄は、どうやら大過なく勤めて来たつもりで居りました。わが子のレヤチーズを、フランスへ遊学にやったのも、一つには、王さまの恐ろしい穿鑿の眼から、のがれさせてやる為でもありました。わしに失態が無くとも、レヤチーズが若い粗暴の振舞いから何かしくじりを、しでかさぬものでもない。レヤチーズに多少の落度でもあったなら、待っていたとばかりに王さまは、わしの一家を罰して葬り去るのは、火を見るより明かな事ゆえ、わしは万全を期してレヤチーズをフランスへ逃がしてやり、やれ安心と思うまもなく、意外、残念、わしの一ばん信頼していたオフィリヤが、とんでも無い間違いをやらかしているのを、きのう知って、足もとの土が、ざあっと崩れて、もう駄目だと観念いたしました。いまは、せめてオフィリヤの幸福だけでもと、藁一すじに縋る気持で、けさほどハムレットさまに御相談申し上げたところ、失礼ながらハムレットさまは未だお若く、黒雲がもくもく湧き立ったとか、乱雲が覆いかぶさったとか、とりとめのない事を口走るばかりで一向に、たよりにも何もなりませぬ。よくおたずねしてみたら、ハムレットさまは只今、オフィリヤの事よりも、先王の死因に就いてのあの恐ろしい噂の事ばかり気にして居られて、必ず噂の根元を突きとめてみたい、と意気込んでおっしゃるような始末なので、こんな無分別なお若い人たちのなさる事を黙って傍観していると、藪から蛇みたいな、たいへんな結果が惹起するかも知れぬ、ここはポローニヤス、一世一代の策略、または忠誠の置土産、躊躇せずに若い人たちの疑惑を支持し、まっさき駈けて、正義を叫び、あのような甘ったるい朗読劇を提唱し、若い人たちのほうで呆れて、興覚めするように仕組んだのだという事は、まえにも申し上げましたが、王さまは、てんで信じて下さいませんでした。わしの心の奥隅には、やはりオフィリヤがいじらしく、なんとかして、あの子だけでも仕合せになれるように祈っているところもあったのでございましょう。いやな疑惑を一刻も早く、ハムレットさまのお心から追い払ってあげて、そうしてあとはオフィリヤの事ばかりを考えて下さるよう、全力を挙げてオフィリヤの為にたたかって下さるよう、そのような、オフィリヤの為にもよかれ、と思って仕組んだところも無いわけではなかった。けれども、決してそればかりでは、ございません。王さま、お信じ下さい！　人間には、よい事をしたいという本能があります。ひとに感謝をされたいと思って生きているものです。ポローニヤスは、きょう一日、王さまのため、王妃さまのため、ハムレットさまのため、忠誠の立派な置土産をしたつもりで居ります。お褒めにあずかって当然のところ、おろかな言い繕いだの、破れかぶれだのおっしゃって嘲笑なされ、はては、嫉妬なぞと思いも掛けぬ濡衣を着せようとなさるので、ポローニヤスもつい我慢ならず、失礼な雑言を口走りました。ポローニヤスは、もはや観念して居ります。王さまは此の二箇月間、ポローニヤスがこのような窮地に落ちいるのを、待ちに待って居られたのです。さぞ、本懐でございましょう。ポローニヤスは、なるほど馬鹿でございます。デンマーク一ばんのおろか者でございます。どうせこんな結果になるのが、はじめからわかっていたのに、忠誠の置土産などと要らざる義理立てをしたばかりに、かえって不利な立場に押し込まれました。御処罰も、数段と重くなった事でございましょう。自ら墓穴を掘りました。」

王。「ああ、わしは眠っていました。たくみな台詞まわしに、つい、うっとりしたのです。ポローニヤス、少し未練がましくないかね。いまさら愚痴を並べてみても、はじまらぬ。おさがりなさい。わしの心は、きまっています。」

ポロ。「わるいお方だ。王さま、あなたは、わるいお方です。わしは、あなたを憎みます。申しましょうか。あの事を、わしは知らないと思っているのですか。わしは、見たのです。此の眼で、ちゃんと見たのです。二箇月前、あれを、一目見たばかりに、それ以来わしは不幸つづきなのだ。王さまは、わしに見られた事に気附いて、それからわしを失脚させようと鵜の目、鷹の目になられたのです。わしは、王さまから嫌われてしまった。そのうち必ず、わしは窮地におとされて、此の王城から追い払われるだろうとわしは覚悟をしていました。ああ、見なければよかった。何も、知らなければよかった。正義！　先刻までは見せかけだけの正義の士であったが、もういまは、腹の底から、わしは正義のために叫びたくなりました。」

王。「さがれ！　聞き捨てならぬ事を言う。自分の過失を許してもらいたいばかりに、何やら脅迫がましい事まで口走る。不潔な老いぼれだ。さがれ！」

ポロ。「いや、さがらぬ。わしは見たのだ。ふたつき前の、あの日、忘れもせぬ、朝は凍えるように寒かったが、ひる少しまえから陽がさして、ぽかぽか暖くなって先王は、お庭に、お出ましなさったが、その時だ、その時。」

王。「乱心したな！　処罰は、ただいま与えてやる。」

ポロ。「処罰、いただきましょう。わしは見たのだ。見たから、処罰をもらうのだ。あ！　畜生！　短剣の処罰とは！」

王。「ゆるせ。殺すつもりは無かったが、つい、鞘が走って、突き刺した。さきほどからの不埒の雑言、これも自分の娘可愛さのあまりに逆上したのだ、不憫の老人と思い怺えて聞いていたのだが、いよいよ図に乗り、ついには全く気が狂ったか、奇怪な恐ろしい事までわめき散らすので、前後のわきまえも無く短剣引き抜き、突き刺した。ゆるせ、君の言葉も過ぎたのだ。オフィリヤの事なら心配するな。ポローニヤス、わしの言う事が、わかるか。わしの顔が、わかるか。」

ポロ。「正義のためだ。そうだ、正義のためだ。オフィリヤ、鎧を出してくれ。お父さんは、いけないお父さんだったねえ。」

王。「涙。わしのような者の眼からでも、こんなに涙が湧いて出る。この涙で、わしの罪障が洗われてしまうといいのだが、ポローニヤス、君は一体なにを見たのだ。君の疑うのも、無理がないのだ。あっ！　誰だ！　そこに立っているのは誰だ！　逃げるな。待て！　おお、ガーツルード。」

九　城の大広間

ハムレット。オフィリヤ。

ハム。「そうか。ポローニヤスが、昨夜から姿を見せぬか。それは少し、へんだね。でも、まあ、たいした事は無かろう。大人には、おとなの世界があるんだ。見え透いた権謀術数を、見破られていると知りながらも、仔細らしい顔つきをして、あっちでひそひそ、こっちでこそこそ、深く首肯き合ったり、目くばせしたり、なあに、たいした事でも無い癖に、つまりその策略の身振りが楽しくて、こたえられないばかりに、矢鱈に集まっては打ち合せとかいう愚劣な芝居をしたがるものさ。叔父さんも、ポローニヤスも、こせこせした権謀術数を、なかなかお好きなようだから、二人でゆうべ打ち合せて、また何か小細工をはじめているのかも知れぬ。ゆうべの朗読劇にしたって、あれにもポローニヤスの深慮遠謀があったのさ。そうでも無ければ、あの人は気が狂ったのだ。何か、抜け目の無い、小ざかしい魂胆があったのさ。僕には、たいてい見当が附いている。あの人たちは、どうして、なかなかの曲者だよ。もっとも、曲者というものは、たいてい浅墓で興覚めな、けち臭い打算ばっかりやっている哀れな、賤しい存在だが、それを見破ったからとて、こちらでただ軽蔑して、のほほん顔でいたならば、ひどい目に遭う。うっかりしていると、してやられる。黙殺したい。いや、蔑棄したい程、いやな存在だが、油断がならん。僕は、はじめ、ポローニヤスの朗読劇を、娘可愛さのあまり逆上して、王や王妃に、いや味を言うための計略、とばかり思っていたが、ゆうべまた、よく考えてみたら、どうもそればかりでも無いらしい。あの人たちのする事は、一から十まで心理の駈引き、巧妙卑劣の詐欺なのだから、いやになる。僕は、ゆうべ、やっと判って、判ったら、ぎょっとした。あの人たちは、おそろしい。一つも信用出来ない。此の世の中には、やっぱり悪い人というものがいたのだ。僕は、このとしになって、やっと、世の中に悪人というものが本当にいるのを発見した。手柄にもなるまい。あたりまえの発見だ。僕は、よっぽど頭が悪い。おめでたい。いまごろ、やっと、そんな当然の事を発見して、おどろいている始末なのだから、たいしたものだよ。底の知れない、めでたい野郎だ。ゆうべの朗読劇は、あれは、もともと叔父さんとポローニヤスと、ひそかに、しめし合せてはじめた事だ。それは、たしかだ。間違っていたら、この眼をくり抜いて差し上げてもよい。もう僕は、だまされない。叔父さんは、僕たちの疑惑の眼を避けたいばかりに、ポローニヤスと相談して、僕たちを瞞着する目的で、あんな不愉快千万の仕組みを案出したのだ。馬鹿にしていやがる。僕たちは、完全に、あの人たちの笛に踊らされたというわけだ。つまり、叔父さんは、自分のうしろ暗さを、ごまかそうとして先手を打ち、ポローニヤスに命じて、僕たちを使嗾させ、あんな愚劣な朗読劇なんかで王をためさせて、それでも王は平気だから僕たちはがっかりして、あの恐ろしい疑いもおのずから僕たちの胸から消え去り、やがては城中の人たちにも、僕たちと同じ気持が、それからそれと伝わって、すべての不吉な囁きは消滅するようになるだろうという、浅墓な魂胆があったのだ。僕の見当には、狂いが無い。叔父さんとポローニヤスは、はじめから同じ穴の狢だったのさ。どうして僕は、こんなわかり切った事に気がつかなかったのだろう。どうも、あの人たちのする事は、あくどくて、いけない。そんなにまでして僕たちを、だまさなければいけないのか。僕たちのほうでは、あの人たちを、たのみにもしているし、親しさも感じているし、尊敬さえもしているのだから、いつでも気をゆるして微笑みかけているのに、あの人たちは、決して僕たちに打ち解けてくれず、絶えず警戒して何かと策略ばかりしているのだから、悲しくなる。なんという事だ。二人でしめし合せて、一人は検事に、一人は被告になっていい加減の嘘の言い争いをして見せて、ほどよいところで証拠不充分、無罪放免さ。僕とホレーショーは、その贋の検事に、深刻な顔つきをしてお手伝いをして、いい気持でいたんだから、これは後世までの笑い草にもなるだろう。光栄極まる。けれども、あの人たちの策略は、たしかに一応は成功したのだ。ホレーショーは、もう、これで王さまも晴天白日、ハムレット王家万万歳、僕たちは、たとい一時期でもあの噂を信じ、王さまを疑っていたとは恥ずかしい、あんな失礼な朗読劇なんかをやって、後でお叱りがなければいいが等と言って、全く叔父さんを信用し、かえって自分たちの疑惑に恐縮していたし、城中の人たちも、そろそろ叔父さんを尊敬し直して来たようだ。人の心は、実にたわいが無いものだ。風に吹かれる葦みたいに、右にでも左にでも、たやすく靡く。僕だって、あの朗読劇の直後には、ポローニヤスが逆上し錯乱しているものとばかり思って、叔父さんが気の毒でたまらず王の居間へ行ってお詫びしようかとさえ思ったものだが、あとで落ち附いて考えてみると、冗談じゃない、僕たちは、まんまと一杯くわされたのだという事がわかって、ぞっとした。何か、在るのだ。あの不吉な噂は、嘘でない！　叔父さんとポローニヤスは、悪の一味だ。いまは二人で、腹を合せて悪の露見を必死になって防いでいる。けれども僕には、わかるんだ。僕の眼は、ごまかせない。もう、こうなれば、僕も覚悟をきめなければならぬ。あの人たちは、悪い人だ。ポローニヤスだって、はじめから、何もかも知っていたのだ。それを、正義だの、青年の仲間だのと言って、僕たちを言いくるめて、いい加減に踊らせたのだから天晴れな伎倆だ。あの人が正義の仲間だったら、天国は満員の鮨詰めで、地獄のほうは、がらあきだ。いや、失敬。つい興奮し過ぎて、ポローニヤスが君のお父さんだという事を忘れていました。でも僕は、ことさらに君の父ひとりを悪く言っているんじゃないからね、叔父さんだって同じ事さ、僕は世の中のおとな一般について怒っているのだ。そこは誤解のないように。おや、泣いているね。どうしたのです。お父さんの姿が見えないので、心細いというわけか。やっぱり心配なのかね。大丈夫ですよ。いまごろは、王さまの内密の御命令で、いそがしい仕事に没頭しているに違いない。どんな仕事だか、それは僕にもわからぬが、どうせ、ろくな事でない。」

オフ。「泣いてなんかいないわよ。眼にごみが、はいったので、ハンケチでこすっていたのよ。ほら、もう、ごみがとれました。泣いてなんかいないでしょう？　ハムレットさまは、いつでも、あたしの気持を、へんに大袈裟に察して下さるので、あたしは時々、噴き出したくなる事があるの。あたしが、ただうっとりと夕焼けを眺めて、綺麗だなあと思っているのに、ハムレットさまは、あたしの肩にそっとお手を置かれて、わかるよ、くるしいだろうねえ、けれども苦しいのは君だけじゃない、夕焼けの悲しさは、僕にだってよくわかる、けれども、怺えて生きて行こう、もうしばらく、僕ひとりの為にだけでも生きていておくれ、いっそ死にたいという思いを抱いて、それでも忍んで生きている人は、この世に何万人、何十万人もいるのだよ、なんて、まるであたしが、死ぬ事でも考えているかのように、ものものしい事をおっしゃるので、あたしは可笑しくて、くるしくなります。あたしには、いま、悲しい事なんか一つもありませんわ。いつも、あなたは、へんにお察しがよすぎて、ひとりで大騒ぎをなさるので、あたしは、まごついてしまいます。女なんて、そんなに、いつも深い事を考えているものではございません。ぼんやり生きているものです。父がゆうべから姿を見せぬので、少しは心配でございますが、でも、あたしは、父を信じて居ります。父は、ハムレットさまのおっしゃるような、そんな悪い人ではございません。あなたは、気まぐれですから、きょうは、うんと悪くおっしゃっても、また明日は、ひどくお褒めになる事もございますので、あたしは、ハムレットさまのお言葉は、あまり気にかけない事にしているのですが、でもただいまのように、滅茶滅茶に父をお疑いになって、こわい事をおっしゃると、あたしだって泣きたくなります。父は、気の弱い人です。とても興奮し易いのです。ゆうべの朗読劇とやらは、あたしはこんなからだですから御遠慮して、拝見しませんでしたけれど、もし父が正義のためだと言ってはじめたものなら、きっと、そのとおり、それは、父の正義心から出た催し事だと思います。父は小さい冗談のような嘘は、しょっちゅう言って、あたしたちをだましますが、決して大きな、おそろしい嘘は言いません。その点は、まじめな人です。潔癖です。責任感も強い人です。きのうは、きっと父が、ハムレットさまたちの情熱に感激して前後の弁えも無く、朗読劇なんかをはじめたのだろうと思います。父を、もう少し信頼してやって下さいませ。」

ハム。「おや、おや、きょうは、どういう風の吹きまわしか、紅唇、火を吐くの盛観を呈している。いつも此の調子でいてくれると、僕も張り合いがあって、うれしいのだが。」

オフ。「すぐそんなに茶化してしまうので、なんにも言いたくなくなります。あたしは、まじめに申し上げているのよ。ハムレットさま。あたしは、きょうから、なんでも思っている事を、そのまま言ってしまうことにしたの。ハムレットさまだって褒めてくださると思うわ。いつも、あたしが愚図愚図ためらったり、言いかけてよしたりすると、ハムレットさまは、御機嫌がお悪くなって、お前は僕を信頼しないからいけない、愛情の打算が強すぎるから、そんなに、どもってしまうのだとお教えになりました。あたしは、此の二箇月間、まるで自信をなくしていたので、つい、めそめそして、言いたい事も言えずに溜息ばかりついていたのです。以前は、そんなでも無かったのですが、苦しい秘密を持つようになってから、めっきり駄目になりました。でも、きのう王妃さまからさまざま優しいお言葉をいただいて、すっかり元気になりました。からだの具合も、きのうから、別のひとのように、すっきりしてまいりましたし、もういまでは、ハムレットさまのお子さまを産んで、丈夫に育てるという希望だけで胸が一ぱいでございます。あたしは、いまは幸福です。とても、なんだか、うれしいの。これからは、昔のお転婆(てんば)なオフィリヤにかえって、誇りを高くもって、考えている事をなんでもぽんぽん言おうと思うの。ハムレットさま、あなたは少し詭弁家(きべんか)よ。ごめんなさい。だって、あなたのおっしゃる事は、みんな、なんだかお芝居みたいなんですもの。甘ったるいわ。ごめんなさい。あなたは、いつでも酔っぱらってるみたいだわ。ごめんなさい。しょってるわ。いやらしいわ。深刻癖というものじゃないかしら。あなたは、いつでも御自分を悲劇の主人公にしなければ気がすまないらしいのね。ごめんなさい。だって、そうなんですもの。王さまだって、また、あたしの父のポローニヤスだって、決してハムレットさまのおっしゃるような、そんな悪い、下劣な人じゃ無いわ。ハムレットさまが、ひとりでひがんで、すねて居られるものだから、王さまも、あたしの父も、また王妃さまも、とても弱っていらっしゃるのよ。それだけの事だと、あたしは思うの。このごろ、なんだか、いやな噂がお城にひろがっているようですけど、誰も本気に噂しているわけじゃなかったのよ。あたしのところの乳母(うば)や女中は、そんな芝居が外国で流行(はや)っているそうですね。面白く仕組まれた芝居ですね、なんてのんびり言って居りますよ。まさか、此のデンマークの王さまと王妃さまの事だ等とは、ゆめにも思っていない様子でございます。みんな、のどかに王さまと王妃さまをお慕い申して居ります。それでいいのだと思うわ。本気に疑って、くるしんでいなさるのは此のエルシノア王城で、ハムレットさま、あなたぐらいのものなのよ。父がゆうべ、正義の心から朗読劇をやったそうですが、それはまた、どうした事でしょう。ちょっと、あたしにも、わかりません。きっと父は、興奮したのよ。とても興奮し易い父ですから。あたしには父のする事を、とやかく詮議立(せんぎだ)てする資格も無し、また女の子は、父たちのなさることを詮議立てしたって何もわからないのが当り前の事ですから、あたしは、はっきりとは言えませんけれど、でも、あたしは父を信じています。また、王さまをも信じています。王妃さまは、もとからあたしの尊敬の的でした。なんでも無いのよ。ハムレットさまひとりが、計略だの曲者だの、駈引きだのとおっしゃって、いかにも周囲に、悪い人ばかりうようよいるような事をおっしゃって、たいへん緊張して居られますが、滑稽だわ。ごめんなさい。だって、あなたは、敵もいないのに敵の影を御自分の空想でこしらえて、油断がならん、うっかりするとだまされる等と、深刻がっていらっしゃるのですもの。王さまだって、王妃さまだって、とってもハムレットさまを愛していらっしゃるのに、どうして、おわかりにならないのでしょう。悪いお方なんか、どこにもいないわ。ハムレットさま。あなただけが、悪いお方なのかも知れないわ。だって、みんな平和に、なごやかにお暮しなさっているところへ、あなたが、むずかしい理窟をおっしゃって、みなさんを攻撃して、くるしめて、そうしてこの世の中で、あなたの愛情だけが純粋で献身的で、――」

ハム。「オフィリヤ、ちょっと待った。めそめそ泣かれるのも困るが、そんな自信ありげな気焔(きえん)を、調子づいてあげられても閉口だ。オフィリヤ、君は、きょう、どうかしてるぞ。君には、ちっともわかっていない。そうかなあ。いままで、そんな具合に僕を解釈していたのかなあ。残念だね。女ってのは、いくら言って聞かせても、駄目なものだ。ちっとも、わかっていやしないじゃないか。僕は、甘いさ。あるいは、酔っぱらっているかも知れない。いやらしい。芝居臭い。それも、よかろう。そう見えるんだったら仕方が無い。けれども、僕は、絶対に、いい気になっているわけではないし、自分の愛情だけを純粋で献身的だと思いこみ、人を矢鱈に攻撃してくるしめているわけでも無い。むしろ、その逆だ。僕は、つまらない男なのだ。だらしのない男なのだ。僕は、それが恥ずかしくて、てんてこ舞いをしているのだ。自分のいたらなさ、悪徳を、いやになるほど自分で知っているので、身の置きどころが無いのだ。僕は、絶対に詭弁家ではない。僕は、リアリストだ。なんでも、みな、正確に知っている。自分の馬鹿さ加減も、見っともなさも、全部、正確に知っている。そればかりでは無い。僕は、ひとのうしろ暗さに対しても敏感だ。ひとの秘密を嗅ぎつけるのが早いのだ。これは下劣な習性だ。悪徳が悪徳を発見するという諺もあるけれど、まさしくそのとおり、ひとの悪徳を素早く指摘できるのは、その悪徳と同じ悪徳を自分も持っているからだ。自分が不義をはたらいている時は、ひとの不義にも敏感だ。誇りになるどころか、実に恥ずべき嗅覚だ。僕は、不幸にして、そのいやらしい嗅覚を持っている。僕の疑惑は、いまだ一度も、はずれた事が無いのだ。オフィリヤ、僕は不仕合せな子なんだよ。君には、わかるまい。僕には高邁なところが何も無い。のらくらの、臆病者の、そうして過度の感覚の氾濫だけだ。こんな子は、これから一体、どうして生きて行ったらいいのだ。オフィリヤ、僕が叔父さんや、お母さんや、また、ポローニヤスの悪口を言うのは、何もあの人たちを軽蔑し、嫌悪しているからでは無いのだ。僕には、そんな資格が無い。僕は、うらめしいのだ。いつも、あの人たちに裏切られ、捨てられるのが、うらめしいのだ。僕は、あの人たちを信頼し、心の隅では尊敬さえしているのに、あの人たちは、へんに僕を警戒し、薄汚いものにでも触るような、おっかなびっくりの苦笑の態度で僕に接して、ああ、あの人たちは、そんなに上品な人たちばかりなのかねえ、いつでも見事に僕を裏切る。打ち明けて僕に相談してくれた事が一度も無い。大声あげて、僕をどやしつけてくれた事もかつて無い。どうして僕を、そんなに、いやがるのだろう。僕はいつでもあの人たちを愛している。愛して、愛して、愛している。いつでも命をあげるのだ。けれども、あの人たちは僕を避けて、かげでこそこそ僕を批判し、こまったものさ、お坊ちゃんには、等と溜息をついて上品ぶっていやがるのだ。僕には、ちゃんとわかっている。僕は、ひがんでなんかいやしない。僕は、ただ正確なところを知っているだけだ。オフィリヤ、少しは、わかったか。君まで、おとなの仲間入りをして、僕に何やら忠告めいた事を言うとは、情ないぞ。孤独を知りたかったら恋愛せよ、と言った哲学者があったけど、本当だなあ。ああ、僕は、愛情に飢えている。素朴な愛の言葉が欲しい。ハムレットお前を好きだ！と大声で、きっぱり言ってくれる人がないものか。」

オフ。「いいえ。オフィリヤも、こんどは、なかなか負けませぬ。ハムレットさま、あなたは本当に言いのがれが、お上手です。ああ言えば、こうおっしゃる。しょっていると申し上げると、こんどは逆に、僕ほど、みじめな生きかたをしている男は無いとおっしゃる。本当に、御自分の悪いところが、そんなにはっきり、おわかりなら、ただ、御自分を嘲って、やっつけてばかりいないで、いっそ黙ってその悪いところをお直しになるように努められたらどうかしら。ただ御自分を嘲笑なさっていらっしゃるばかりでは、意味ないわ。ごめんなさい。きっと、あなたは、ひどい見栄坊（みえぼう）なのよ。ほんとうに、困ってしまいます。ハムレットさま、しっかりなさいませ。愛の言葉が欲しい等と、女の子のような甘い事も、これからは、おっしゃらないようにして下さい。みんな、あなたを愛しています。あなたは、少し慾（よく）ばりなのです。ごめんなさい。だって人は、本当に愛して居れば、かえって愛の言葉など、白々しくて言いたくなくなるものでございます。愛している人には、愛しているのだという誇りが少しずつあるものです。黙っていても、いつかは、わかってくれるだろうという、つつましい誇りを持っているものです。それを、あなたは、そのわずかな誇りを踏み躙（にじ）って、無理矢理、口を引き裂いても愛の大声を叫ばせようとしているのです。愛しているのは、恥ずかしい事です。また、愛されているのも何だか、きまりの悪い事です。だから、どんなに深く愛し合っていても、なかなか、好きだとは言えないものです。それを無理にも叫ばせようとするのは残酷です。わがままです。ハムレットさま、あたしの愛が信ぜられなくとも、せめて王妃さまの御愛情だけでも信じてあげて下さいませ。王妃さまは、お気の毒です。ハムレットさまおひとりを、たよりにしていらっしゃいます。きのうお庭で王妃さまは、あたしの手をお取りになって、ひどくお泣きになりました。」

ハム。「意外だね。君から愛の哲理を拝聴しようとは、意外だね。君は、いつから、そんな物知りになったのですか。いい加減に、やめるがよい。小理窟を覚えた女は、必ず男に捨てられますよ。パウロが言っていますよ。われ、女の、教うる事と、男の上に権を執る事を許さず、ただ静かにすべし、とね。そうして、女もし慎（つつし）みと信仰と愛と潔（きよ）きとに居らば、子を生む事に因（よ）りて救わるべし、と言い結んである。人にものを教えようと思ったり、男の頭を押えようとしないで、ただ、静かに、生れる子供の事を考えていなさい、という意味だ。いい子だから、二度と再び、変な理窟は言わないでくれ。世界が暗くなってしまう。察するところ、お母さんから悪智慧（わるぢえ）を附けられて、妙に自信を得たのだろう。お母さんは、あれで、なかなか理論家だからね。いまに、パウロの罰を受けるぞ。こんど君が、お母さんに逢ったら、こう言ってやってくれ。言葉の無い愛情なんて、昔から一つも実例が無かった。本当に愛しているのだから黙っているというのは、たいへんな頑固なひとりよがりだ。好きと口に出して言う事は、恥ずかしい。それは誰だって恥ずかしい。けれども、その恥ずかしさに眼をつぶって、怒濤（どとう）に飛び込む思いで愛の言葉を叫ぶところに、愛情の実体があるのだ。黙って居られるのは、結局、愛情が薄いからだ。エゴイズムだ。どこかに打算があるのだ。

あとあとの責任に、おびえているのだ。そんなものが愛情と言えるか。てれくさくて言えないというのは、つまりは自分を大事にしているからだ。怒濤へ飛び込むのが、こわいのだ。本当に愛しているならば、無意識に愛の言葉も出るものだ。どもりながらでもよい。たった一言でもよい。せっぱつまった言葉が出るものだ。猫だって、鳩だって、鳴いてるじゃないか。言葉の無い愛情なんて、古今東西、どこを探してもございませんでした、とお母さんに、そう伝えてくれ。愛は言葉だ。言葉が無くなりゃ、同時にこの世の中に、愛情も無くなるんだ。愛が言葉以外に、実体として何かあると思っていたら、大間違いだ。聖書にも書いてあるよ。言葉は、神と共に在り、言葉は神なりき、之（これ）に生命（いのち）あり、この生命（いのち）は人の光なりき、と書いてあるからお母さんに読ませてあげるんだね。」

オフ。「いいえ、決して王妃さまから教えられて申し上げているのではございません。あたしは、あたしの思っていることを、精一ぱいに申し上げているだけなのです。ハムレットさま、あなたは、おそろしい事をおっしゃいます。もし愛情が、言葉以外に無いものだとしたなら、あたしは、愛情なんかつまらないものだと思います。そんなものは、いっそ無いほうがよい。ただ世の中を、わずらわしくするだけです。あたしには、どうしても、ハムレットさまのおっしゃる事は、信じられません。神さまが、居ります。神さまは、黙っていて、そうして皆を愛して居ります。神さまは、おまえを好きだ！ なんて、決して叫びはいたしません。けれども、神さまは愛して居ります。みんなを、森を、草も、花も、河も、娘も、おとなも、悪い人も、みんなを一様に、黙って愛して下さいます。」

ハム。「おさない事を言っている。君の信仰しているものは、それは邪教の偶像だ。神さまは、ちゃんと言葉を持って居られる。考えてごらん。一ばんはじめ僕たちに、神さまの存在を、はっきり教えてくれたものは、なんだろう。言葉じゃないか。福音（ふくいん）じゃないか。キリストは、だから、

――おや、叔父さんが、多勢の侍者を引きつれて、血相かえてやって来た。きょう、此の大広間で、何か儀式でもあるのかしら。ここは、ふだんめったに使わない部屋だから、オフィリヤとこっそり逢うのに適当だと思って、ちょいちょいオフィリヤを、ここへ呼び出す事にしていたのだが、こんな不意の事もあるから油断が出来ない。オフィリヤ、さあ、そこのドアから早く逃げ出せ。議論は、この次にまた、ゆっくりしよう。これからは、いろいろ教育してあげる。そうだ、そのドアだ。なんて素早い奴だ。風のように逃げちゃった。恋は女を軽業師（かるわざし）にするらしい、とは、まずい洒落（しゃれ）だ。」

王。侍者多勢。ハムレット。

王。「ああ、ハムレット。はじまりましたよ。戦争が、はじまりましたよ。レヤチーズの船が、犠牲になりました。ただいま知らせが、はいりました。レヤチーズたちの乗って行った船が、カテガット海峡に、さしかかると、いずこからともなく、ノーウエーの軍艦が忽然と姿をあらわし、矢庭に発砲したという。こちらは商船、たまったものでない。けれども、レヤチーズは勇敢であった。おびえる船員を叱咤し、激励し、みずからは上甲板に立って銃を構え、弾丸のあるかぎり撃ちまくったのです。敵の砲弾は、わがマストに命中し、たちまち帆がめらめら燃え上った。さらに一弾は船腹に命中し、鈍い音をたてて炸裂し、ぐらりと船は傾いて、もはや窮した。この時、レヤチーズは、はじめてボートの仕度を下知して、四、五の船客をまずボートに抱き乗せ、つぎに船員の、妻子のある者にも避難を命じ、自分は屈強のいのち知らずの若い船員五、六名と共に船に居残り、おのおの剣を抜いて敵兵の襲来を待機した。一兵といえども祖国の船に寄せつけじと、レヤチーズは死ぬる覚悟、ヘラクレスの如く泰然自若たるものがあったという。敵艦の者も此の勇者の姿を望見し、おじ恐れて、ただ、わが帆船のまわりをうろつき、そのおのずから燃上し沈没するのを待つより他はなかったのだ。惜しい男だ。父に似ぬ、まことの忠臣、いや、父の名を恥ずかしめぬ天晴れの勇者です。わしたちは、いや、レヤチーズの赤心に報いなければならぬ。いまは、デンマークも立つべき時です。ノーウエーとの永年の不和が、とうとう爆発したのです。わしは、けさその急報に接し、ただちに、決意しました。神は正義に味方をします。戦えば、わがデンマークは必ず勝ちます。なに、前から機会をねらっていたのだ。レヤチーズは、尊い犠牲になってくれました。父子そろって、いや、レヤチーズの霊は必ず手厚く祭ってやろう。それが国王としてのわしの義務だ。」

ハム。「レヤチーズ。僕と同じ、二十三歳。竹馬の友。少し頑固で怒りっぽく、僕には少し苦手だったが、でも、いい奴だった。死んだのか？　オフィリヤが聞いたら卒倒するだろう。ここにいなくて、さいわいだった。レヤチーズ。その身に箔をつけるため、将来のおのれの出世に備えるため、フランスに遊学の途端に、降って湧いた災難、その時とっさに自分の野望をからりと捨て、デンマーク国の名誉を守るために、一身を犠牲にして悔いる色が無かった。僕は、負けたよ。レヤチーズ。君は、僕をきらいだったね。僕だって、君を好いてはいなかった。オフィリヤの事が起ってからは、君を恐怖さえしていた。僕たちは、幼い時から、はげしい競争をして来た。好敵手だった。表面は微笑み合いながらも、互いに憎んでいた。僕には、君が邪魔だったよ。けれども、君は、やっぱり、偉いやつだ。父上、――」

王。「はじめて、父上と呼んでくれましたね。さすがに、デンマーク国の王子です。国の運命のためには、すべての私情を捨てましょう。本日これから、この広間に群臣を集めて重大の布告をいたします。ハムレット、立派な将軍振りを見せて下さい。」

ハム。「いいえ、弱い一兵卒になりましょう。僕は、レヤチーズに負けました。ポローニヤスは、どうしていますか？　あの人の胸中にも、悲痛なものがあるでしょうね。」

王。「それは、もちろんの事です。わしは、充分になぐさめてやるつもりで居ります。さて、王妃は、いったい、どうしたのでしょう。けさから姿が見えぬのです。いま、ホレーショーに捜させているのですが、君は、見かけませんでしたか？　きょうの布告の式には、王妃も列席してないと、具合がわるい。やっぱり、こんな時には、ポローニヤスがいないと不便ですね。」

ハム。「では、ポローニヤスは？　もう、此の城にいないのですか？　どこかへ出発したのですか？　叔父さん、そんなに顔色を変えてどうしたのです。」

王。「どうもしやしません。このデンマーク国、興廃の大事な朝に、ポローニヤス一個人の身の上などは、問題になりません。そうでしょう？　わしは、はっきり言いますが、ポローニヤスは、いまこの城にいないのです。あれは不忠の臣です。もっとくわしい事情は、いまは、言うべき時ではない。いずれ、よい機会に、堂々と、包みかくさず発表します。」

ハム。「何か、あったな？　ゆうべ、何かあったな？　叔父さんの、あわてかたは、戦争の興奮ばかりでも無いようだ。僕も、うっかり、レヤチーズの壮烈な最後に熱狂し、身辺の悶着を忘れていた。叔父さんは、御自分のうしろ暗さを、こんどの戦争で、ごまかそうとしているのかも知れぬ。案外、これは、――」

王。「何を、ひとりでぶつぶつ言っているのです。ハムレット！　君は、馬鹿だ！　大馬鹿だ！　ふざけるのも、いい加減にし給え。戦争は冗談や遊戯ではないのだ。このデンマークで、いま不真面目なのは君だけだ。君が、それほど疑うなら、わしも、むきになって答えてあげる。ハムレット、あの城中の噂は、事実です。いや、わしが、先王を毒殺したというのは、あやまり。わしには、ただ、それを決意した一夜があった、それだけだ。先王は、急に病気でなくなられた。ハムレット、君は、それでもわしを、罰する気ですか？　恋のためだ。くやしいが、まさに、それだ。ハムレット、さあ、わしは全部を言いました。君は、わしを、罰するつもりですか？」

ハム。「神さまに、おたずねしたらいいでしょう。ああ、お父さん！　いいえ、叔父さん、あなたじゃない。僕には、僕のお父さんが、あったのだ。可哀想なお父さん。きたない裏切者の中で、にこにこ笑って生きていたお父さん。裏切者は、この、とおり！」

王。「あ！　ハムレット、気が狂ったか。短剣引き抜き、振りかざすと見るより早く、自分自身の左の頰を切り裂いた。馬鹿なやつだ。それ、血が流れて汚い。それは一体、なんの芝居だ。わしを切るのかと思ったら、くるりと切先をかえて自分自身の頰に傷をつけ居った。自殺の稽古か、新型の恐喝か。オフィリヤの事なら、心配せんでもよいのに、馬鹿な奴だ。君が凱旋した時には、必ず添わしてあげるつもりだ。泣く事はない。戦争がはじまれば、君も一方の指揮者なのです。そんなに泣いては、部下の信頼を失いますよ。ああ、それ、上衣にまで血が流れて来た。誰かハムレットを、向うへ連れて行って、手当をしてあげなさい。戦争の興奮で、気がへんになったのかも知れぬ。意気地の無い奴だ。おお、ホレーショー、何事です。」

ホレーショー。王。ハムレット。侍者多勢。

ホレ。「取り乱した姿で、ごめん！　ああ、王妃さまが、あの、庭園の小川に、――」

王。「飛び込んだか！」

ホレ。「手おくれでございました。覚悟の御最後と見受けられます。喪服を召され、小さい銀の十字架を右の手のひらの中に、固く握って居られました。」

王。「気が弱い。わしを助けてくれる筈の人が、この大事の時に、馬鹿な身勝手の振舞いをしてくれた。わしが悪いのではない！　あの人が、弱かったのだ。他人の思惑に負けたのだ。気の毒な。ええっ！　汚辱の中にいながらも、堪え忍んで生きている男もいるのだ。死ぬ人は、わがままだ。わしは、死なぬ。生きて、わしの宿命を全うするのだ。神は、必ずや、わしのような孤独の男を愛してくれる。強くなれ！　クローヂヤス。恋を忘れよ。虚栄を忘れよ。デンマーク国の名誉、という最高の旗じるし一つのために戦え！　ハムレット、腹の中では、君以上に泣いている男がいますよ。」

ハム。「信じられない。僕の疑惑は、僕が死ぬまで持ちつづける。」

【解題】

太宰治　だざい・おさむ（一九〇九―一九四八）

●底本　『新ハムレット』（新潮文庫／一九七四年）

随時『太宰治全集』（第4巻／一九六七年／筑摩書房）を参照

●初出　一九四一年（昭和十六年）、太宰初の書下ろし作品として文藝春秋より刊行。さらに、戦後（昭和二十二年）選集として刊行された『猿面冠者』（鎌倉文庫）に再録。

●資料1　昭和十六年八月二日・井伏鱒二宛書簡（一部引用）

《「事前に於いては、舶来品よりも、すぐれた純国産飛行機を創らうといふ意気込みがありました。外国の二流三流の作家よりは、日本の作家のはうが、昨今ずつと進んでゐるのだといふ事を直接に證明したい気持でした。

それから、私の過去の生活感情を、すつかり整理して書き残して置きたい気持がありました。その意味では、私小説かも知れません。それから、形式は戯曲に似てゐますけれど、芝居ではなく、新しい型の小説のつもりで書きました。

けれども、事後に於いては、

自分の現在の力の限度を知りました。之は、ありがたい事だと思つて居ります。淋しい気持もありますが、また、一面に於いて、人から突かれても、『しまつた！』といふ狼狽も感じません。いさぎよく観念してゐるところがあります。」》

●資料2　『猿面冠者』あとがき（全文）

《このたびの選集には、大戦中に再版できなかった作品だけを収録した。そうして、この選集一つお読みになれば、太宰というのはこの十年間、一体どんな事に苦しみ努めて来た作家か、たいていおわかりになれるように工夫して編集した。

最後の「新ハムレット」は、新しいハムレット型の創造と、さらにもう一つ、クローヂヤスに依って近代悪というものの描写をもくろんだ。ここに出て来るクローヂヤスは、昔の悪人の典型とは大いに異り、ひょっとすると気の弱い善人のようにさえ見えながら、先王を殺し、不潔の恋に成功し、そうして、てれ隠しの戦争などをはじめている。私たちを苦しめて来た悪人は、この型のおとなに多かった。

この作品の出版当時、これに対する文壇の評論の大半は、クローヂヤスのこの新型の悪を見のがし、正宗白鳥氏なども、このクローヂヤスに作者が同情しているとさえ解されていたようである。さらにこのたび、ひろく読者に、再吟味を願う所以である。》

＊註　他の収録作は「猿面冠者」「ダス・ゲマイネ」「二十世紀旗手」。なお「資料」の引用は、1　漢字のみ新漢字に　2　新漢字新仮名遣いに改めた。

芥川比呂志　ハムレット役者

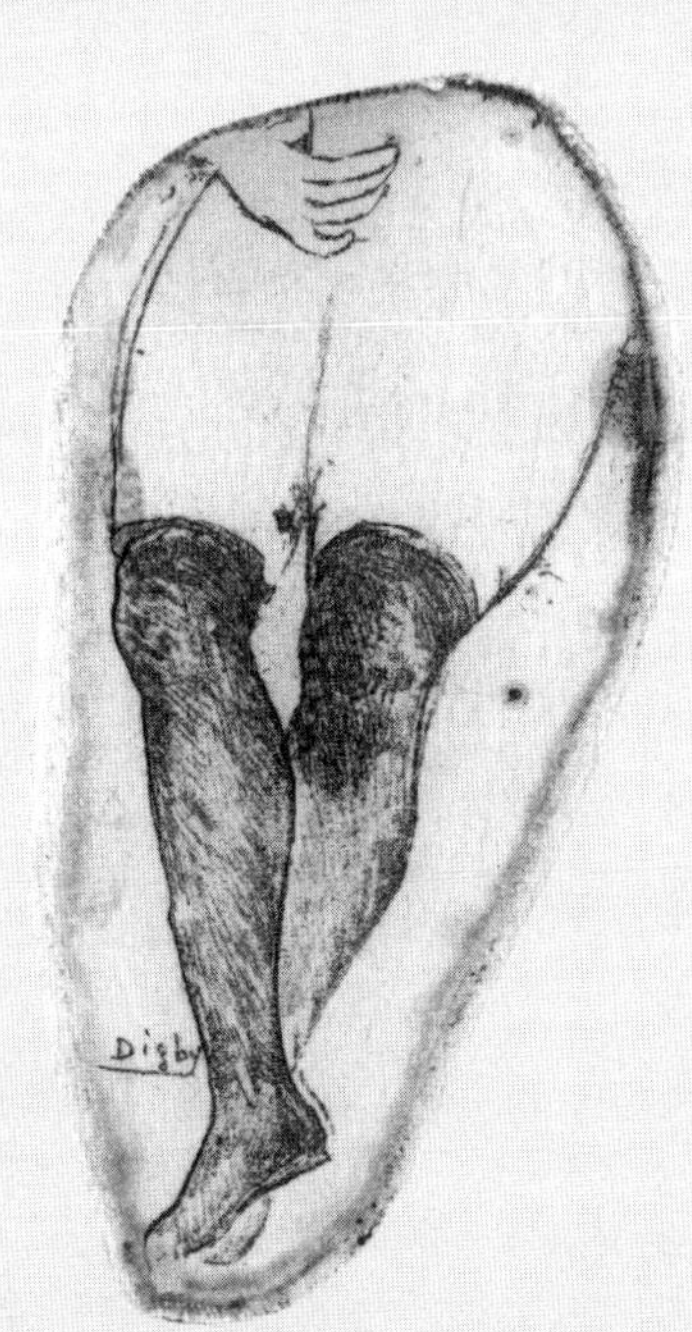

三度目の正直

芥川比呂志

私たちの劇団「雲」の正月公演に、太宰治の「新ハムレット」を上演することになり、私が脚色をひきうけました。「新ハムレット」の上演を企てたのは、これで三度目です。三度目の正直ですから、何とかうまく行ってくれればいいと思っています。

最初は、昭和十六年、書き下ろしの年で、私はまだ学生でした。「新演劇研究会」という学生劇団をやっていたんですが、その演目候補に「新ハムレット」が、早速あがった。演目選考委員は加藤道夫、原田義人、鬼頭哲人、鳴海四郎と私で、いったいこれは小説なのか、戯曲なのか、レーゼ・ドラマなのか、ずいぶん議論しあったものです。この時は戦争で時間ぎれ。

二度目は敗戦の翌年、昭和二十一年で、この時は準備もかなり進んだんですがね。私が津軽の太宰さんを訪ねて、脚色上演の許可を頂いたり、脚色を加藤、演出を私が受けもって、協同してプロローグをこしらえたり、当時日劇小劇場といって新劇に小屋貸しをしていた今の日劇ミュージック・ホール、あそこを借りる申し込みをしたり。ポローニャスが加藤、オフィリアが加藤治子、ハムレットが私、のはずだったんですが、結局、だめになりました。ものすごいインフレでね。金ぎれです。

しかしそれは、まあ、外側の事情で、内側のことをいうと、脚色が大困難でしたね。加藤も私も、まったく途方に暮れました。予想はしたものの、いざ取りかかってみると、この小説のような、戯曲のような、レーゼ・ドラマのような、対話体、というか、独白並列体の作品は、庖丁の入れようがないんですね。骨は悲劇的で、肉は小説的で、血は喜劇的で皮がまた小説的というあんばいなので、どうにも始末がわるい。加藤も私も新ハムレットならぬ新シャイロックのような気分に陥ったものでした。かりにその時上演できたとしても、ずいぶん中途半端なものになっただろうという気がします。

こんど読み返してみると、久しぶりに旧知に出あったような、昔住んだ町に帰って来たような、一種独特の感じにおそわれて、なかなか仕事にかかれませんでしたが、思い切って手をつけてみると、案外にはかがいって、三十年前、ああでもない、こうでもないとさんざんひねくり廻した揚句、投げ出してしまったような恰好になったのが、ふしぎに思えるほどでした。

太宰さんは背の高い方でね。私は一メートル七一ですが、並んで歩きながら話しかけると、どうしてもこっちが仰向き加減になってしまう。胸をはって歩かれるという風ではなく、少しこごみ加減でね。

そんなご自分の風貌姿勢をそのままハムレットに托して、それをオフィリアにからかわせているせりふがあります。「あの方はお鼻が長すぎます」とか「ひどい猫背です」とかね。昔はそのお道化ぶりの、クロッキー風の自画像が涙の出るほどおかしかったものですが、こんどの脚色では、ハムレットをやる役者の肉体的特徴におきかえました。惜しい気もするのですが、どうも、止むを得ないのです。

太宰治とともに

芥川比呂志

昭和二十一年五月某日の午後、青森県金木町(かなぎちょう)の実家に「疎開」中の太宰治氏を訪問した私は、その高い煉瓦塀と、大きな門構えにびっくりし、とっさにへんな連想をした。鬼が島。おそらくこれから訪問する人の「お伽草紙」が頭にあったせいである。

女の人が出てくる。太宰さんはいらっしゃいますか、というと、修治さんは五所河原(ごしょがわら)へお酒を買いに行かれました、×時ごろおかえりになります、と答える。ではその時間にまた伺います、と告げて門を出る。

五所河原は金木よりも大きな町で、汽車で行く町である。

こんな突然の訪問が非礼でもなく、珍しくもなかった時代で、その代り訪問者は相手の不在を覚悟していなければならない。町を歩き、裏山へのぼり、墓地のはずれの木蔭で一眠りする。兵隊流儀である。

二時間後。玄関で、かえってきた太宰さんとばったり出会う。むろん初対面である。

背が高い。こちらは一メートル七一だが、どうしても見上げるようになってしまう。一升壜を提げている。

「芥川って、あの芥川か?」

太宰さんが訊く。なんだか、眠そうな顔をしている。照れ臭いのだ。

「はい」

こちらも照れ臭い。二十六歳。学校を出て、そのまま戦争に行って、かえってきたばかりである。芝居をしようと思っている、それだけで、まだ何もしていないあの芥川である。太宰流にいうと、こちらの方が十倍も、百倍も照れ臭く、恥かしく、わあっと大声あげて駆け出したいくらいである。

照れ隠しが半分、あがっているのが半分で、私は、「新ハムレット」を上演させて頂きたいという来訪の用件を、その場ですっかりしゃべってしまった。申告終り。軍隊ならば敬礼するところである。

「まあ、上れよ」

太宰さんは眠そうな顔でいい、先に立つ。廊下を行く。広い家である。歩きながら、太宰さんが振り返っていう。

「この家も、『桜の園』でねえ」

相手の念頭を掠(かす)めるかも知れぬ想念を、一瞬、先取りしながら、サーヴィスに転化させる氏一流の挨拶である。

座敷へ通ってからも、私は照れ臭く、恥かしく、口数少なく、固くなっていた。好きな作家と差し向いになることが、こんなに辛いこととは思わなかった。うれしい癖に辛いのだ。相手の顔が正視できない。机を見る。丁寧に消しの入った書きかけの小説の原稿がある。あまり見ては悪いような気がして、また眼を逸らす。しまいには見るものがなくなって、ぼんやり、眼の前の丸い大きな卓袱台(ちゃぶだい)をながめるばかりである。こんな男が、どうして芝居なんかやる気になったのか、と太宰さんは不審に思ったことだろう。

太宰さんはしきりに話した。話して私の気持を楽にさせようとする風だった。太宰さんの話し方は、その小説中の人物たちの話し方とそっくりで、今でも私は太宰さんの小説を読むと、作者の声が聞えてくるような気がする。肉声で書かれた小説、という気がする。

「この卓袱台は、津軽塗といってねえ。ひどい模様だ。模様なんてものじゃない、ただもう、無茶苦茶さ、なんの意味もない」

「新劇はだめだねえ。気分劇、なんていうから、なんのことかと思ったら、窓の鳥籠にカナリヤがいて、そいつがチュンと啼くと、男が女の肩に手をかけて『秋だねえ』なんて。いやだねえ。柱によっかかったりして。気障(きざ)だねえ」

「新派か。あれは俗だ。なんだか、下品だろう。倶梨伽羅紋々(くりからもんもん)のやつが、双肌(もろはだ)ぬぎで、赤い人絹(じんけん)の座ぶとんを裏返しにして、チャッ、チャッ、と音たてて花札やってるような感じがする。馬鹿だねえ」

「おれは役者にはなれないんだ。概念的な美男だから。あはは」

あの芥川の話も出た。父が晩年、体をわるくして、内側に毛皮を張った足袋をはいていたと私がいうと、「おしゃれ童子」の作者は、ちょっと沈黙した後、長大息して、おどけて答えた。

「思えば野暮な男であったなあ」

翌日。湖へ行く。こごみ加減の太宰さんはお昼のお重を提げていて、いくら私が持つといっても、渡してくれない。道端の茂みを指して、

「これはライラック。こういう茂みの蔭でネフリュードフはカチューシャに接吻したのだ」

姿をあらわした湖を指して、

「いいだろう。アイルランドのようだろう」

アイルランドの風光についてあまり知識のない私が生返事をすると、すぐに、

「ここへ連れてきたら、いきなり湖にとびこんで、向う岸まで泳いで、また引き返してきたやつがいる。田中英光」

眼を細めて、面白そうに笑う。

湖のほとりの日溜りに腰を下し、お昼をたべ、話をする。どんな話をしたか、あらかたは忘れてしまったが、一つだけはっきり覚えていることがある。創作の機微、小説のこつというような話になった時、太宰さんは、

「岩見重太郎」

といい、私はなんのことやらわけが分らず、訊き返すと、太宰さんは笑いながら、

「武者修業で、妖怪変化を退治するじゃないか。闇夜に三つ目の大入道や、一つ目小僧や、化物がいっぱいあらわれる。いくら斬っても手応えがない。そこで、脇に立っている石の地蔵を斬ると、そいつがギャッという。古狸が正体をあらわして、化物どもの姿は消え、中空に月がかかる。あれさ」

三十年経って、ようやく「新ハムレット」を上演する。脇の石地蔵が斬れるか。愉しみでもあり、心配でもある。

タイツ

ハムレットを初めて演じたのは、一九五五年の春であった。

ハムレットは黒いタイツを穿いている。場面によって衣裳は変るが、タイツだけは変らない。

衣裳部の用意してくれたのは、木綿のタイツである。当時既にナイロン製のタイツも出廻ってはいたが、これは高級品で、限られた衣裳予算の枠に収めにくかったのであろう。「ハムレット」には、タイツ姿の人物が大勢出る。

ハムレットは、腰に短剣を吊っている。鞘には、黄金の飾りがついている。小道具だから、むろん本物の黄金ではない。真鍮の針金である。場面によっては、これが長剣に変る。こちらの方にも、同じ飾りがついている。

この鞘に巻きつけた針金が、どういうわけか、無暗にタイツにひっかかる。当然の結果として、タイツはほつれて、小さな穴が明く。

行動的な、男性的なハムレットという演出のねらいがあったから、動作ははなはだ活潑である。走り、踊り、階段を駈け上り、飛び降り、相手役につかみかかり、突き飛ばし、跳ね廻り、あばれ廻る。その度に、タイツの穴は大きくなり、ひどいのは、デンセン病症状を起す。あたらしいタイツが、一晩でだめになる。

何よりも観客に覚られるのが心配である。いやしくも王子たる者のタイツに穴が明いていては、申訳が立つまい。デンセン病のはげしいのになると、股から膝を通って、向う脛に及んでいる。肌が露出している。黒ずくめのハムレットのタイツにこれだけ大きな裂目が走っていれば、観客はいやでも気がつくだろう。それが目立たぬほど、私は色黒ではないつもりである。

舞台稽古でそれが分ったから、用心して初日からタイツを二枚重ねて穿くことにした。剣の鞘の針金の始末を念入りに直したことは無論である。

しかし相変らずタイツはほつれ、穴が明き、デンセン病を起す。気が気ではない。その上、大汗をかくから、日を経る内に、タイツがだんだん伸びてきて、何となく、だらりとしてくる。ついに我慢がならなくなって、ナイロン製のタイツを特別に注文した。

木綿よりは大分ましになったが、それでもやはりほつれたり、穴が明いたりすることには変りがない。これも二枚重ねて穿く。ナイロンのタイツはよく締まって、穿き心地がいい。

しかし、そこがほつれたり、穴になったりするのは、それだけの、しかるべき理由があるものと見えて、幾日かする内に、さすがのナイロンのタイツが、上下二枚とも、同じ所に穴が明いてしまったから、衣裳部はうなだれた。

届いた新しい二枚のタイツを一時(いちどき)に全部替えずに、しかし念には念を入れて、穴の明いた二枚の古いタイツの上に重ねて一枚だけ穿いたのは、私の小心と無精と貧乏性のなせる業であったが、その場に目撃者の現れたことが、運の尽きであった。

「あら、いやだ。あなた、タイツを三枚穿いてるの」

子供のように眼を丸くしたこの目撃者は、長岡輝子さんである。

「何ですか」

数週間後、ある席で顔を合せた途端に、戸川エマさんがふと上品に笑い出す。

「いいえ、何でもないの。ただ、ちょっと思い出したものだから」

「何を」

「いえね、輝ちゃんがね、あなたがタイツを五枚だか六枚だか穿いてらしったって」

さらに数日後、私は明るい爆笑を浴びせられて、うろたえる。

「何だい、気持の悪い」

「君、ハムレットでタイツを十五枚穿いたんだってね。わっはっは」

「冗談じゃないよ、十五枚なんて」

「そんなもんじゃないか。じゃ三十枚か。わっはは」

これは故三島由紀夫氏である。

公演の終った後、ある日私は、これも今は亡い徳川夢声氏と対談をした。

「あなたはぁ、うふっ」

と、この話術の大家は、眼鏡ごしに私の顔を近々と下からのぞくようにしながら、さもおかしそうにこう言った。

「こないだのハムレットで、何だそうですな、タイツを、このう、無数にお穿(は)きんなったそうですな。うはっ」

【解題】

芥川比呂志　あくたがわ・ひろし（一九二〇―一九八一）

●底本　丸谷才一編『ハムレット役者　芥川比呂志エッセイ選』（講談社文芸文庫／二〇〇七年刊）

●初出

「三度目の正直」「波」一九七五年一月号
のち、『憶えきれないせりふ』（新潮社／一九八二年）に収録。

「太宰治とともに」「悲劇喜劇」一九七五年二月号
のち、『肩の凝らないせりふ』（新潮社／一九七七年）に収録。

「タイツ」「劇」一九七一年九月号
のち、『肩の凝らないせりふ』に収録。

●資料　福田恆存「芥川比呂志・人物スケッチ」（一部引用）

《芥川さんにはじめて会ったのは、昭和二十五年暮、私の「キティ颱風」が文学座で上演されたときである。自作とは離れて私ははじめて芥川さんの資質を発見した。同時に人間としてのかれに深い友情をおぼえ、かれの懐く演劇理想と私のそれとの一致を喜んだ。その後、かれは私の「龍を撫でた男」「ハムレット」「明暗」の主役をやってくれた。その成功はすべてかれによってもたらされたものである。「キティ颱風」以後、私ははっきり役者を目あてにして戯曲を書くという楽しみを知った。演劇にたいする現在の私の情熱も実践も、芥川さんの存在によって支えられている。劇作家にとってこれ以上の幸福はないと同時に、これほどの不安もない。それは恋愛の喜びと同じである。もしかれを失ったらどうしよう——芥川さんのことを思うたびに、私はそんな不安にとらわれる。この私の不安をよそに、かれは自分の健康をよそに飲みまわっている。自分の命を粗末に扱うのは、父君からの遺伝であろうか。

　私とのつきあいにおいてのみ、芥川さんを語ってきたが、それは話がしやすいからであって、これからの日本の新劇を負って立つ役者はかれを措（お）いてない。そのことはいずれ他の機会に書く。今はただかれの自重を祈るのみ。》

（「日本読書新聞」一九五七年五月六日）

＊註　『福田恆存評論集　別巻』（麗澤大学出版會刊／二〇一一年）より新漢字新仮名遣いに改めた。

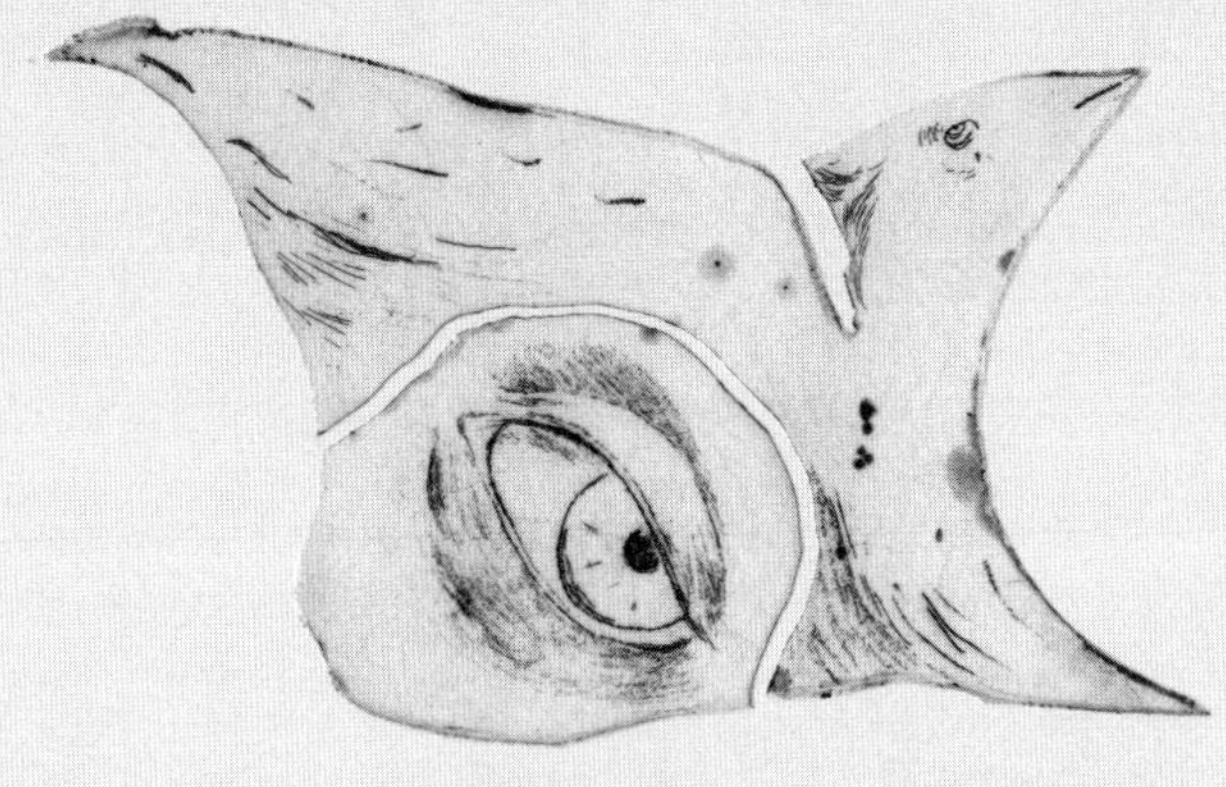

志賀直哉　クローディアスの日記

——日

彼は珍らしいいい頭をした男である。理解力も豊かだし、それに詩人だ。自分は近い内に何もかも語り合って彼によき味方になって貰わねばならぬ。自分は総(すべ)てを彼に打ち明けて関(かま)わない。然(しか)し今はその時でない。彼は今心の均衡を失っている。尤(もっと)もそれは自分も同じ事だ。兄の死後その妻を直(す)ぐ妻として自らその王位に直った、単にその生活の変化から云っても何となく自分は常と同じ調子では過ごせない。まして久しい恋——それには殆(ほとん)ど望みを断(た)っていた恋を得た喜びには自分の心の均衡を失わずにはいられない。

自分は今、自分のこの心持を出来るだけ他(た)に隠している。それは自分が、自分の仕た事或いは自分のこの心持を恥ずるからではない。只自分には自分のこの心持を不愉快に思う人のある事が解っているばかりである。解っているばかりでなく、それに対しては自分は同情する事も出来るからである。

そしてそういう人々の第一人(だいいちにん)は彼である。彼が近頃何となく弱って憂鬱になったのは見ていても気の毒である。のみならず彼は自分に対して或不快を感じている様子だ。それにも自分は同情が出来る。自分のこの柔かい心持は彼との関係では唯一の望である。自分は自分のこの柔かい心持を出来るだけ大切にしなければならぬ。

——日

自分は自分の仕た事を少しも恥じはしない。然し慣習からは愉快な事ではなかったに相違ない。自分は少くともこの数箇月は喜びと苦しみとの間に彷徨していなければならないだろう。

自分程外界の事情に気分を支配される人は少ない。それを制御しようとするといつも失敗する。寧(むし)ろなるがままに任せて、その間(あいだ)で出来るだけよく処理して行くより他(ほか)はないのである。

何しろ今は彼と語り合うべき時ではない。その気分でない。今若(も)し話し損えば、二人は永遠に取りかえしのつかぬ関係になりかねない。

先刻会った時、妙な顔をしていたから「気持が悪いのか？」と訊いて見た。それに対する彼の答えが自分には不愉快だった。寧ろ子供らしい男である。実際子供らしい低級な悪意の示し方であった。あの子供らしさに釣り込まれないだけの余裕を常に持っていなければならぬ。

兎も角も、ウィッテンバーグの大学へ行く事を思い止って呉れたのは仕合せであった。今のままで別れて了ったら、二人の間の溝は遂に越えられない幅に拡がって了うだろう。

自分には彼の母が彼を愛するようには到底愛する事は出来ない。それの自分に望めないのは当然の事である。よしんば出来ても、彼もそれをその儘に受け入れられる人間ではもうない——そんな事はどうでもよい、二人の間では愛よりも今は理解である。そして理解し合えば其処にまた愛も湧くわけである。

——日

………二三度呼びにやったが遂に来なかった。勿論今晩の酒宴は彼の為ばかりではなかったにしろ、隣に設けて置いた席が終りまで空いているのを見ると、自分にはそれから色々な事が想われて幾ら飲んでも気が沈んで気が沈んで堪えられなかった。それを又はずませようとするポローニヤス老人の努力が尚気を滅入らして了った。自分はよくあの時間まであの席に堪えられたものだ。

「酒宴の習慣は守るよりは破る方がいいのだ。外国人がこの国の奴を豚というのはこの習慣に溺れるからだ」こんな事を云って友達と何処かへ出て行ったそうだ。初めて開いた今晩の酒宴を、こんな云い草で断る、その礼儀のなさは真正面からは腹も立てられない。が、腹が立てられないだけそれだけ不愉快な感じは一層であった。それも、気分の云わせる言葉として自分は許さねばならぬ。若しかしたら父の葬式が余に質素だったのが彼の感情を害しているかも知れぬ。

いずれにもせよ、近い内に何もかも話し合おう。彼が生れぬ前から彼の母を恋していた事まで打ち開けて差支えない。彼にとっては不快な事に相違ない。然し或誤解をとく為には其処まで話さねばならぬ。それも機会でいうべき事だ。機会で話さねばこんな事は半分も解らない。いい機会を待とう。

妻は何か彼に云い聞かす気でいるらしい。然し今何を云っても云い込められるばかりだ。彼も妻が思っているよりは遥に大人である。

――日

昨夜は一と晩中、何かしら不快な心持で過ごした。どうしても寝つかれなかった。睡くて眠る事が出来なかった。今でもいやな心持が腹の底におどんでいるような気がする。又頭を悪くしたのかも知れぬ。そうとも思わなかったが近頃は何かしら絶えず考え事をしていたからかも知れぬ。そんな事が自分の神経を弱らしたのだろう。然し昨晩は天候から云っても不気味な夜であった。烈しい風が頻りに窓を打つ。自分は飲み過ぎからズキズキする頭を冷やそうと、窓の扉を開けると、その瞬間に扉の合せ目からぼんやりと白く光った小さな玉がふうーッと闇の中に飛び去ったような気がした。明るい部屋から急に闇を見たからだと思った。

戸外の気温は非常に寒く三十秒もそうしてはいられなかった。それに烈しい風が灯を消しそうにしたから、自分は扉を閉めた。その時不図又、自分は今の光り物を見た――見たというより感じたのだ。飛び去った奴が又ふうーッと飛んで来て、合せ目へ来て、其処へくっついて、此方を覗いている――こんな感じがしたのだ。何だか凄い気がした。

自分は近頃、何かに呪われているというような気がする。

これは確に自分の生理状態から来ているのだ。兎も角自分には仕事がある。こんな事に拘泥ってはいられない。今は出掛けられないが、もう少ししたら猪狩りにでも行きたいと思っている。

――日

今朝ポローニヤス老人が何かあわただしい用事ででもあるように、娘のオフィリアを彼が恋しているようだと話して行った。老人は又くどく自身が十二分の警戒をしているから、それに就ては心配しないでくれと云っていた。

彼があの娘を恋している事は自分も感じていた。あの女らしい、賢い娘には自分も同情を持っている。そして老人のように一途にその関係を警戒するのは自分にはいい事と思えない。今日はそれに何もいわなかったが、正直にいえば彼がその恋を心から深く味って呉れる事を自分は望むのである。そうすれば彼の母に対する自分の恋にも其処から多少の理解が湧いて来ねばならぬ筈である。

老人は彼の恋を割に浮いたもののように解っている。それは可哀想だ。あの老人は自身酸いも甘いもすっかり嚙み分けて居るという自信（大した根拠もない）に捕われている男だ。だから、何もかも早わかりの、早片づけをして一人で呑み込んでいる。然し決して物の解った人間ではない。しかも彼はこの老人が考えてるような浅薄な青年ではないのだ。

――冬は大概気分がいいのだが、今年は少し変だ。生活の変化がたしかに心身の調子を狂わしているのだ。それにしても早く彼と理解し合わねばならないと思う。

善良な妻の自分に対する態度は総て生前の兄へ対してのそれである。この平和な女らしい性質を不満足に思うのは自分が悪い。自分は妻のあの平和な性質をその儘にこの家の中の調子にしたいと思う――近頃は切りにそんな事が思われる。

今、又ポローニヤスがこんな話を持って来た。――昨日だったという。あの娘が部屋で縫物をしていると、帽子も被らず外套も胸は開けたまま、蒼ざめた顔つきで、入ってくると彼はいきなり娘の手頸を握ったまま長い事その顔を見詰めていたが、その手を軽く振って頭を二三度上げ下げすると、深い深い溜息をついてその儘物も云わずに娘の方を振りかえったまま出て行ったという。老人は自身見てでもいたように芝居がかりの身振りで、それを話して、で、確にそれは彼が恋故に気が狂った証拠だという。が、どうも自分にはそう思えない。……然し若しかしたら何事かあったのかも知れない。尤も一面では老人以上に芝居気の強い男だから、その「何事か」もそれ程大した事ではないかも知れない。

――日

彼が娘にやった手紙を見せて老人は切りに彼の病気はどうしても恋からだという。尚、老人は自慢らしく娘が老人の意志通りに綺麗に彼を撥つけた事を口巧者にしゃべり立てていたが、自分にはそれをその儘には承け入れ兼ねる事がある。第一に彼の自分を見る眼がこの二三日非常に不愉快になった。何となく底意のあるイヤな眼だ。自分はあの呪うような眼で凝然と見られる時に心の自由を失うような気がする。自分は不図、先夜扉の隙間から内を窺っていたあの小さな光り物を憶い出した。

恋故に悶えている者の眼では確にない。自分の観察する所によると、彼は時々あの眼を彼の母にも向けている。――邪推かも知れないが、彼の母には彼の父の死後、余りに早く結婚した事を後悔してる風が見える。これが若し邪推でないとすれば、確にあの眼で毒注された考である。妻は彼の狂気が其処に原因していると信じているらしい。この事は今の自分には堪え難い苦痛である。

然し自分はそれで彼女を責めようとは思わない。自分は彼女の善良な弱い性質をよく知っている。自分は只これを起った情ない出来事として諦めるより仕方がない。そして自分だけで、悔ゆべき事ではないという最初からの考を益々堅く握り〆めていればそれでいいのだ。

――老人は自分が老人の云う事をその儘に承け入れないもので、彼と娘とを人のいない広間の廊下で偶然のように会わせて見ようと云い出した。立聞きは快い事ではないが、兎も角承知して置いた。

――日

自分は今度の結婚を決して恥じてはいない。少しでも恥ずる心を持っていたら、自分の性質としてそれは到底出来る事ではない。如何に彼女を愛していたとはいえ、道徳的に何等の自信もなく若し結婚したのなら、自分は寧ろ無法者である。そして愚者である。然し自分には自分だけ、それに対する立派な心用意があった。その心用意があったから自分は寧ろ大胆に結婚を申し込み、その承諾を得て、それを直ぐ、天下に発表する事が出来たのである。そして発表する場合でも自分は却って弱々しい感じを与える弁解は、全くつけなかったのである。其処に動かし難い自信を自身ですら見たような気がした。然しそれには何処か弱い所があったかも知れない。自分は自分の力を正確に計る事を誤っていた。今になって見れば自分は遂にその弱点を彼から突き込まれたのであった。が、自分はあれ程に低級な、そして平凡な、理解も同情もない突き込み方でくる事は全く予想しなかった。彼の自分の行為に対する見方は裏店に起った或姦通事件を見るのと殆ど変っていない。彼はその見方に対して自ら何の疑も起さずにいる。彼が自分等に対し、こんなに低級に解しようとは、それは自分の心用意の中にも用意されていない事だった。

　自分はこれに対しては何処までも戦わねばならぬ。

　が、そう思いながら、今日自分は自身の内に、猶恐ろしい弱点のある事を不図感じた。それを今更の様に知った。——それは自分の心の何処かに未だ潜んでいる、安値な、慣習的な、所謂良心という奴だ。それの裏切りである。

　ポローニヤスが娘に、「信心らしい顔附と殊勝らしい行いで悪魔の根性に口当りのいい外被をかける、それが其処にも此処にもある例だ」とこんな事をいっていた。傍で聴いていて、自分は不図自分の事を云ってるなという感じがした。自分は何かしらん心に鋭い笞を感じた。そしてはっと気がつくと自分で驚いて了った。自分は自分の心を叱って、更に「自分に何の恥ずる所がある」とはっきりと思って見た。が、そう思いながら、そんなに思っていなければ、やりきれないからそう思うのか、実際心の底から恥じていないのか解らない——こんな考が又ふっと湧く。もうその時は自分で自分が気味悪くなった。

　一寸した感情から、それへ自身全体を惹き込まれて、心の均衡を失って了うのが自分の大きい弱点である。自分はその朝の夢からさえ終日の気分の均衡を失う事が少くない。

　自分は他人が自分をどう思おうと、それだけなら少しも恐れはしない。自分を憎んでいる者の少くない事を自分はよく知っている。それが誰々であるかも知りながら、それが客観的にそれだけの事実である間は自分は何とも思いはしない。そういう事にはそれ程自分は臆病ではない。然し、その或ものが自分の心を釣り込んで行く事がある。すると、その釣り込まれた自身の心が自分にとっては最も恐ろしい者になるのである。

………ポローニヤスと隠れていると、何か考え考えうつ向いて歩いて来た。静かな気高い顔つきをしていた。物蔭に隠れている自分が下らぬ者のような気さえ一寸した。

その時彼は娘にこんな事を云っていた。

自分は元来は正直だが、高慢で、執念深くて、それに野心が激しくて、若し自分で許せさえすれば、かなりの悪事も仕かねない。が、只それを調整(ととの)える思案と、それに像(かたち)を附ける想像力とがなく、又時も場合もないから仕ないのだ。

又娘に切(しき)りに寺へ行け、寺へ行けと云っていた。

彼のいうことを単に彼の性格として考えれば、それに自分は興味も持てるし、同情も出来る。然し彼は何か考えているらしい。何か考えている内に、あんな事を思うようになったのだ。何しろ自分に関する事に相違ない。若しこの考が孵(かえ)ったら彼は何をするか解らない。自分はどうしていいかしら？　若(も)し話し合うなら、今の内だ。

然し、彼のそう云う考も彼の健康から来る事であったら、英国へやるというのも一つの考である。

――――妻はポローニヤスの娘に、

「あの子の心の狂ったのがお前のきりょう故であれと念じて居ます。それなら又お前の気立であれを正気にさす事も出来ましょうから……」

こんな謎を掛けるような事を云っていた。自分は妻程に女らしい優しい美しい心を持った女を知らない。自分は妻の為めにも彼を憎む事はしたくない。自分は彼の勝(すぐ)れた才能と得がたい人格とをまだまだ愛している。どうにもして早く理解し合わねばならぬ。

何か芝居をすると云う。彼の心が本統にそんな遊び事に向ったのなら喜ばしい事である。

――日

………乃公が何時貴様の父を毒殺した？

誰がそれを見た？　見た者は誰だ？　一人でもそういう人間があるか？　一体貴様の頭は何からそんな考を得た？貴様はそれを聞いたのか？　知ったのか？　想像したのか？　貴様程に安値なドラマティストは世界中にない。ああ、皆が寄ってたかって乃公を気違いにしようと云うのだ。乃公はこれまでにこんな気持の悪い経験をした事がない。

　全体貴様は乃公をおびやかして兄殺しの大罪人とすればそれが何の満足になるのだ？　貴様の考は正しくヴァルカンの鉄砧ほどにもむさ苦しい想像に過ぎないのだ！　そんな事を貴様は疑って見た事はないか？　その想像は貴様の安価な文学という悪魔から貰ったに過ぎない。それを貴様は疑って見た事がないのか？

　貴様程に芝居気の強い奴はない。貴様はそんなに悪しい悲劇の主人公になって見たいのか？――それも自分独りで演じているならいい。貴様は乃公に覚えもない敵役を演じさせようとそれを強いて来る。そうだ、貴様のはそれを強いて来たのだ。それは許せない。

　貴様程に気障な、講釈好きな、身勝手な、芝居気の強い、そしておしゃべりな奴はない。

　老人に、昔大学で芝居をした時、何の役を演たかと貴様が訊いた。老人はシーザーになって殺されましたと答えた。その時貴様は何故乃公の顔を盗み見た？　貴様はその時どれだけ正当に乃公の顔から乃公の心を読み取る事が出来たと信じている？　貴様は乃公の心がその時平静を失いかけたまでは解ったろう。が、何故平静を失いかけたかまでは考えて見ない男である。それが貴様の作った筋書に合えばそれより深く物を見ようとしない――乃公にはあの時、何故貴様が乃公の顔を盗み見るかが直ぐ感じられたのだ。盗み見る目的が直覚的に感じられた時に、乃公の心に潜んでいる安価な文学というものが同時に乃公の心で裏切りをやったのだ。無心でいようと努力すればする程却って乃公の心は自由を失いそうになる。そして遂に貴様の空想にかなうような表情が乃公の顔に現れて了ったのだ。貴様が何かありがたい証拠でも摑んだように思ったのは只これだけの事実だ。然しあれ位の事は未だいい。が、あの芝居はなんだ――「ゴンザゴ殺し」！　言葉の陳腐をさえ嫌うと自ら云う人間で、あの露骨な仕組は何だ？　しかも、それで、臆面もなく他にのしかかって来る。貴様はよく懐疑的な口吻をしたがる癖に物を単純に信じ、それで平気でのしかかって来る。あの厚顔には感じ易い心は巻き込まれずにはいない。実際乃公の心は見事に巻き込まれた。然しこれが事実の証拠として何になる！

黙伎の一くさりで既に乃公は自分の中の悪魔と、どれだけ戦ったろう？　乃公はもうあの時あの場にいたたまらなくなったのだ。が、場をはずす事の危険を考えると起つ事も出来なくなったのだ。「無心に、無心に」乃公はこれをどの位、心に繰返したか知れない。然しいやに落着いたホレーショの眼が絶えず乃公の顔を見つめている。仕舞には乃公自身の神経までが乃公の顔の筋肉の微細な運動を凝視しだした。

その内に芝居の王の云う事が、貴様の父が実際に云っているような心持がして来た。乃公は乃公自身が恐ろしい悪人だったと、そんな気がして来た、――ええ、それが何だ！　そんな事が何だ！　そんな事が事実の何の証拠になる？

ああ恐ろしい底意だ。憎むべき底意だ。貴様のそれが、乃公の感情の行く所、何処へでも待伏せをしている。乃公の心はそれを見つめながら進んで了う。そしてそれへ陥って了うのだ。

乃公に対する貴様の底意、それを乃公は前から気づいていた。が、これまではどうかしてそれに好意を持とうと考えていた。自身にも起って来る貴様に対する悪意は、それは出来るだけの努力で殺して来たのだ。乃公は貴様の善良な母に対しても、そうして来たのだ。が、もうそんな半ぱな心持ではいられない。乃公はもう、その危険さに堪えられない。強い力で浮ぼう浮ぼうとする物を或る力で水の中途に沈めている、そんな愚しい、苦しい努力は、もうしていられない。

乃公はもう腹の底から貴様を憎む！――腹の底から憎む事が出来る！

――日

――――毒殺、これ程のことがどうして隠しきれるものか。人眼の多い中で、どうして隠しきれるものか。そして若し誰か知っているものがあれば、仮令どれ程の権力で圧えつけようが、口から耳へ、又口から耳へと順々に伝わらずにいるものか。

貴様は一人でも偽りなくそんな陰口をきき得る者を実際に知っているか？　誰がある？　貴様は一つでも客観的に認め得る証拠を手に入れる事が出来たか？

第一に乃公が若しそれ程巧みに悪事を包み得る悪漢ならば初めから見えすいた貴様のあの狂言などに易々と乗せられるような事は仕はしない。のみならず、兄の死後直ぐその妻と結婚するような事もしなかったろう。乃公にはそれが出来るだけに正しい自信があったのだ。

貴様は上手な洒落を云う手間でもっともっと考えて呉れねば困る。そして事をもっと真正面から行って呉れねば困る。露骨な裏廻り程醜い物はない。真正面から来さえすれば解る事も廻りくどく仕組むとその間に真実らしく誤って来るものだ。

貴様は何と云っても乃公の最も愛する妻の最も愛する児である。

乃公は貴様の事の為に今は妻にさえ思う事が充分に云えなくなった。

今日は乃公の心は余程柔いだ。その内に何もかも話し合って、互いに解る機会があるだろう。その機会の来るまでは何事も起らぬよう心に祈っている。


……………今、ポローニヤスが殺された！　剣で突き殺したと云う。気違いだ！　気の違った悪魔だ!!

――日

彼はとうとう彼の母までを後悔させて了った。この世に悲劇を演じに来たような奴である。彼の教育はその筋を作ろう為だ。彼の哲学はそれを意味あり気に見せる為だ。あの廻りくどい云い廻しと浅薄な皮肉とは科白の抑揚変化の為だ。それに過ぎない。そして自身その主人公といういい役を引きうけて置いて、いやな敵役を自分に振ろうと云うのだ。どんな役者がやっても悲劇の主人公は直ぐ女を泣かす事の出来るものだ。無邪気で、そして単純な彼の母は其処をつけ込まれたのだ。

——母を責めている時、彼は父の幻を見るような様子をしたと云う事だ。その時「乱心の折りには有りもせぬ物の形を心で上手に作るものだ」と云ったら、大変怒ったそうだ。空々しくそれ程の芝居をするとも考えられない点で、若しかしたら本統の気違いになったかも知れぬ。父が殺されたと云う不思議な考も若しかしたら、そう云った幻から得たものかも知れぬ。

何しろ、彼はもう正気な人間ではない。正気な人間にしては余りに明らかな自家撞着を平気でやっている。彼は彼自身の父の死にあれ程に不法な空想をして置きながら、人違いから刺し殺したポローニヤスの子供等に対しては何とも考えていない。簡単に「自業自得だ」と云っていたという。「不憫な事をしたが、これも天の配剤だ。天は之を以って自分を懲らし、自分を仮りの道具として此奴等を罰したのだろう」とこんな事を云っていたそうだ。全体ポローニヤスが何時死に価する程の罪悪を犯した？　そして父を殺されたレアーチーズや、あの娘はどうすればいいのだ？　妻は「気違いながら、殺した事を甚く後悔しています」と云っているが、自分はもうそれは信じない。

彼は老人の死体を何処かへ隠して了った。

何にせよ自分はもう彼を自分の傍へ置く事は出来ない。

——日

口巧者で、そして賢そうな眼差しをしている彼は或一部分の人間から尊敬されているからこの国では罰する事は出来ない。が、もう彼の病気も危篤になっている。到底この儘にはして置けない。もう理解というような悠長な事を待ってはいられない。自分は危険な荒療治をしなければならない。

今は矢張り英吉利へやろうと考えている。

敵役が殺されずに主人公の死ぬ方がより悲劇になる………

――日

優しい娘は気が違った。一人の心に不図湧いた或「考」がこれ程に多くの人間を不幸にしようとは考えなかった。もう自分は心から彼を呪う。

――日

禍厄は一つ来ると続いて来るものだ。老人の死体を窃かに埋めたのが愚民共に妙な邪推を抱かせた。フランスから帰って来たというレアーチーズまでがその噂に乗って自分を疑っている様子だ。

――日

――自分が兄の死を心から悲しめなかったというのはそれは寧ろ自然な事ではないか。自然だというのが立派なジャスティフィケーションである。自分だけなら立派なジャスティフィケーションになっているのだ。然るにそれを彼が破壊してかかった。それだけなら未だよかった。悲しい事には、その「彼」は自分の内にも住んでいたのだ。

実際あの時の事を思うと今でも愉快な心持はしない。子供の内から一緒に育った兄の死としては自分も本統に悲しかった。が、それ以上に自分には或喜びがあった。心は自由である。想うという事に束縛は出来ない。それは愉快な事では確になかった。然しそれをどうする事も出来ないではないか。自分は自分の心の自由を独り楽しむ事がよくある。又同時にそれが為に苦しめられる事もあるのだ。その意味では自分にとって自分の心程に不自由なものはないのである。実際今の自分には、自分を殺そうと考えている彼よりも、どうにもならない自身の自由な心の方が恐ろしい。自分に於ては「想う」という事と「為す」という事とには、殆ど境はない。（思った事を直ぐ為すという意味ではないが……）

それでも自分は明かに云える。自分は嘗て一度でも兄を殺そうと思った事はない。そういう非道な考を一度だって兄に対して構成した覚えはないのだ。然し自然に不図浮ぶ考は、それはどうすることも出来ないではないか。

兄は三年程前から自分と彼女との間を疑い出した。然し彼女は自分が恋してる事すらも気がつかない位で、兄が疑い始めた事などは夢にも知らなかった。

兄の心と自分の心とは、時々心同志で暗闘をする事があった。そして兄はあの頃から決して自分を留守へ残さないようにした。旅にも、狩りにも、屹度自分を誘うようになった。そんな旅も狩りも自分には愉快な筈はない。第一に始終窺うような兄の心が自分には腹立たしかった。今になればそれもよかったと思う。何故なら、こんな事が却って彼の未亡人に結婚を申し込む勇気を自分に与えてくれたからである。

――秋の月のある寒い晩だった。納屋につながれている猟犬がよく鳴いた。狩場の馴れない堅い寝床では自分は中々寝つかれなかった。暗いランプが兄と自分との並べた枕元に弱い陰気な光を投げていた。その内疲労から自分は不知吸い込まれるように何か考えながら眠りに落ちて行った。自分はそれを夢と現の間で感じながら眠りに落ちて行った。そして未だ全く落ちきらない内に不図妙な声で自分は気がはっとした。眼を開くと何時かランプは消えて闇の中で兄がうめいている。然しその時直ぐ魘されているのだなと心附いた。いやに悽い、首でも絞められるような声だ。自分も気味が悪くなった。自分は起してやろうと起きかえって夜着から半分体を出そうとした。その時どうしたのか不意に不思議な想像がふッと浮んだ。自分は驚いた。それは兄の夢の中でその咽を絞めているものは自分に相違ない、こういう想像であった。すると暗い中にまざまざと自分の恐ろしい形相が浮んで来た。自分には同時にその心持まで想い浮んだ。――残忍な様子だ。残忍な事をした……もう仕て了ったと思うと殆ど気違いのようになって益々烈しく絞めてかかる、その自身の様子がはっきりと考えられるのである。

兄は吠えるようなうめきを続けている。自分はどうしていいか解らなかった。

其処に若し明るい灯があったら自分は決してそんな想像に悩まされる事はなかったのである。時々にそう云う事のある自分は、自身の部屋ではその用意がいつもしてあるのだ。自分は枕元の明るい灯を直ぐ点ける。そうすると、いやな夢から覚めた時でも、いやな想像の凝って来る時でも、視覚からなら容易にそれを散らす事が出来るのだ。尚部屋にはそれを助ける為に愉快な色をした風景画を二三枚かけて置くのだ。明るい灯でそれを見ると頭の調子は直ぐ変る。いやな気分も直ぐほぐされて了うのだ。殆ど夢なしには眠られない自分は、いつもこれだけの用意は忘れなかった。ところが狩場の百姓家ではそれが出来なかった。暗い中に大きく開(ひら)いた眼には只想像の場面だけが映っている。それから眼も頭も転ずる事が出来なかったのである。

自分は枕に顔を伏せて暫(しばら)く息を凝らした。自分は何か他(ほか)の感覚でその調子を転じなければならなかった。自分は強く自身の腕を嚙んで見たりした。その内兄もすやすやと眠って了った。

翌朝(よくあさ)が何となく気づかわれたが、兄は魘(うな)された事も知らぬ様子でその日の狩の計画などを自分に話していた。自分もそれで安心はした。然しその想像はその後(ご)もどうかすると不図憶い出された。その度自分は一種の苦痛を感ぜしめられる。

——日

彼も、もう英吉利(イギリス)へ着く頃である。自分には近頃何となく弱々しい心が起る。然し自分を殺そうとする者を憐む心はいいとは考えられない。

——日

彼の死の知らせが来た時を想うと、気持の悪い不安が起って来る。その時の妻を考えても、自分を考えても堪えられない気持になる。いやな事を凝(じ)っと待つ心持程に不愉快なものはない。「時」が自然にそれを近づけてくれる。弱い心を圧(おさ)えて只凝っと眼をねむっていなければならない…………。

(日記はここで断(き)れている。然しこのクローディアスの運命は必ずしも「ハムレット」の芝居のそれと同じになるものとはかぎらない。——作者)

【解題】

志賀直哉 しが・なおや（一八八三―一九七一）

●底本 『清兵衛と瓢簞・網走まで』（新潮文庫／一九六八年）

●初出 「白樺」一九一二年（大正一年）八月

のち、第一創作集『留女』（洛陽堂／一九一三年）に収録。

●資料 志賀直哉「創作余談」（一部引用）

作者は、この作品について「創作余談」の中で次のように書いている。これは、一九二八年（昭和三年）、改造社刊の「現代日本文學全集」の一冊『志賀直哉集』に収録された。

以下は、「クローディアスの日記」について書かれた部分である。

《苦労して書いた。これを書く動機は文藝協会の「ハムレット」を見、土肥春曙のハムレットが如何にも軽薄なのに反感を持ち、却って東儀鐵笛のクローディアスに好意を持ったのが一つ、もう一つは「ハムレット」の劇では幽霊の言葉以外クローディアスが兄王を殺したという證拠は客観的に一つも存在してない事を発見したのが、書く動機となった。クローディアスという「ハムレット」中の人物をとって来た以上、「ハムレット」に書かれた事と矛盾したくないと思ったので辻褄を合すのに却々骨が折れた。坪内さんの「ハムレット」をゆっくり随分丹念に読んだ。ハムレットという人物は土肥春曙のハムレットが先入主になり、本で見てもそれ以外に出られず、仕舞まで好感を持たなかったが、何年かして活動写真でフォーブス・ロバートソンという英国の役者のハムレットを見、初めてハムレットの気持に同情出来た。父を失い、母が自分の好きでない叔父と結婚したというだけでも、感じ易い若者には（頭の中だけででも）立派にあれだけの悲劇は作りあげられると思った。可憐ではあるが、ハムレットのそういう憂鬱な気持を慰める力のないオフィリアも如何にも女らしい女で面白く思われた。私は「ハムレットの日記」も書けると思い、安孫子に住んでいた頃、少し書きかけたが出来なかった。》

＊註 『志賀直哉全集』第八巻（岩波書店／一九七四年）より引用。新漢字新仮名遣いに改めた。

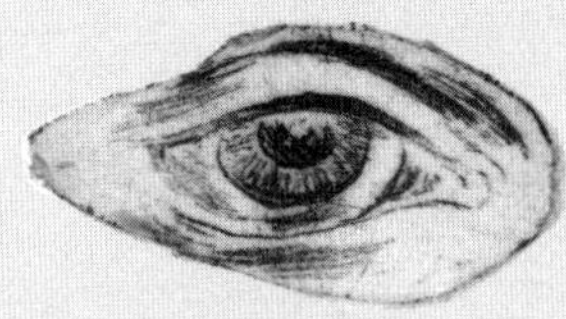

小林秀雄　おふえりや遺文

* Ma faim, Anne, Anne,
Fuis sur ton âne. Rimbaud

ハムレット様。

今は静かにあなた様にお呼びかけする事が出来るのです、……と、こんな風に申し上げただけで、もう妾は不思議な気持ちになってしまいます、あんまり思いもかけない変り方ですもの。それをこんなに空々しい程、静かな気持ちでいるのは如何した事だろう。

妾はこんな日が来るのを、前から知っていたのじゃないかしら、ひょっとすると生れない前から。何かしら約束事めいた思いがします。今迄に幾度となく、これとおんなじ気持ちになったような気がします。今度のも亦醒めてしまうのか、そして又はじめからやり直さなければならないのかしらん。いや、いや、こんな静かな気持ちを空々しいように思うのが不思議なのだ、それだけです、そうでなくとも、そう決めて置きましょう。

妾はまだ何かに脅かされているのでしょうか。そんな筈はあるまい。明日はもうこの世にはいない身です。それを何が脅かすというのでしょう、誰が誑かす事が出来ましょう。もう安心です、今はみんな終った。何も彼もが妾に背中を向けて、遠くの方に歩いて行きます。妾は落着いています。御覧なさい、妾のペンはちっとも慄えてなぞおりません。こんなにしっかりと字を書いています。妾はただ何んとも口で言えない程悲しい。まるでお魚が一匹も棲んでいない海みたいな妾の心が悲しいのです。でも悲しいなんて事はなんでもない、ほんとになんでもありますまい。でも悲しくなければ一体妾はどうしたらいいのでしょう、ああ、なんだかわけのわからない事を言っています。

ハムレット様。

今頃は何処(どこ)で何をしていらっしゃるか。なんでもイギリスの方へお立ちになったと聞きました。イギリスならば、幾日も海を渡っていらっしゃるのでしょう。それなら、今頃は船の上で、妾の事なぞ少し位は考えていらっしゃるか。妾の事なぞお考えにならなくてもいいのに。妾はあなたの事なんかちっとも考えてはおりません、朝から自分の身の上の事ばかり思っておりました。

それにしても、妾は何故(なぜ)こんなものを書き始めてしまったのだろう、何を書くともわからずに。今夜限りのこの夜を何を夢みて過すことがありましょう、この世の事は、みんな忘れ果てた様なうつろな心が、今更あなたを恋しいなどと思う筈はあるまいものを。ああ、妾は黙っていたい、こうして頑丈な樫(かし)の椅子に坐って、大きな机に肘(ひじ)をついて。若(も)しも苦しくなって来たら、いつもの通り耳に触ってみて耳の形をしらべてみたり、燭台(しょくだい)の彫り物の冷い凸凹(でこぼこ)を撫でてみたりしていたい。だけどもうどうして妾にそんな力がありましょう。そんな力があるのなら、なにもそんな、

……不思議な事だ。

妾にも子供の頃の楽しい夢があったとしても、それが一体今の妾に何んでしょう。この惨めな心を透(とお)さずに、妾に何が思い出せましょう。誰のせいだか知らないが、ほんとに誰のせいだか知らないが、もう何にも要らなくなって了(しま)いました。思い出が楽しい程、阿呆(あほう)ではなくなったのかしら。いや、いや、何も彼(か)にも、……妾の惨めな心の御機嫌を取っているのかと思えば馬鹿々々しい。今こそ妾はやっとわかった気がします。心というものは生き物です、到底、人間なんぞの手には合わない変な生き物です、あなただって、そうだ。妾だって、そうだ。みんな、知らないうちに、食い殺されて了うのです。

今朝、眼を覚ました時、それとも夕方だったかしら、そんな事はどうでもいい、朝だとか、夕方だとか、どうせ根も葉もない事です。いっそ目なんか覚まさなければよかったんです。

目を覚ました時、割れる様に頭が痛みました。眼のすぐ前に、はっきりと手だけが見えて、その手が白い雛菊といらくさの束を握っています。それを見ているのが、いやで、いやで、怺えきれない位いやなのです。だけど、どうしても眼を外らす事が出来ません、それとも、眼を外らしたら大変だと思っていたのかしら、眼を外らしたって、あとは真っ暗に決っていると思っていたのかしら、……止しましょう、どうせ書いたってうまく書ける筈もなし。何んでもないのです、ほんのつまらない事なのです。妾は気が違っていたのです。ほんとにおかしな事です。何んと言っていいやら、わかりません。きっと歌なんか歌っていたのでしょう、もっと恥しい事を、色んな事をしてたかもわからない、そりゃ妾だって、うすうす位は覚えてますけどね、そんな事、お聞きになるものじゃありません。

いくら気が違っても、肩から羽は生えてはくれなかった、妾はやっぱり、この世にいた、この世に引摺られていたのです。何んという穢ならしい、情けない事でしょう。でも、今はもう決った。決った上は平気です。平気でお話しはしますけど、これは内証なんです。

あの時の事を思うと泣きたくなります。ほんのちょっとした食い違いなのです。死ぬ程怺えていたのに、そのじっとしていた手が不意に動いてしまったのです。はっとして何んにもわからなくなりましたが、今度、目が醒めたら、眼の前にホレエショ様が見えました。あんまり蒼い顔をしていらっしゃるので、驚いてお訊ねしようとすると、大きな掌で、頭を押えられました。見ると、妾の靴は泥だらけで、腰の上には花が挘られて一杯です。何んだか、おかしいので笑い出そうとすると、急に恥しくなって真っ赤になりました。妾は、あなたのお部屋にいたのです。ホレエショ様は、何かしきりに言っていらしたが、妾には何んにも聞えませんでした。涙が出て来ると一緒に、急に妾にはみんなわかりました。一度に、はっきりわかりました。そして、ふと死んだ方がいい、死のう、と、はっきり思いました。妾は大きな声で笑い乍ら、廊下に馳け出しました。笑っているのはホレエショ様のような気がしてならないので、出来るだけ大きな声を出して笑ったのです。何も、妾は気違いの真似をしようと思って笑ったわけではないのです。どうぞそれは信じて下さい。室に這入って鍵をかけて、それから……それから、こうして、もう夜で、こうして何やらわけもわからず書いています。あとは、夜明けを待てばいいのです。こうして字を並べていれば、その中に夜が明けます。夜が明けたら、夜が明けたらと妾は念じているのです。夜が明けさえすればみんなお終いになる。何故って、そうなったんだもの、はっきり、そうだと、わかるんだもの、どうぞうまく行きます様に。…………………………………………………………………………………………おや、おや、点々ばかり書いていて、どうする気でしょう。女の手紙には、必度、点々があるものだ、と、あなたはおっしゃる。ありますとも、点々だって字は字です。あなただって、気違いは気違いです。早くクロオディヤス様をお殺しになるがいい、妾は知りません、何んにも知りません。……ああ、あなたは何んと遠い処で暮していらっしゃる。

どうしてこう苛々して来るのでしょう。妾は決してそんな積りじゃなかった。何んの為に、そうですとも、今となって、何んの為に妾は苛々しなければならないのか。それがどうしてもわかりません。妾は泣きます、悲しくはない、悲しくて誰が泣くものですか。

あなたには、おわかりになるまいが、泣く事だって、ちっともやさしい事ではないのです。善い事にしろ、悪い事にしろ、涙はいつも知らないうちに妾の心を決めてくれた。それこそ妾の覚えた奇態な修練です。誰にわかろうとも思えない。妾は、涙が妾の心をうまく搔雑ぜてくれるのを待っています。

妾は何んでも待っている、無駄と知りつつ、知れば知る程、待っていた。これも、奇態なならわしです。妾はもう、一と足も動く事が出来ません、丁度、今朝見た花束の様に。ああ、そうだ、もしかしたら、あれは妾だったのです、きっとそうです、そんなら妾を握っていたのは誰の手だろう。あれは、あなたの手ではない、あなたの手はもっと大きい、そう、そう、あの時は鹿の皮の手袋をしてらした、新しい剣をお造りになった、青黒い山肌が見えて、風がちっともありません。鱗のないお魚が曲った草の上を歩いて行き、馬がいてあんまり馬の眼が黒いので、妾はびっくりした。黒い山があって、お魚がいて、馬がいて、……そんな、おまじないみたいなものをして、妾は子供の頃、毎晩、眠りに就いたのかもしれない。妾はもう、ほんとに寝なくちゃならない。

どうぞ、わけのわからぬ事を書いている、などとおっしゃらない様に。妾はきっと、自分の考えている事なぞ、ちっとも書いていないのに決ってます。まるで別な事を、と、言っても、何が別なのかも知りはしない……それは無理です、あなたは、妾が今、どんな気持ちでいるか御存じない。御存じなければ何をおっしゃっても無駄です、だから、無駄だと思って書いています。それに、もしかしたら、あなたにお話しする事だって、これっぱかしも、ないのかもわからない。どうやら妾は、こうして書いているのが頼りなのでしょう。あなたにお話でもしていなければ、どうしていいのか、わからないのでしょう。書くのを止めたら、眼が眩んで了うかもわからないし、何が起るかもわからないし、死ぬ事だって出来なくなって了うかも知れない、折角、はっきりとお終いにしようと思っているのに。夜が明けたら、そう、夜が明けたら、それまでは、どうぞ、お喋舌りが、うまく妾を騙していてくれます様に、こうして書いている字が、うまく嘘をついてくれます様に、……

ずいぶん見窶らしい希いもあるものだ、こんな奇妙な希いを持つ為に、今まで暮して来たのだと思えば、ほんとに不思議な気がします……ええ、ええ、妾は何んにも信じてはいませんとも。どんな希いだって、持たされてみれば、おかしなものだ。何か希いのある人は仕合せです。仕合せな人は、みんなおかしな顔をしています。あなたにしても、誰にしても、別に妾よりましな希いを持っているわけではない、何も彼も空しい、そう、そう、あなたのお好きなお話しです、妾は飽き飽きする程、聞かされました。……空しいと、どうなんでしょう、何にもどうにもなってはくれない。言ってみたいだけなんです、あなたもそんな事を言ってみたいお方なのです。いいえ、妾だけは別です、別でちっともかまいません。

あなたの、そういうお好きなお話しをいつも上の空で聞いていると言っては、妾の事をお責めになった。妾は、ちゃんと聞いておりました。ただ、妾の顔が上の空だったのでしょう。それとも、何一つ空しいものはない様な顔をしていましたか。きっと、それがお気に触ったんでしょう。あなたは、何んでも妾の知らない事で腹をお立てになる。知らない振りをしてる、とおっしゃる。だけれども、知らないのと、知らない振りをするのとは、そんなに違った事じゃないのです。もしかしたら、まるで、おんなじ事なんです。そうだ、ほんとに、そう言ってやればよかった、尼寺へ行けだなんて、あなたこそ死んでしまえばいいのです。

今になって、わかったってどう仕様もない、けれど、だけど、妾には色んな事がわかりました。悲しい目に会うと、ふと心に浮んで来る様に、色んな事がわかるものです。この世は空しいという事も、今こそやっとわかりました。まるで生れた時から知っていた事の様にわかりました。と言っても、あなたには何やらおわかりになりますまい。

ああ、この世は空しい、……それは、あなたのお言葉じゃない、あなたの様に気難かしいお顔をしてお使いになる、言葉じゃない。誰の言葉でもない、人がいくら使っても、使い切れない風の様な、風の様に何処にでもある様な、何んの手応(てごた)えもない様な、得体の知れない言葉なんです。こんな仕様もないくらい易しい、変哲のない想いが、他にあるでしょうか。ほんと言えば、妾にはわかり過ぎていた事だったのです。だから、みんなが妾につらく当ったんです。そして妾はへまばかりして来たのです。ああ、それに違いない。何んというお芝居でしょう。何んと沢山な役者がこんがらかっていて、みんな何んという顔だろう。人間なぞは一人もいない、ええ、妾は、逃げます、妾に役は振られてはいません、二度と帰ろうとは思いません。幽霊ばかりが動いている、何んの心残りがあるものか。

……いくら言っても同じ事です。手応えはない、水の様に、風の様に、妾は何処に行けばいいのかしらん、……夜が明けたら、いや、いや、そんなに急ぐ事はない、妾はこうして書いている方へ行けばいい、書いている方へはこんで行かれればそれでいい、でも何を書いたらいいのだろう。……言葉はみんな、妾をよけて、紙の上にとまって行きます。……一体、何んだろう、こんなものが、……こんな妙な、虫みたいなものが、どうして妾の味方だと思えるものか。妾は、もっと確かな顔をしたものにも、幾度も、裏切られて来た、例えば、……飽き飽きしました。ねえ、だから何か外の事を書きましょう、だから、書いたって書いたって、ほんとにどうしたらいいのだろう……ああ、妾は疲れた。疲れて、あの剝(は)げっちょろけた空が見える。あの空こそは……何んにも出来ない証拠です……

いやな気持ちになって、吐きそうになって来ました。でも大丈夫、妾は止めやしません、止めたら大変です。それは、あなたもわかって下さいますね、あなたはみんなわかって下さいます。

何をぼんやりしてたのだろう。そんな暇もない癖に……

妾は船縁りから脛をぶらさげて、海の水の走るのを見ていました。妾は何処かに流されて行くに違いない、他に誰も乗っている人はいないのも解っていたし、この船は独りでにお魚を食べて動いている事も知っていたし、妾はもう諦めていた。……真っ青な海の水は動いているともみえない位、早く走って、足の裏をすれすれに膨れ上るかと思うと、又、凹んで船の底を掠めます。見ているのが怖ろしくなって、上を見上げると、卵色のまん丸い帆があって、それがいくつもいくつも、順々に小さくなって重なって、空は在るのか無いのかわからない様な色に見えます。貝殻を重ねた様な帆は、じっと静かに少しも動きません。船が何処かに流れつかないうちに、死んでしまうかもわからない、それは、どっちにしてもかまわないけれど、ふと見ると、帆柱のてっぺんから梯子を降りて来る人があります。よく見ると栗でした。毬のない、ただすべすべした茶色の栗が、ひょいひょいと梯子を降りて来ます。どうにも危い芸当で、今にも滑り落ちるかと息を殺して見ていましたが、見ていられなくなってうつ向くと、栗はとうとう無事で降りて来たとみえて、妾の直ぐ傍にいました。妾は逆上する程感動して、今でもその時の感動を忘れません、よかった、よかった、と栗に言いました。見ると、栗はやっぱり普通の栗で、やっぱり、思った通り茹でてあるので、妾は拾って食べましたが、食べながら、譬え様のない、いやな悲しい気持ちになりました。そんな夢をみた、子供の頃に。妾は今、どうしてか、その夢の事を思い出しています。今、夢から醒めた様にはっきりと。そしてあの時、夢の話をして、みんなから笑われた様に、今も誰かに笑われている様な気がしてならない。妾はみんなに笑われたので、口惜しくて泣き出した、泣いているうちに夢の中で栗を食べていた時と、ほんとうにおんなじ気持ちになって、あんまりおんなじ気持ちなので、妾はびっくりして、きょろきょろしたので、又みんなが笑いました。妾は忘れない。忘れろといっても、忘れてやらない、妾は今、茫然として繰返しているのです。いつも変らない妾がいた、今もこうして、栗の夢から醒めたばかしの妾がいる、この世は、妾を少しでも変える事が出来たでしょうか。

だけども、あんまり情けない、吾が身の見窶らしさに慄えているとは情けない。妾は一体、何処で、どんな手出しをした事があるだろう、何を嫌だと言った事があるだろう、いつ、お前の手から逃げようとした、いつも言いなり次第になって来た、それをどうした事だろう。みんな夢です、夢でなくて何んだろう。大きな夢にこづき廻されて、妾は又、小さな夢で、その夢の一とかけらが、今、夢から醒めて、そうだ、妾はもう夢をみまいと思っている、笑いたければ笑うがいい、いくら笑っても妾を笑わせる事は出来ないのです、出来なければ笑ったってちっとも面白くはないでしょう。

妾にさわっては貰うまい、いえ、もう誰も妾をいじめる事は出来ない、鍵はかかっているし、第一、もうみんな寝ているし、妾一人が起きていて……何も彼も妾のせいじゃなかった、妾のせいじゃなかった、誰かがそう言っています、さっきから頭の中に誰かが坐って、そう言っています。妾のせいじゃなかった、誰のせいでもなかった、……うるさい事です、妾は寝よう、ほんとうにもう寝よう、こん度こそは、ほんとうなのだろうか、毎晩、毎晩、眠って来たとは、不思議な事をして来たものです。そうしては夢をみた、いくつもいくつも、いや、いや、やっぱり誰かが頭の中に坐っています、ああ、いやな事だ、何んという、いやな疲れ方をして来るのだろう、何処まで行ったら夜が終ってくれるのか、いよいよとなったら、誰も助けに来てくれやしない、始末は自分でつけねばならぬ。……でも妾にはどうしても言いたい事がある、いいえ、気が違っても構わない、ちっとも構わない、死のうとして、そうだ、ええ妾は笑ってやります、笑ってやりますとも、それを人の気も知らないで邪魔する奴がいるんです。何処に、何処にでもいるがいい、妾には、わからない、わかろうとすれば、何も彼も壊れてしまいそうな気がします。今にも壊れそうなこんな心を後生大事にだき乍ら、妾はあの世に行きたかない、あの世、あの世とは何んだろう、あの世だって、おんなじ景色をしているのじゃないかしら。晩かれ、早かれ、気が附くんです、気が附いた途端に死んで了う人もある。気が附いて、びっくりして暫く生きてる人もある。もしも、やっぱりそんな事だったら……

生きるか、死ぬかが問題だ、ああ、結構なお言葉を思い出しました。問題をお解きになるがいい、あなたのお気に召そうと召すまいと、問題を解く事と、解かない事とは大変よく似ている。気味の悪い程、よく似ています。いいえ、この世で気味の悪い事といったら、それだけだ。あとは、あとは何んの秘密もない人の世です。あなたの難かしいお顔だって、ほんの一とこまの絵模様だ、何んと仕合せなお顔でしょう、その仕合せなお方に、可愛がられて、捨てられて、……どうせ、妾は子供なんです。何にも知らない子供です、そんなに幾度もおっしゃらなくともいい。妾は、あなたの様に悧巧になる暇がなかった、なんにも覚える暇はなかった。その代り、色々な事を無理矢理に覚えさせられました。おっしゃる様に無邪気なのかもわからない、だけど、あなたにはわからない。無邪気が、どんなに悲しいものだか御存じなければ、無邪気だ、とおっしゃったって詮ない事だ。いじめられる人が、どんなに沢山のものを見ているのか、おわかりなければ、それは又別の事です。無邪気な頭だって、込み入っています、大変な入り組み様をしています。妾には、あなたの難かしいお言葉が辿れたためしはありません。だけども、あなたの難かしいお顔はちゃんと知っておりました。隅々までも知っています。妾は、あなたのお顔を見ている時ほど、忙しい思いをした事はありません。あなたの胸の四角な鎖を数えながら、何んという思いをした事だろう。妾の頭はわけの解らない、支え切れない程の思案で、いつも一杯になっていた。妾は仕方なく、ほんとに仕方がないので笑っていた。いいえ、もしかしたら、それが、あなたの欲しがってらっしゃる事だと解っていたからなんです。あなたは、いつも欲しがっていらした。いつも無邪気な顔をしている様に、妾にいい附けていらした。そしてあなたは、何もしては下さらなかった。なぜ、あなたはいつも横を向いていらしたのか、なぜ、妾の無邪気を育てては下さらなかった。何も彼も黙って見ていらしたのじゃありませんか。育てて下さったら、どうして妾は無邪気が悲しいものだなどと申しましょう。無邪気が、こみ入っている等と申しましょう。

妾は待っていた、あなたが、しろとおっしゃれば、妾には何んだって出来たのです、どんな恐ろしい事だって。妾は知っておりました。王様の亡霊の事だって、ホレエショ様をだまして聞きました。ああ、妾には、たった一つの事しか要らないのに、何んとあなたは沢山の夢を持っていらっしゃる。復讐だとか、戦争だとか、あんな色々な御本だとか、それで、妾の様のものの、眼の色さえ読む事がお出来にならない。

でも、もしかしたら、あなたは何から何まで知っていらしたのかもわからない。あなたは、そんな迂闊な方じゃない、きっと、みんな御承知だったに違いない。もしもそうなら、妾に何を言う事がありましょう、何を言ってもわかっているとおっしゃるなら、何処に取りつく島がありましょう。ああ、あたし達は一体、何をして来たのでしょう。知り過ぎて、何も彼も知り過ぎて、あたし達はみんな滅茶滅茶にしてしまったのか。いえ、いえ、恋しい人の事を誰がぼんやりしていられよう。色んな事があったじゃありませんか、色んな事が、ねえ、思い出して下さいな、色んな事が、……ああ、お父様……

気を落ち着けて、泣かない様に。今となって泣く事も何もないのです。ほんとに、こんな事で、みんなお仕舞にする事が出来るのだ、つまらない事を思うまい、こんな静まり返った夜のなかで、妾一人が何をそわそわしているのでしょう。早く夜明けが来ればいい、夜が明けて一番はじめの雲が出たら、そうだみんな決っています。

生きている事があんなにこみ入っているくせに、何んと簡単におしまいになる……妾は今、何かが解ったのかしら、そうじゃないのかしら。ほんとに果てなのかしら。……ああ、言葉は何にもおしまいにはしてくれない。思うまい、恐がる事はない、眼をあけたまま、眠る人もあると言います、妾も眼をあけたまま眠ればいいのです。

……死ぬ時に何か書き遺す事のある人は仕合せです、仕合せだか、どうだか知らないが、それは妾の知らない人達だ、こうまで気持ちの白けるものか。妾だって、さようならぐらいは言い度いものです、誰に、あなたにか、あなたにと言っては、口籠った、妾をつかまえる羂が、いつでも待っていた。今となって、どう足掻こうものでもない、ああ、いつまで、あなたがつき纏う、どこまで、あなたは妾をいじめたら気が済むのでしょう。ほんとに一人っ切りになれたと思っていたのに。どうして、一人っ切りではないのだろう。

何も彼もから遠く来て、何一つ欲しがるものもなくなった妾の心が、こんなに騒がしいものとは知らなかった。打っちゃっても、打っちゃっても、ぼんやりする行手には、どうしても妾の知らない妾がいます。行着いてみれば又、ぼんやりして又、妾がいて、ああ、又いやな事を考え出す。そのうちに、頭の内側が痒くなって来るんです。妾はなんでもわかっています、あの事の知らせなんです。これが、一人ぽっちの正体なんでしょう。一人ぽっちでいる事は、一体がうるさい事なんでしょう、だからみんな一人ぽっちになるのが恐いんでしょう、みんな生きているから悪いんです。だって妾は、まだ生きている、生きて、こうして字を書いているんですものね、よく説明してあげると、いいんだけど、もう、そんな暇がないから、御免なさいね、妾は平気です、何んだって平気です、お父様の事だって平気です、あなたはお父様の事を、鼠だ鼠だ、とおっしゃったそうですが、ほんと言えば、妾は蛙だと思ったんです。そら、妾がお父様の髪の血を洗っていたでしょう。だって固まっているんだから、なかなかとれやしません。ひどくすれば毛が抜けるし、手は慄えるし、それにあんなに泣いているんですもの、だから水をじゃぶじゃぶこぼして了ったんです。蛙だと思って、びっくりして、いえ、びっくりなんかしやしません、幾時だったか、ころんだ時に、鼻のすぐ前に大きな蛙がいたんですもの、そりゃ、水瓶をひっくり返した事は返したんです。それを、ホレエショ様みたいに恐い顔をして、妾を睨めつけなくてもいいのです。ほんとに意地悪な人です。ええそれから、花環をつくりに山へ行きました。あそこには、毛茛が一杯咲いています。この大きな石に坐っていると、あなたがむこうのお城に馬でいらっしゃるのが見えました。すぐ杜にかくれてしまうけど、陽が一杯あたって、帽子と剣とが、よく光りました。急に、長い事、経って、雲が来て、陽が翳ると、暖まった石の匂いがして、いくら心の中で言ってみても言ってみても、空も、杜も、毛茛も、動かない、動かない、と思いました。ほんとに、あすこは、よく陽があたって、一杯陽があたって、……おや、おや、下の部屋でまるで妾みた様な人が、やっぱり何か書いていますよ、やっぱり、机の上で陽が一杯あたってなんぞ、と書いています。……ちょっと待って下さい。様子を見て来ます。

夢でもみていたのかしら、確かに誰かが出て行った。いや、そんな事を言ってる暇はない、急がなくちゃならない、ああ、もうじき夜明けが来る……

月は出ているかしら、あの石垣の角の処に。芝草はいつもの通りに濡れていて、茴香の叢は、まだ花はつけてない、樫の森の真ん中に、丸い穴があって、噴水の先きが光っているだろう。みんな知っている。隅から隅まで知っているあの風景が、どうぞ、そのままでいる様に、何一つ壊れないでいる様に。

覗いて見ようと思うけれど、やっぱり駄目、駄目な方がいい、大丈夫、思った通りです。あんまり思った通りで、きっと恥しい思いをして了う、……このままでいた方がいい、このまま、じっと閉じ込められていればいい、壁がどんなに厚くっても。……うしろに映った影を見てはいけない、天井にだって、いろんな見てはいけない影が動いている、それも、ちゃんと知っています。

きっと霧が一杯に降っている、どうぞ、小田巻草（おだまきぐさ）の紫の花が、そのまま並んでいます様に……階段は外されたし、廊下も、きっと、もうなくなっているだろう。あれは何んとかいったっけ、何んとかいう島の洞穴から霧が出て来るのだそうだ、いや、いや、無駄な事を考えまい。ちゃんと書きつけてみなくてはいけない。……飛び下りる。飛び下りればいいのだ、跣（はだし）で行こう、靴は履くまい。……足の裏が冷くて、目を醒ましたりなんぞしてはいけないよ。お前は、すぐ目を醒ますからいけない。靴は、だから靴は、あそこに置いときます。どうせ、誰かが履くに決っている。誰かが泣いたり、笑ったりするだろう。噴水の処の腰掛けにも、誰かが来て坐るでしょう、それを誰かが見つけても妾は知らない。どうせみんな誰かです、ああ、遠くまで来た、静かに、静かに……してなくちゃいけない、もう直ぐ夜が明けます、さあ、ちゃんと書きつけてみなくてはいけない。……こっちの方の石垣の角に、一番初めの雲が出る、赤い、馬の形をした、若（も）しも……そんな事はない、出ているに決ってます、それで、もう安心だ、右へ曲って、あの門は錆（さ）びているけど、じき開きます。そら、あなたが何んとかおっしゃった、黄色い石を割ると、何んとかいう小虫の化石がいる。そしたら、花環を、あの柳に掛ければいい、枝が水に漬かっていて、渦巻があるのも知っています、花環だって、ちゃんと揃っています、雛菊（ひなぎく）に、いらくさに、毛莨（きんぽうげ）に、要らない花は、パン屋の娘にやりました。あの親父は、なんていう親父でしょう、曲りっ角のところで、妾にぶつかったりして、妾はパンは要らないと言ったんです、ほんとに言ってやったんです。……雛菊に、いらくさに毛莨に、パンなんか要らないんです、パンの事など書く閑（ひま）はない、もう、そんな暇はありません、もっと大事なことが一杯あるんです。ねえ、あなたは聞いて下さいますね、妾はあなたが恋しい、どうしても、恋しい、聞いて頂く事が一杯あるのです、一杯あって、こんなに忙しいのに、何もパンの事なんか、まるで狂気の沙汰です、いいえ、ほんとに気が狂っていたんです、嘘はつきません、ほんとうです、前にもそんな事があったんです。だから、みんな出鱈目（でたらめ）です、前の方はお読みになってはいけない、だから堪忍（かんにん）

して下さい、あなたは怒りはしませんね、だから堪忍して下さいと言っています、でも、もう大丈夫、気を取り直したから大丈夫です、花環だって、ちゃんと拵（こしら）えてあります、あなたのお机の上に、ほんとに妾は馬鹿で仕様がありません、あなたのお机の上に、ちゃんと置いてあるんです、今、すぐ取ってあげます、待ってて下さい、すぐ帰って来ますよ、馬車も待っています、そしたら、歌も歌ってあげます。

---

*註　エピグラフはランボオの詩「飢餓の祭り」冒頭からの引用。
「俺の飢餓よ、アンヌ、アンヌ、／驢馬に乗つて失せろ。」（中原中也訳）

【解題】

小林秀雄　こばやし・ひでお（一九〇二―一九八三）

●底本『Xへの手紙・私小説論』（新潮文庫／一九六二年）

●初出「改造」一九三一年（昭和六年）十一月号。修正の上、一九三三年、単行本として三才社より刊行。

●資料「ハムレットに就いて」（全文）

《ハムレット型の人間という事を言う。憂鬱で、知的な懐疑派をハムレット型と呼んで一向平気でいる。「ハムレット」という作品を読んだ事がない人もハムレットという言葉の意味する人間の型に就いては心得ている。そして自分の裡にも他人の裡にもハムレットの顔を見る様に思う。これは何もシェクスピアに限られた事情ではなく、古来大作家の創造した人間は、各人の裡にそういう風に生きている。

　成る程嘗てある人物に名付けたハムレットという名前が、普遍化された概念となって人々の心に生きるとは、シェクスピアという人がよほど偉かった證拠だ。人々が彼の描いた人物に、ある人間の型を見付けずにはおかぬ程、人物は鮮明な強い形に描かれていたという證拠だ。

　併し一方から考えると、こういう風にハムレットという言葉が実物の「ハムレット」を離れて人々の間をうろつくという事は甚だ奇怪な事で、よく考えると何故私達はハムレットなどという空疎な概念を平気で持廻っているかわからなくなる。

　実際実物をよく読むと、私達は漠然と意識して一向気にかけぬハムレットの顔なぞはどこかへけし飛んでしまうのだ。シェクスピアが描き出しているハムレットは厭世家でもあるし、又同時に楽天家でもある。懐疑派でもあるが、又正義を確信する一本気な男でもある。知的な臆病者でもあるし、復讐の念に燃える剛毅果断な勇者でもある。要するに形容に苦しむ豊富複雑な人間の姿があるだけで、私は今更のように驚くのである。

　天才の創る所万事かくの如し。》

＊註　初出は「沙翁復興」創刊号／一九三三年九月
『小林秀雄全集』第三巻（新潮社／一九六八年）より引用。
新漢字新仮名遣いに改めた。

オフェリヤ

ランボオ／小林秀雄訳

I

静かな黒い流れの上に、星の群れは眠り、
眞つ白なオフェリヤが、大きな百合の花のやうに浮いて行く。
長い面帕（かづき）に寝かされて、靜かに靜かに浮いて行く。
遠い森の方角には、鹿追ふ角笛の音がする。

はや千年は過ぎたのか、悲嘆に暮れたオフェリヤが、
幽靈のやうに血の氣もなく、黒い長流（ながれ）を過ぎてから。
心優しい氣の狂ひ、戀歌（おもひ）は夜風に託されて、
もう千年もたつたのか。

風は乳房に口附（くちづけ）し、やすらかに眠る大きな面帕（かづき）は、

花冠（はなかんむり）のやうに擴（ひろが）つて、
枝垂柳（しだれやなぎ）は肩越しに、身を慄はせてすゝり泣き、
夢みるやうなその額（ひたひ）、氣高い額に葦は傾く。

亂れくだけた睡蓮（ひつじぐさ）、寄りそひめぐり吐息して、
ふと、目ざめれば、茫然たる榛（はんのき）の樹蔭（こかげ）、
何の巣か、かすかな羽撃（はゞたき）の音が洩れる。
誰の歌か、金色の星から歌聲がおちる。

II

あゝ、雪のやうに美しい、色青ざめたオフェリヤよ。
ほんの子供で、お前は死んだ、河が流して行つてしまつた。
諾威（ノルヴエジユ）の高嶺おろしに吹く風が、
つらい自由をひそひそと、話してきかせた爲（ため）なのだ。

人知らぬ風が、お前の髪を叩きつけ、

なんにも知らぬお前の心に、怪しい響きを傳へたからだ。
あゝ、樹の嘆きや夜の溜息に、お前の心は耳を澄まして、
『自然』の歌とやらを聞いてしまつた爲なんだ。

あんまり情愛のありすぎた、優しい幼いお前の胸を、
臨終時の巨人の喘ぎのやうな海の音が、潰してしまつた爲なんだ。
ある四月の朝のこと、美しい蒼白な騎士が一人、
あはれにも氣が狂ひ、默りこくつて、お前の膝に坐つた爲なんだ。

天よ、愛よ、自由よ、何たる夢か、あゝ可哀さうな氣違ひめ。
お前はあの男を頼みにした、雪が火を頼みにしたやうに。
燃える想ひが重なつて、咽喉がつまつたお前なんだ。
——で、恐ろしい『永遠』が、お前の空色の眼をやつつけた。

Ⅲ

摘み取つた花を捜さうと、夜が來て、お前の來るとこを、

星影たよりに、『詩人』は見たといふ。
長い面帕に寝かされて、大きな百合の花のやうに、
水を行く眞つ白なオフェリヤを見たさうな。

オフェリア

ランボオ／中原中也訳

I

星眠る暗く静かな浪の上、
蒼白のオフェリア漂ふ、大百合か、
漂ふ、いともゆるやかに長き面帕に横たはり。
遐くの森では鳴つてます鹿逐詰めし合図の笛。

以来千年以上です真白の真白の妖怪の
哀しい哀しいオフェリアが、其処な流れを過ぎてから。
以来千年以上ですその恋ゆゑの狂ひ女が
そのロマンスを夕風に、呟いてから。

風は彼女の胸を撫で、水にしづかにゆらめける彼女の大きい面帕（かほぎぬ）を花冠（くわくわん）のやうにひろげます。
柳は慄へてその肩に熱い涙を落とします。
夢みる大きな額の上に蘆（あし）が傾きかかります。

傷つけられた睡蓮たちは彼女を囲繞（とりま）き溜息します。
彼女は時々覚まします、睡つてゐる榛（はんのき）の
中の何かの塒（ねぐら）をば、すると小さな羽ばたきがそこから逃れて出てゆきます。
不思議な一つの歌声が金の星から堕ちてきます。

II

雪の如くも美しい、おゝ蒼ざめたオフェリアよ、
さうだ、おまへは死んだのだ、暗い流れに運ばれて！
それといふのもノルヱーの高い山から吹く風が
おまへの耳にひそひそと酷（むご）い自由を吹込んだため。

それといふのもおまへの髪毛に、押寄せた風の一吹が、

おまへの夢みる心には、ただならぬ音とも聞こえたがため、
それといふのも樹の嘆かひに、夜毎の闇の吐く溜息に、
おまへの心は天地の声を、聞き落（もら）すこともなかつたゆゑに。

それといふのも潮（うしほ）の音（おと）が、さても巨いな残喘（ざんぜん）のごと、
情けにあつい子供のやうな、おまへの胸を痛めたがため。
それといふのも四月の朝に、美々（びゝ）しい一人の蒼ざめた騎手、
哀れな狂者がおまへの膝に、黙つて坐りにやつて来たため

何たる夢想ぞ、狂ひし女よ、天国、愛恋、自由とや、おゝ！
おまへは雪の火に於るがごと、彼に心も打靡（うちなび）かせた。
おまへの見事な幻想はおまへの誓ひを責めさいなんだ。
——そして無残な無限の奴は、おまへの瞳を震駭（びつくり）させた。

Ⅲ

扨（さて）詩人奴（め）が云ふことに、星の光をたよりにて、

嘗ておまへの摘んだ花を、夜毎おまへは探しに来ると。
又彼は云ふ、流れの上に、長い面帕（かつぎ）に横たはり、
真（ま）ッ白白（しろしろ）のオフェリアが、大きな百合かと漂つてゐたと。

解題】

ランボオ Arthur Rimbaud（一八五四―一八九一）
小林秀雄 こばやし・ひでお（一九〇二―一九八三）
中原中也 なかはら・ちゅうや（一九〇七―一九三七）

●底本
小林秀雄訳『ランボオ詩集』（創元ライブラリ／一九九八年）
中原中也訳『ランボオ詩集』（岩波文庫／二〇一三年）
＊小林訳は旧漢字旧仮名遣い、中原訳は新漢字旧仮名遣い（それぞれ底本通りに収録）。

●初出　小林訳の底本「後記」には、「この訳は白水社が出版したものを、殆ど全部改訳し岩波文庫に入れてもらったもので（以下略）」とあり、文末に「昭和二十三年八月」とある。
中原訳の初出は、野田書房版『ランボオ詩集』（一九三七年）。

●資料　【面帕】について
第一連の原文（Ophélia のみ英語綴り）は以下の通り。

Sur l'onde calme et noire où dorment les étoiles
La blanche Ophélia flotte comme un grand lys,
Flotte très lentement, couchée en ses longs voiles...
—On entend dans les bois lointains des hallalis.

［voile］は小林訳では［面帕(かづき)］中原訳では［面帕(かつぎ)］［面帕(かほぎぬ)］。
日本国語大辞典（小学館）によると、
かお‐かけ【面帕】婦人や貴人が、頭からかける薄い絹などの布。婦人が帽子に取り付けて顔を覆う網や紗（しゃ）の布。ベール。
かずき【被・被衣】かつぎとも。きぬかずきのこと。公家や武家の婦女子が外出の際、顔を隠すために、頭から背に垂らしてかぶり、両手をあげて支えた単（ひとえ）の衣。

＊

近年の翻訳では以下のように訳されている（冒頭第一連）。

星の眠る黒い静かな波のうえを
色白のオフィーリアが漂う　大輪のユリのように
長いヴェールを褥にいともゆるやかに漂う……
――遥かな森に聞こえるのは獲物を追い詰める合図の角笛
（宇佐美斉訳『ランボー全詩集』ちくま文庫／一九九六年）

大岡昇平

オフィーリアの埋葬

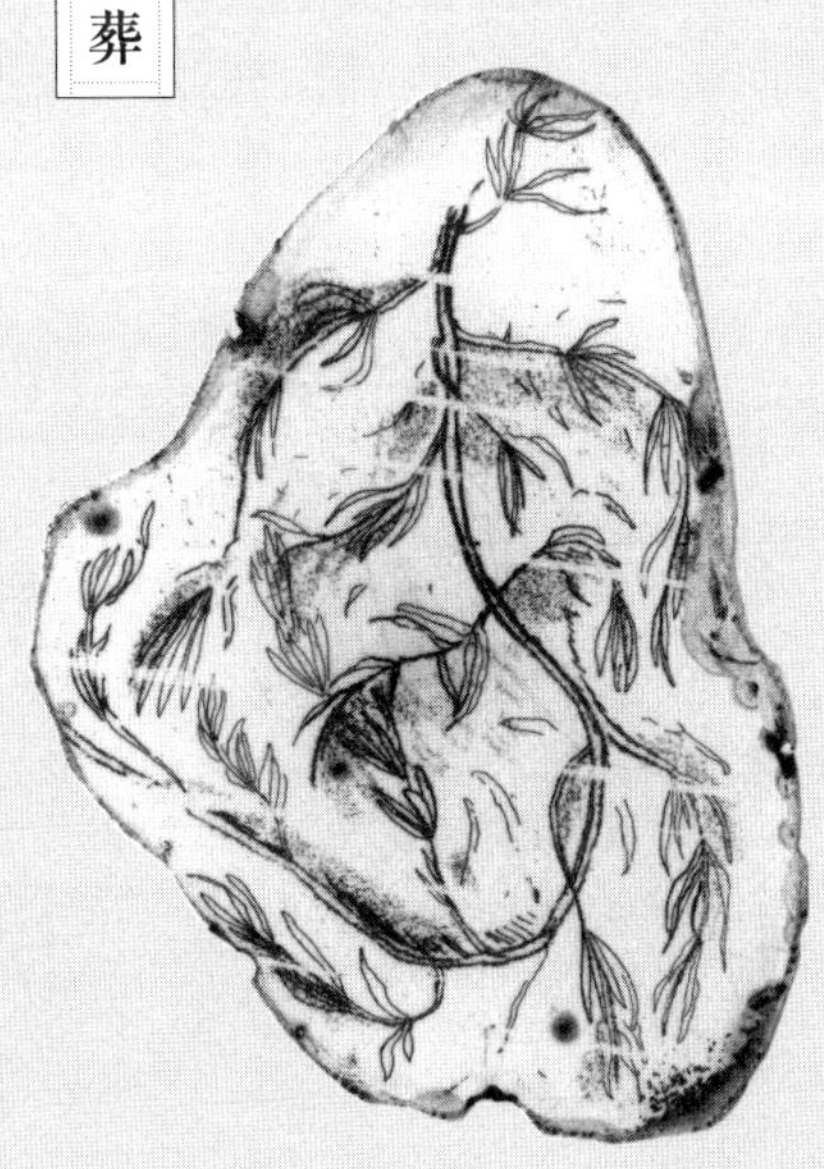

六月九日

ユトランド半島の荒涼たる砂丘地帯を横切って、終日、ホレーシオと共に旅を続けた。単調でゆるやかなうねり、氷河の残した岩と砕石(さいせき)、その間に低い松がまばらに立つ間に馬をやって、夜の帳(とばり)の下りる頃、とある谷間の村の宿で、出迎えの腹心の者らと落ち合った。彼らは私の王子の正服と佩剣(はいけん)を持って来てあった。剣は吊ったが、服はこれまで通り船乗りの粗末なぼろのままで行く。私はデンマークではまだ歓迎されざる王子なのだ。宮廷の紳士ホレーシオに引致(いんち)される、身分不明の船乗りと見られる方が安全なのだ。

二人の供の者は悲しい報せを持っていた。オフィーリアが水死したという。レアティーズと共に、再び別荘に下って、野山を歩き廻っていたが、昨日、付近の小川に落ちて溺れ死んだという。清い流れに裳(も)をひろげ、白百合さながらに、歌を唱(うた)いながら流れを下って行ったという。父の死を悲しんで取り乱していたから、思い余っての身投げか、過(あやま)って川にはまったのかわからぬ、という。なんたることだ。デンマークでは、今年に入ってから、これで二人の死者が出たことになる。そしてみな直接間接に、私がしたことから発している。花草の茂みに縁取られた小川を越すごとに、私は水面に浮ぶオフィーリアの姿を思い浮かべた。

六月十日

昨日と同じくエルシノーアへ向って、西より東へ、半島を横切って旅を続けた。この辺へ来ると、周囲は漸(ようや)く地味豊かな田園とかわる。イギリスへの船旅で、デンマークを留守にしていたひと月あまりの間に、木々は芽を吹き、花は一斉に開いてしまった。ばら、三色菫(さんしょくすみれ)、茴香(ういきょう)、雛菊(ひなぎく)、きんぽうげなど、色とりどりの草花が、川のほとり、林のかげを飾っている。空はコバルト、風が渡っている。五月、デンマークから船出した時、海峡に吹いていた西北風ではなく、スウェーデン、ノールウェイの方から海峡を渡って来る東風だ。息がしやすいように感じる。風だけは、昔のままに私に優しい。自然は明るくとも心は暗い。

デンマークの領土と辺境を通行するのは、久振りだが、民々の日々の労苦にみちた営みを見るのは、私には苦痛である。水夫の姿で行くので、人々はそのありのままの姿を見せてくれる。すべてはクローディアスの富国強兵策がもたらした災厄なのだ。あの王は是非とも廃させねばならぬ。レアティーズ輩にはできぬことだ。早く帰城せねばならぬ。

午近く、漸く地平にエルシノーア湾口を扼する岩山の上の、城が見えるところまで来た。とある木立に駒を繋いで、しばらく休息を取った。

若葉の繁った木立の向うで歌を唱う者がいる。

これでももとは若衆で、やった、やった。
やってよかったと思ったが、
いまでは、ああ、これこの通り立たぬ
ええ、しょんがいな、立たぬ恋。

いつか町で聞いたはやり唄のように聞えた。歌声の方へ、足を運ぶと、そこは墓地で、新墓が掘られるらしく、若木が植えられ、低い木組みの門が立てられている。穴を掘りながら、人足が歌っていた。エルシノーアの廷臣や、ブルジョアの中でも裕福な者を葬る墓地である。私は前に幾度か父君の代理で、廷臣の埋葬に立会ったことがある。墓掘人足も顔見知りだ。しかし彼は船乗り姿の、私に気がつかぬ。

いつしか年が忍び足、
その手にぎゅっとつかまれて、
あの世へ連れて行かれた。立たぬまま、

立たぬとはいえ、色事に未練がある、このわしを。

死人を埋める穴を掘るというのに、このように陽気でいられるのは、ふしぎといえばふしぎ、あたりまえといえばあたりまえだ。私はすでに父王、ポローニアスの亡霊に会った。人間は死にも馴れることができる。

歌をやめさせるには、話しかけるほかはない。

「それは一体だれの墓だ」

「おれの墓だ」

「え」

「げんにおれが入って掘ってるんだから、おれの墓だ」

あまりうまくない洒落(しゃれ)だ。彼は一つの髑髏(しゃれこうべ)を抛(ほう)り上げた。頭蓋に縦横にひびが入り、眼はくぼみ、鼻は欠け、泥がつまっている。最後の審判のその日まで、五体揃ったまま墓の中に横たわっていなければならぬはずなのに、身分が低いばかりに、新仏の穴を掘るためにこうしてシァベルで首を切られ、穴から外へ抛り出されるとは。

私は髑髏を取り上げ、そのみじめな面相に眺め入った。いやな臭いがする。

「だれの首だ、かわいそうに」

「道化のヨーリックでさあ、むろん肉がついて息をしていた時の名ですがね」

「ヨーリック、あの宮廷の道化、私をよく木の仔馬に乗せて、あそばせてくれた。それもこうなってはおしまいだな。魂はどこかほかにいよう。しかしその抜殻がこの有様では、極楽にいようと、地獄に堕ちようと、同じことだな」

墓掘りは歌い出した。

王様が王冠(クラウン)をなくしたら、
道化(クラウン)になんなさった。世も末だよ。

王様が王冠(クラウン)をなくした。
天地がひっくり返った。王様はおかわいそうに、
　道化(クラウン)になりなさった。

「墓掘り、どこでそんな歌をおぼえた」

「おととしイギリスから来た劇団がやった芝居でさあ」

私はホレーシオを顧みていった。

「幸先(さいさ)よいではないか、ホレーシオ。クローディアスが王冠を失う日は遠くはあるまい」

「御意(ぎょい)」

私は墓掘りにいった。

「洒落はもう沢山だが、ところでこの墓は誰の墓だ。男か女か。男にしては少し小さいようだが」

「男でも女でもありません。生きているうちは女でしたが、いまは死人で」

一つの予感があった。今日一日、花咲くデンマークの野に馬をやりながら考えていたことだった。私は叫んだ。

「ポローニアス殿の娘、オフィーリアの墓ではないか」

しかし墓掘りの返事を聞くまでもなかった。折しも、遥かかなたの麓より、小人数の行列が、しずしずとこの墓地目指して登って来るのが見えた。先頭はエルシノーア城内の礼拝堂の主任司祭らしく、二、三人の僧侶を引き連れている。続いて黒い布をかけられた棺、あとに続くはレアティーズ、そして母上が女官たちを連れてつき添っておられる。

これはポローニアスの娘としては、簡素すぎる行列だ。少なくとも主席王室顧問官の娘の葬列であれば、そして一度はハムレットの妃候補に上った乙女のそれであれば、国王みずから随行に加わり、儀仗兵(ぎじょうへい)がついてもよい。

私は行列の前にかけ躍(おど)り出た。先頭に立った僧侶に呼びかけた。

「遠いところからいま帰りついたばかりデンマークの王子ハムレットだ。これはポローニアス殿の息女、オフィーリアの葬儀と見たはひが目か。たったこれだけか」

「これは王子様、お久しゅう」

　びっくりした主任司祭が進み出て、挨拶した。

「私どもとしましては、これが精一杯です。亡きお方の死因には不明な点があり、川にはまられたか、身投げされたか、きめられないからです」

「きめられないのに、行列を粗略にするのはなぜか」

「自ら命を縮めたのであれば、これは宗派を問わず大罪、その骸(むくろ)は十字路の下に埋め、人々の足で踏ませて、見せしめとされねばなりませぬ。最後の審判のその時に、地獄に落ちた魂は、どうせもとの肉身に戻れぬのですから」

「ばかなことをいうな。かつてノールウェイと戦った時、局地で包囲されて、俘虜(ふりょ)になるよりは自裁を選んだ勇士たちには、レクイエムが上げられたではないか」

「あれとこれとは違います。時と場合によって、教義の解釈のかわるは我らの常、しかし不明であればこそ、王妃様のお口添えにより、このようにささやかながらも行列を作って、墓地に葬ろうというのです。私どもはここに葬られている他の方々より苦情の出る危険を冒しているのです。棺には花環(はなわ)が投げられましょう」

「乙女の魂の平安を祈るレクイエムの儀式はなしか」

　私はレアティーズの同意も求めて歩み寄った。私の過失が彼の一家に齎(もた)らした災害につき、心からなる詫びと悔みをいうつもりだったからだ。しかし彼はかたくなに横を向いている。取りつく島もない、この無礼も、父と妹を続けて失った彼には、許してやらねばなるまい。母上が歩み出られた。

「よくぞお帰りや、ハムレット。そなたの留守中にまたも生じた不倖せ(ふしあわせ)、可哀そうなオフィーリア。小川の岸に枝をたらし、白い葉うらを水にうつしている一本の柳の木がありました。そこへ、きんぽうげ、いらくさ、雛菊の花、それから羊飼はみだらな名で呼ぶけれど、乙女たちは死人の指と呼んでいる紫蘭(シラン)を添えた花冠(かかん)をかぶって来ました。垂れ下った枝に登って、その冠をかけようとした時に、意地悪の細枝が折れ、オフィーリアは、花冠もろ共、泣きむせぶ小川の流れに落ちたのです。裳は水面にひろがる。古い唄のきれはしを歌っていました。水のこわさを知らぬげに、それとももとから水に棲(す)む妖精ででもあるかのように、浮かんで流れて行きました。されどそれも束の間、やがて裳は水をふくんで重くなり、あの子は水底に引き込まれ、歌は途絶えたのです」

「おお、かわいそうなオフィーリア、水はもうたくさんといいたいくらい呑んだであろう。苦しかったであろう。私は彼女を愛していた」

「そう思っていました」と母上。

　レアティーズが金壺眼(かなつぼまなこ)を見開いて、進み出た。

「恋の愛のといってもらいたくない。愛とやらは、兄たるこのレアティーズには及ぶまいぞ。おお、わが家に重なる禍(わざわ)いの三十倍が、御身に降りかかるがよい。そこをどいてもらいたい。葬列の前を乱しておられるのに気が付かぬのか」

「世継王子に向っていうべきではないその言葉も、私の犯した過失の大きさに免じて許してやろう。いや、その罪について、貴公の許しを乞いたいのだ。あれはハムレットがしたことではない。彼の乱心がしたことなのだ」

　レアティーズは、私に詫(わ)び言(ごと)をいわれるとは予期していなかったと見え、戸惑いの色を見せたが、身分の卑しい者の常とて、下から出ればつけ上り、いきり立つ。

「乱心とやらにだけ罪があり、その身は無罪だというのか。屁理窟にはごまかされんぞ。そんならこれは、レアティーズの乱心のさせるわざだ」

と叫ぶと、いきなり私に飛びかかって来た。咽喉(のど)をつかもうとするので、私は彼の両手を取ってねじり上げ、突き放してやった。

「私は怒りん坊でもなく、乱暴者でもないが、百戦練磨のハムレットに手出しをするのはやめた方がよいぞ。いや、皆の衆、大事ない、大事ない。埋葬の儀を続けられい。レアティーズ、望みとあれば、ハムレットは埋葬に参加せず、遠くから見守っていよう。しかしこれだけはいっておく。私はオフィーリアを貴公の百倍以上、愛していたのだ」

なお、何かいい募ろうとするレアティーズと私の間に、母上が進み出られた。黒い喪服がよくお似合いになる。いや、父上亡き後、ずっとこの服を着ておられたらよかったのだ。

「オフィーリアの死をいたむ気持にかられて、そなたの帰りをよろこぶのを忘れていました。しかし今日はそこまで。王も王妃もレアティーズ殿も、この行列に満足しているわけではありません。しかし教会の掟には従わねばなりません。オフィーリアのあわれな魂のために祈りましょう」

「私はオフィーリアを愛していたのです」

私は不覚の涙を落した。母上は怪訝そうに、私の顔をしげしげと打ち眺め、

「みなそのように思っていました。しかしそれならなぜそなたはいつぞや、尼寺へ行けなどと、むごいことをいったのじゃ」といわれた。さてはあの時、母上も帳の蔭にひそんで、私の声を聞いていたのか、とすぎた怒りが頭をもたげたが、すぐに、クローディアスが伝えたのかも知れぬ、と思いなおすくらいの正気は残っていた。オフィーリア自身が訴えたかも知れぬ。なぜ、私はこう母上のおっしゃることを悪く取るのだろうか。

「口先でいうことはどうあろうと、私は愛していました。彼女は本意なく策謀にまき込まれた。彼女も私のように、本意ないことを、いったり、したりすることを強いられた。それで気が違ったのだ」

私は危険な言葉を口にしているのに気がついた。すべてはその時が来るまでいってはならぬ。レアティーズはすぐ反応した。

「現に王座についている者についても、そのような雑言は埋葬の儀式でなかったら許せぬぞ。父親ポローニアスを殺されたのを悲しんで、乱心したのは明白。父は殺され、それがもとで妹に死なれて、私自身、正気でいられるのが、不思議だ。いまや、私のうしろには四万のエルシノーアの町人がいる。その頭領たるポローニアスへの妹の孝心に、けちをつけるとはもってのほかだ。世継王子だとて、いっていいことと悪いことがある。王子だからといって、何でも出任せをいい放題仕放題だった昔とは、世が変ったのだ」

「ばかな、私のうしろには十万の亡き父上を慕う憂国の士がついているのだ。私の方から折れているのに、突っぱねて後悔すまいぞ。——しかしレアティーズ、繰り返すが、私は心より貴公にすまぬ、と思っているのだ。心にもないことをいい、行なって来た私と、オフィーリアとは一心同体、彼女は私が死の旅へ上らされたことを知っていたのだ、だから……」

私はまたいってはならぬことをいっている。クローディアスがイギリス王宛てにハムレットの処刑を依頼した不法なもとの国書を、いま私は証拠として持っているが、それは時が来るまで公けにしてはならぬ。

不意に哄笑(こうしょう)が私の口を突いて出た。そうだ、ハムレットはまだ気が違っていなくてはならなかったのだ。私はその笑いを、レアティーズが怯(おび)えたように後ずさりし、やがて憤怒の形相(ぎょうそう)を面に現して進み出るまでやめなかった。

行列は進み、棺は穴の中へ降ろされた。

「美しい方には美しい花を」

母上はいわれ、花を投げられた。私たちもそれにならった。むろんレアティーズはその前に——この時は、オフィーリアの亡骸が、みなの心をほぐし、やわらげて、エルシノーアの宮廷の陰謀を忘れさせたように思えた。

六月十一日

オフィーリアが夢に出て来た。昨夜、オフィーリアの狂乱の模様を、事細かく母上より伺ったばかりであったにもかかわらず、彼女にはまったくその気配はなかった。私がイギリスへ出発する前と同じように、賢こそうな頬笑みを浮かべていた。夢の中の人は、口を利かぬというが、彼女はいった。

「よくぞ、お戻りでございました、王子様」

そして私も、彼女の埋葬に立会ったくせに、生ける者に対する如く、問いかけていた。

「あまりよくも戻って来ない。そなたも元気で何より、ただし少し気分をこわして、ハムレット同様、狂気の気配があるというが、ほんとか」

「はい、あなたさまとは、同じ乳母の、同じ乳房から飲んだせいか、同じ頃に同じような気持になりまする、つまり狂気に」

「そのようだな。しかしそなたは胸をたたいたり、あらぬことを口走ったり、父親のポローニアスを殺されたのを悲しんで、気が狂ったときいた。まことに気の毒で、申訳ない。ハムレットの狂気のせいでそなたの家の二人まで死なせてしまった」

「子として父の死を悲しまぬ者がございましょうか。しかし二度と帰らぬ旅路に上られたハムレット様を、一層おかわいそうに思っておりました。

二度と戻って来ぬわいな
二度と戻って来ぬわいな、
なんで戻ろか、亡き人の
帰らぬ日を、待つよりは
いっそこの身も捨てましょう。さようなら。

いとしい方がお父様を殺されました。とはいえ王様にはかられて、遠いイギリスへつかわされたとのこと、オフィーリアは胸を痛めておりました。いとしいお方を見殺しに、何事もこの小さな胸三寸に収めておかねばならぬ、その辛さに気が狂いました」

「気が狂ったにしては、いうことに筋が通っているな。私とそなたは乳兄妹、その上割りなき仲となったとあっては、心が通うのにふしぎはないが、それほどまで私を思っていてくれたとは知らなかった。――そなたの気持はよくわかっている。胸飾りを返すといって、私を試そうとした時は、ついかっとなってつらく当ったが、そなたとしては、王や父親に強いられてのこと、むりのないあの場の仕儀だと思っていた。ハムレットとても本心をかくして、ことを行なわねばならぬのは始終のことだった。そなたを怨んでいるわけではないのだよ。そなたは狂乱のうちにも、クローディアスにふた心のウイキョウを、母上に不義のオダマキを贈ったというではないか」

「みなわかっておりました」

ここで、私は目の前にいるのが、もはやこの世の人ではないことに気が付いた。

「やはりそなたは身投げしたのでないのだな。だから魂は煉獄にいて、こうして亡霊となって出て来たのだな」

「私は煉獄になぞおりませぬ。あれは僧侶らの言い立てる僻事、殿下のお学びになったウィッテンバーグのマルティン・ルター様には、煉獄の魂が亡霊となって地上をさまようとの教えはないはず」

「ルター師は亡霊は悪魔だ、と教えられたという。しかし私は現に父上の亡霊にお目にかかり、復讐せよとのお言葉を賜った。ポローニアス殿の亡霊にも船上で会ったぞ。煉獄は辛いとこぼしていた。あれが悪魔とは思われぬ」

「それが殿下の気の迷いでございます」

「私は気が違ってなどおらぬぞ」

「そこに気が付かれぬのが、気の違われた証拠、オフィーリアは正気でございます。

あすは十四日、ヴァレンタイン様の、
夫婦さだめの、吉日なれば、
好いた男の、窓辺に立って。

殿下は私をニンフとお呼びになられましたが、まこと、オフィーリアはあなた様に添い臥しのお恵み賜った、と私の部屋にお成りをお待ちしておりました、とほのめかし……」

「それくらいにしておけ、オフィーリアよ。卑猥な言葉を使うのは男にまかせておけばよい。女は上品を旨とした方がよい」

「偽善をお薦めになるとは、ハムレット様らしからぬこと。前の世にいた間こそ、伏目がちにおちょぼ口、心にもないことをいうこともございましたが、いまはそんな飾りはいりません。ことにすべてお見通しのハムレット様のお前とあれば……」

「ははは、そなたもやっとその気になったか。そういえば、私が芝居の晩、そなたの膝の間に坐って、腿にさわった時も、うれしそうだったな。しかし偉そうにいっても口先ばかりで、あまり淫らな目付をしていないな。少なくとも、母上ほどには」

「ガートルード様を責めてはならない、と父王様の仰せではございませぬか」

「そうさ、私も自分が淫らな存在であることを知っているから、ほんとうは母上のことをそれほど悪く思ってはいないのだよ。殊にあのように悔いておられるのであれば、なおさらだ。憎いのはいまこの国の王座に坐っている奴だ。ひとたび悔悟の念を示したので、見逃がしてやったのに、私をイギリスへ送って殺そうとした。悔悟してはいなかったのだ。偽善者奴、許しておけぬ」

「しかし復讐はいけません。すべては神様のお心に任せて」

「坊主のようなことを申すな」

「殿下のお心にないことを、私はいえませぬ。目には目、歯には歯、はいけませぬ。それ、聖書に書かれております。人、汝の右の頬を打てば、ほかの頬を向けよ」

「私も世継王子になるまでは、そんな気がしていた。しかし人間の心は黒く、汚れている。思いはとかく罪に向う。さればこの怖れと悩みに満ちた体が、この機会に水となってとけてしまえばよい、と思っていた。この腐り切った世の中におさらばするなら、早い方がよい。私はそなたが身投げしたのであっても、別に責めはしないのだよ。ただ私は父上の亡霊より、うむ、復讐せよとのお言葉をいただいた。世継王子としてしなければならぬことが残っている。そなたの相手ばかりしていられないのだよ」

「それでは、殿下はやはり私を愛して下さいません」

「いや、愛はまた別だ。いとしく思っていた。あわれに思っていた。あの世へ行ってからは、そなたが私を導いてくれることを望んでいる」

「復讐はいけません、殿下はすでに三人の人間を殺しておられます。王の命令に従っただけのローゼンクランツ、ギルデンスターンの徒まで。このオフィーリアは自らの感情に負けて命をちぢめたのですけれど。私の申すことをおき下さい。煉獄はありません。亡霊はありません。それはみな殿下の気の迷いでございます」

「私ははじめはそう思っていた。城壁の上で父上の亡霊を見たと偽りをいった。ところが母上のお部屋でほんとにお目にかかったのだよ」

「その時から、殿下はほんとうに気が狂われたのです。それがおわかりになりませぬか。オフィーリアが純潔でないように、亡霊などありませぬ。あれは殿下の妄想です。復讐はなりません。殿下の誤りの犠牲たるオフィーリアの願い、お聞き届け下さいますよう」

「うーむ、うるさい奴め。そなたまで、私に逆らうのか。大望ある身に、川にはまった娘の世迷い言を聞く耳持たぬ。とっとと消え失せい」

しかしオフィーリアは消えなかった。悲しげな眼差を私の顔に据えて、ずっとそこにいた。凍り付いたように動かぬ顔貌が、いつまでも私の前にあった。

その時、私はこれが夢である、と気が付いた。それでもオフィーリアの動かぬ顔が消えぬので、恐怖の念がきざした。

遂にさわやかな風が、窓より吹き込んで、頬を撫でるのを感じ、私は目が覚めた。太陽は海のかなたの、ノールウェイの山々の頂より、六月の露を踏んで昇ろうとしていた。

オフィーリアのいう通りかも知れぬ、と私は考え直した。夢の中では腹を立てたが、彼女は私をこのメランコリーから解放しようとして、天から遣わされた使いかも知れぬ。えい、またそのような世迷い言をいう。亡霊がいないなら、天使もいないはずではないか。

六月十三日

明六月十四日は城内の大広間で、私の公式の歓迎の宴が開かれる。私はその席でイギリスへ向う海上で、ローゼンクランツ、ギルデンスターンと離れ離れとなり、一人帰国したいきさつを、諸侯と廷臣の前で告げるよう、クローディアスに命ぜられた。よい機会だ。私はその場で、彼のイギリス王に宛てた手紙を読み上げてやろう。そして改めて王としての不適格をみなの前に明らかにしてやろう。それからこの国書を読み上げる機会を、私に与えた愚かさも、ついでに。

しかしホレーシオはいう、それはまずい、北方の荒くれ武者を、理屈で説得できはしない、それはゴンザーゴー殺しの芝居によって、王が正体を現したにもかかわらず、私の演説が無効だったことで、すでに実証ずみではないかと。

「目には目、歯には歯。バナードー、マーセラスの徒に命じて、王を暗殺させるのです。まず既成事実を作るのでなければ、諸侯たちは説得できません。証拠はそのあとで出せばよい。自ら命令を出すのがおいやなら、私が殿下に替って申し付けてもよろしゅうございます」

「君らしくない物騒な考えだね、ホレーシオ。しかし私は個人的復讐としてではなく、王としてのクローディアスに、正式な裁きによる死を与えたいのだよ。それでなければ、私は正統な王座に登ったことにはならない」

ホレーシオは肩をすくめただけだった。ただいつイギリスから、ローゼンクランツ、ギルデンスターン処刑の報せが到着するかはかり知られぬ、諸侯の動揺する前に、お急ぎになる方がよい、明日こそは必ず、手抜かりなく、といった。

六月十四日

午前十一時、式部卿オズリックが、クローディアスの使いとして来た。二歩進むごとに、三つに折れて叩頭(こうとう)しながら進んで来た。彼は赤ん坊の時、母親の乳房を吸う時も、ああして叩頭してから、吸いついたに違いない。彼はレアティーズといっしょに、フランスに行っていた男だ。レアティーズが向うで習ったとかいうフランス式の剣法を、まるで自分のことのように自慢した。

本日の宴の余興として、レアティーズと試合をせぬかというのだ。幼時より城内で鍛えたデンマーク式の剣法に加えて、私はウィッテンバーグのドイツ式剣法を心得ている。レアティーズの猿真似剣法には負けはしない。

「レアティーズが負けても怨まない、という条件でお相手しよう」

「それはもう試合であれば当然のこと、しかし改めてのお言葉、必ず伝えます」

とか何とかいいながら、オズリックはまた三つに折れ曲りながら、後退して行った。その恰好のおかしさに、私は大笑いしたが、胸のあたりに妙な感覚を味った。いつぞやの夢の中で、凍り付いたように動かぬオフィーリアの顔貌が、時々思い出されてならぬのはなぜか。

「何だか、この辺がうずく、胸さわぎという奴かな」

と私は呟いた。ホレーシオはいった。

「気が進まぬのなら、試合はおやめになった方がよいでしょう。なにか罠かも知れませぬし」

「でも、もう受けてしまったよ。君は知るまいがエルシノーアの宮廷の仕来り(しきたり)で、もはや賭けがはじまっているだろう。大きな賭けに大きな儲けを夢みる連中を、がっかりさせては気の毒だ」

「気が変ったといえば、片づきます」

しかし私は度重なる変事の連続によって、一つの哲学を持っていた。

「それにはおよばぬ。来るべきものは、いま来なくても、必ず来る。あとで来るなら、いまは来られない。備えさえあればよいのだ」

ホレーシオは変な顔をしていた。

【解題】

大岡昇平　おおおか・しょうへい（一九〇九―一九八八）

●底本
『野火・ハムレット日記』（岩波文庫／一九八八年）
随時、『大岡昇平全集 4』（筑摩書房／一九九五年）を参照

●初出　「新潮」一九八〇年二月号

●資料　岩波文庫「後記」（一部引用）

《私はエルシノーアの宮廷の陰謀の中で、世継王子として、父王を慕う軍人どもを後盾として、父の讐を討つと共に、デンマークの王座をねらうマキァベリストのハムレット、その試練と没落を描こうとした。シェイクスピアの作品に描かれているデンマークは、一六〇二年初演の頃、ロンドンの観衆の頭にあったデンマークであるはずだし、王位継承についても、エリザベス朝の観念に従っていたはずである。従ってそれに合せてもいいわけだが、一方作中にはウィッテンバーグという実在の地名が、ハムレットの留学する大学都市として出て来る。

これは一五一七年にルターがローマ教皇の免罪符販売を批判した町で、作中にルターの名は出てないが、デンマークが新教の国であることを観衆は知っていたはずである。ところが父王の亡霊は、（……）旧教の煉獄の魂である。そして十三世紀のサクソの『デンマーク史』にある物語の原型「アムレード」は、伝説的時代のユトランド半島の領主の家の事件ということになっている。これら歴史的年代の整合が、王子ハムレットの「日記」としてその生活を記述する以上、私に課せられていた。

しかも下敷きは歴史的事件ではなく、想像上の劇作品である。（……）ハムレットの年齢を若くしたこと、ホレーシオを七歳年上の、ルネッサンスのフィレンツェの空気を吸ったイタリア人にしたことその他、作者の工夫について、私はくどくど書きたがる人間だけれど、この作品については、とても書き尽せない。結果的にシェイクスピアと同じくらい、もしくはそれ以上勝手に時空の間を往来した、といわなければならないだろう。》

＊註　岩波文庫・菅野昭正による解説（表記を西暦に改めて引用）。
《『ハムレット日記』は、まずはじめ『新潮』一九五五年五月号―十月号に連載されたが、そのときは欠落の部分を残したままで放置されることになった。（……）その状態に終止符が打たれるのは、最初の連載のときから数えて二十五年、一九八〇年に、欠けていた部分を補う「オフィーリアの埋葬」が発表されたときである。》

ハムレット——或る親孝行の話

ラフォルグ（吉田健一訳）

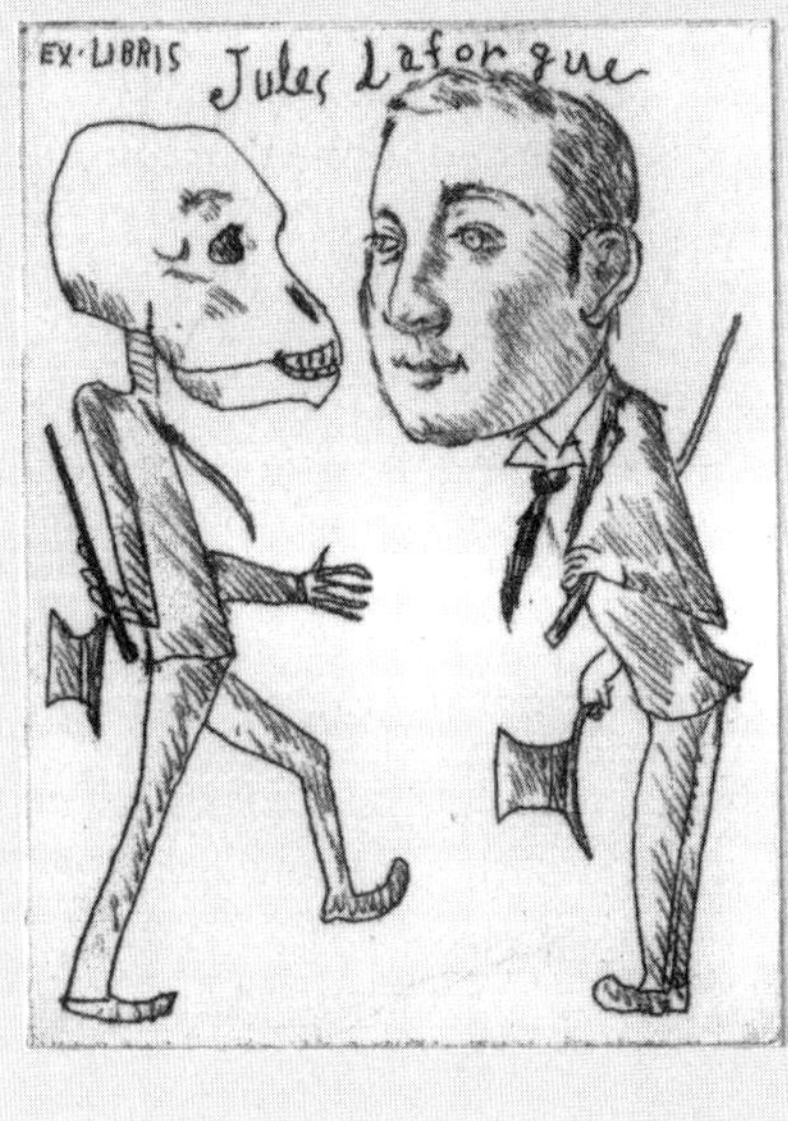

鉛の格子で菱形に区切られている黄色い硝子が嵌めてあって、開けると軋って微かな音を立てるお気に入りの窓から、奇妙な人物に違いないハムレットは気が向いた時に水の上をあちらこちらと眺め廻すことが出来た。それは水の上でも空でもどちらにも通用することで、彼の瞑想や錯乱はそういう場所を出発点としたのだった。

彼の父が変則な死に方をして以来、この王子が永住することに決めた塔は王室に属する庭の一隅に、誰のものでもある海に面して、人に忘れられた癩病やみの格好で歩哨に立っているという感じである。そしてこの庭の一隅は温室のごみや瞬く間に終るお祭りの枯れた花束を棄てる掃溜めなのであり、海はスンド海峡で、その波には誰も頼ることが出来ず、海の向うに見えるのはノオルウェイの沿岸、或はヘルシンボルグの町であって、これは実際的で少しも金がない王子フォルティンブラスの本拠である。

この若い、不幸な王子が永住することに決めた塔の礎

——私としてはどうしようもないのだ

は、スンド海峡がその毎日の、非情な労役の結果集めた漂流物の中でも、最も始末し難いものを腐らせに送って寄越す、或る澱んだ入江の水際に立っている。

可哀そうな澱んだ入江！　王室の、意地悪そうな眼付きをした白鳥の群がそこへ入って来ることは殆どない。雨降りの日の暮方にはその辺に生えている雑草の根元の、泥深い水底から、古怪な蟇蛙の家族の合唱がこの極めて人間的な王子の窓まで聞えて来る。それは、少しばかりの気圧の変化があっても、すぐそれが彼等の神経痛や、ぬるぬるした卵に影響する底の、喉を悪くした老人達がほき出す粘性を帯びた呻きなのである。そして海峡を通る船の最終的な余波は、始終襲って来る俄雨と同じく、この熟し切って皮膚病に掛った水の一隅に殆ど変化を与えず、水面は箒の跡が付いた（孔雀石を溶かしたような）胆汁色の分泌物で酸化され、所々、黄色いチュウリップのような原始的な花を取り巻く平たい、心臓状の葉が膏薬に貼られ、又所々に、我が国の人参の花に似てい

る虚弱な撒形花を付けた、貧相な葦の叢が突っ立っている。

可哀そうな入江！　そこでは蟇蛙達が彼等の日常生活を営み、植物が無意識に開花する。そして可哀そうな庭の一隅！　夜の十二時になると若い女達はそこに花束を投げ棄てるのである。そして又可哀そうな海峡！　その波は気紛れな嵐に小突き廻され、郷愁は向う岸の、フォルティンブラス王子が宰領する極めて平凡な役所の事務室に行く手を遮られている。

そういう訳でこの入江の片隅は（嵐の日は別として）、除けものになっている塔の、黄色い硝子を嵌めた二つの窓がある部屋に住んでいる不幸な王子ハムレットの姿を正確に映していると言えるのであって、その一つの方からは汚れた灰色の空や沖やどうしようもない存在が眺められ、もう一つの窓は庭の大木の梢を始終騒がす風に向いて開いている。かくの如く全快の見込みがない、支払い不能の秋に苛まれる可哀そうな部屋！　それは七月の今日でも変りはなく、今日は一六〇一年七月十四日の土曜日で、明日の日曜日には世界中の女の子達が何も知らない顔をして弥撒に行くことだろう。

その部屋の壁にはユトランドの景色を扱った申し分なく幼稚な画が十二枚掛けてあり、それは前に年中無休の画家に大量に注文された作品の一部で、城のどの部屋にもそれが十二枚は飾られている。そして窓と窓との間には肖像画が二つ並べて掛けられ、その一つは伊達男のハムレットが親指を一本鞣さない革帯に指し込み、硫黄の色をした背景から浮び出て微笑している画で、もう一つの画には徒らものらしい眼付きをして綺羅びやかな新調の鎧に身を固めた、彼の死んだ父親のホルウェンディル王が描かれているが、王は懺悔する暇もなく、罪に陥った状態のままで死んだので、神様がその評判の御慈悲によって、彼の魂をお救いになったことを切に望む他はない。又その部屋には眠れない日々の黄色い硝子越しに射す光を浴びて、卓子の上に散々いじくって最早綺麗にしようがない程汚れた銅版画の道具が置いてあり、その他には堆肥にも比すべき本の山や、小さなオルガンや、姿見や、長椅子やそれから（ハムレットの父親が妙な死に方をして以来ハムレットは毒殺されることを恐れているので）何だか解らないように出来ている茶箪笥などが見える。そして寝部屋には寝台の傍に鋳鉄で拵えたゴチック風の小さな台が据えられ、台の内部から蠟人形が二つ飛び出す仕掛けになっていて、その一つはハムレットの母ゲルタを象り、もう一つは彼女の現在の夫で、姦淫の罪を犯して王位を簒奪した兄弟殺しのフェンゴであり、何れも復讐心に刺戟されての仕事である故に上々の出来栄えで、更に各自の胸にはピンが刺っているが、そういう他愛もないことをしてどれだけの効果があるだろうか。それから部屋の奥には水を浴びる設備があって、これはハムレットにしても仕方がないことである。

ハムレットは黒ずくめの装束をして、腰には小さな剣を下げ、夢遊病者を思わせる鍔広の帽子を冠ってスンド海峡を眺めている。それはいつもの茫漠とした、それで少しも休むことがないスンド海峡で、今その表面に起伏する何の奇もない波はやがて時間が来れば哀れな漁師達の舟を盛に翻弄する積りで風が起るのを待っている（それが波に背負われている宿命が波に抱くことを許す唯一の感情である）。

昨日の後を受けて、そして明日の天気までの場繫ぎに、今日の空模様は蒼白くて大雨が降った後にしては物足りないにせよ、明日の日曜が好天気であることを約束している。そして今は既に日が暮れて、それは当時の編年史が実感をこめて讃えている種類の夕方であり、市場があった日の騒ぎを方々の居酒屋に向けて分散しつつあるエルシノアの町の雑音が、王宮の敷地を町から距てている広々とした水面を渡って聞えて来る。

——ああ、あの波のように何もすることなくどこまでも海の上を漂えたら、とハムレットは嘆息する。ただ海から空に、又空から海に、そして他のことは人に任せて置くことが出来たなら。……彼は眼前の無意識に幸福な光景を適宜な身振りで処理して次のような感想に耽ける。

——もし私が本気にさえなれたら。……併し凡ては余りにも貴重な瞬間に終始して果敢なさ過ぎるのだ。そして何をするにしても沈黙を守り抜いた挙句に行為する他にやり方はない。……安定しているというのは女のことなのだ。……生活するということなら私は結局は肯定するが、併し英雄になるとは！　それに予め時代と環境に馴らされて登場するとは！　それで英雄は満足出来るだろうか。……英雄とは！　そして後はただ幕が開いたり降りたりするだけだとは。……もし私がちゃんとした女の子だったら本当の英雄にしか私の運命を任せないだろう、必要に応じて気高い行為や名誉を彼のものとして挙げることが出来るような英雄でないなら。……実際ミケランジェロの言い方を用いれば（そして我が国の如何なるトルワルドセンもこの男には適わない）、この衰弱と羞恥の時代には女の子などいなくて、どれもこれも皆看護婦なのだ。尤もその他に可愛らしい、併し生憎壊すことが出来ない人形や、蝮や、枕に詰める羽が取れる鵞鳥もいることはいるが。——英雄になるとは！　でなければ単に生活すること。ああ、方法よ、方法よ、私にどうしろと言うのだ。お前は私が無意識の果実を食ったことを知っている。私は女から生れた人間が服すべき新しい掟を携えて、至る所に定言命令を覆滅してその代りに季節命令を設定しに現れたのだ。……

ハムレットが言うことはそのようにいつまでも続いて、それは五幕に収めたり、又我々の哲学が天地の間に考察したりするのにも長過ぎるのであるが、彼は非常に期待を掛けている役者達がなかなか来ないのを殊の外気に病んでいて、それに彼は昨日からどこに行ったか解らなくなっているオフェリヤの手紙をやっと破いて棄てた所で、それはなり上りものの女の根性で皆最上のオランダ紙に書いてあるので引きちぎるのが容易なことではなく、ハムレットの指はまだずきずきしている。即ちそういうつまらない事情が我々に与える影響も馬鹿にすることは出来ない。……

——あれは一体どこで何をしているのだろう。大方田舎の親戚の家にでも行ったのだろうが、それなら戻って来るに違いない、道を知っているのだから。それにあれにはいつまでたっても私が解る筈はなかった。実際考えて見れば、あれが幾らあでやかで、体によくない程繊細な神経の持主でも、一皮剝げばあれも結局はホッブスの利己主義的な哲学を生れながらに体得している英国人の女だったのだ。「我々がものを所有するに就て味い得る最大の幸福は、それが他人の所有物に優っているのを感じることである。」とホッブスは言っている。それでオフェリヤも私を彼女の「所有物」として、そして、私が彼女の友達の「所有物」よりも社会的にも、又精神的にも優っているが故に愛するという訳なのだ。又それは別としても、あれは日が暮れて明りを付ける時刻になると何度私に居心地のよさとか安楽とかに就て語ったことだろう。然も安楽なハムレットとは！　ああ、これ以上の災難があるだろうか。たとえそれで私はいいとしても、せめて私を守る天使の為に願い下げにして貰いたいことだ。ああ、もしこんな夕暮に、自分を軽蔑していることを知っているにも拘らず、自分が熱愛するルウスィヨン伯のベルトランを、フィレンツェまで追い掛けて行って自分のものにしたヘレン・ド・ナルボンの妹が、それも妹でなければならないが、この象牙の塔に私を訪ねて来たら！　……オフェリヤよ、可愛い鳥黐よ、戻って来てくれ、私はもう決してこんなことは言わないから。——とは言うものの、そして如何に私がハムレットであってもだ、偶には本格的な助平なこともやり兼ねない。この話はこれで止め。——ああ、到頭一行が来たようだ。

　ハムレットは左の方にエルシノアの町が海に臨んでいる岸に、彼が待っている役者達に違いない人の群を見付けたのである（彼が鷗のようにいい眼をしていることは誰でも知っている）。

　彼等は丁度渡し船に乗ろうとしている所で、小さな犬が一匹頻りに彼等に吠え掛け、一人の腕白そうな子供がそれまで旨く水を切るように海に石を投げて遊んでいたのを止めて、役者達から眼を離さずに立っていた。そして彼等の中で殊に気取った様子をしている一人が人を笑わせる時にするわざとらしい身振りで船頭と同様に櫂を取り、船は忽ち陸から遠ざかった。又その行先に就ては船に乗っている人々が城の方を指差し、女の一人はその露わな腕を舷から水に垂れ、犬が吠えるのや、人々が笑うのや、その話声が水彩画の鮮明さで聞えて来て、そこには確かに十七世紀の或る美しい夕暮の絵巻が繰り拡げられていた。

　ハムレットは窓を離れて卓子の前に腰を下し、二冊の薄い帳面の頁をめくり始める。

　——仕方がないことだ。私の最初の考えではあの言いようもなく恐ろしい事件を手に掛けて私の孝心を引き立たせ、凡ての芸術の掛け替えがない表現を与え、私の父親の血に恨みを絶叫させて復讐の下地を作る積りだったのだ。所がだ（ああ、自分自身であろうとする欲求よ！）、私はこの仕事に興味を持ち始めたのだった。そしてそれが私の暗殺された父親、というのはこの又とない世界に猶生きるべき命を奪われた父親（可哀そうな親爺！）、それから私の汚された母親（それが女に対する私の考えを滅茶滅茶にして、あの天使みたいなオフェリヤを羞恥と衰弱とで死ぬ程にさせることになったのだ）、更に又私の王位に関することだということを少しずつ忘れて行ったのだ。私は作家として素晴しい材料を与えられてそれと四つに組んだ。何故ならそれは確かに素晴しい材料だからだ。私はそれを抑揚格の韻文で書き直し、所々に番外の台詞を入れ、又私の愛読書たるフィロクテトスから絶好の題詞を選んだ。私は登場人物の性格を自然の状態に於てよりももっと深く掘り下げ、事実を私の意図に従わせ、主人公を扱うのにも悪者を描くのにも、同じ天才を発揮したのだった。そして夕方になって、何か大事な文句の最後の脚韻を付け終ると、私は原稿を書くことで多人数の家族を養っている一廉（ひとかど）の文学者のような気持で道徳的にも満足を覚え、家庭的な幻影を追い廻しながら寝床に入るのだった。私はそれで寝る前に二つの蠟人形に挨拶して胸のピンをもっと奥深く刺しこむことも忘れていた。ああ、私は何というお調子者なのだろう！　こんなひどい人間があるだろうか。

そして若くて落ち着いていられない王子は父親の肖像画の前に駈けて行って跪（ひざまず）き、冷たい画布に描かれたその足に接吻する。

——許して下さい、お父さん。それに貴方は私がどんな人間だかよく知っているのだから。……

ハムレットは立ち上って、それでも父親の半ば閉じられた、徒らものらしい眼付きから逃げることが出来ないので言い続ける。

——どっちにしても凡ては遺伝なのだ。だから科学的な態度を失わないで、そして自然に即していれば、やがては何でも解って来る。

彼は帳面が置いてある方に戻って来て、それをやはり徒らものらしい眼付きをして眺める。

——何でもいいや、これは確かに見所がある作品なのだ。そして今みたいに悲しい時代でさえなかったならば。……ああ、何故私はパリで、現在ネオ・アレクサンドリア派の詩人達が名声を馳せているサント・ジュヌヴィエヴの丘に一介の書生として暮せないのだろう。そしてフランスのヴァロア王朝の華やかな宮廷に勤めている単なる図書係の身分だったら！　所が私が実際にいるのはこの湿っぽい城で、それも狼と大差がない、むさくるしい人物達の巣窟で自分の命さえ安全であるとは言えない始末なのだ。……

この時部屋の戸に取り付けてある銀の敲（たた）き金を黄金の鍵で敲く音がして、召使が一人入って来る。

——殿下がお呼びになった劇団の立役者が二人参っております。

——早速ここに通せ。

——それから女王様が芝居はどうしても今晩でなければならないか、殿下に伺って来るようにとおおせられました。

——勿論のことだ。どうして？

——それはその、殿下も御承知の通り、侍従長のポロニウス様の葬儀も今晩で、先刻終ったばかりでございますから。

——だからどうしたと言うのだ。そんなことを気に掛けることがあるものか。或るものは舞台に出ていて、又、或るものは舞台から退場するのに何も不思議なことはないじゃないか。ね、そして理想はやはりその日その日の極大量を毎晩収穫しているのだ。

召使が出て行って、彼が披露した二人の立役者がお辞儀をしている後で戸を閉める。

——さあ、入り給え。そこに腰掛けて、それから煙草をどうぞ。これが「デュベック」で、これが「バアズ・アイ」。私の所で四角張っては困る。君の名前は？

——ウィリヤムと申します、と裏地を見せる為に着けた飾りの切り口にまだ埃が掛っている胴着を着た二枚目が答える。

——そして貴方は？（おお神よ、この女は何という美人なのだろう。又しても噂の種だ。……）

——オフェリヤ、と、拗ねたような微笑を浮べて女が答える。そしてその微笑は身悶えがしたくなる程如何わしい性質のもので、余りにも陰険なので若い王子はその場を繕う為にわざと大声で喋り出すことを余儀なくされる。

——何と！　又してもオフェリヤか。何故世間の親達は子供にそういう芝居の名前ばかり付けたがるのだろう。オフェリヤなどというのは真面目な名前ではなくて、大入り満員の芝居の広告に出すのに作られたのだ。それとか、コルデリヤだとか、レリヤだとか、コッペリヤとか、アメリヤだとか、皆そうだ。それで、私みたいな庶民の為に、貴方には何か別な名前（本当の、洗礼を受けた時の名前だ、間違えてはいけない）があってもいい筈だ。

——それもございます。ケエトと申します。

——それだ。その方がどんなに貴方に似合うことか。ケエトよ、貴方の名前の為に私は貴方の手に接吻する。

王子は立ち上って女の方に近寄り、その額に接吻した後に、急に女の傍を離れて窓際に行き、一瞬彼の顔を両手に埋める。

ウィリヤムは相棒に目配せする。

——どうだい、皆が言ったことは本当らしいじゃないか。確かに様子が変だ。

——お気の毒な方ね、とケエトが答える。そして窓際から席に戻って来る途中で、ハムレットの眼が憐みで一杯になったケエトの青い眼に出会う。

ハムレットは打ち解けた態度で再び役者達と話を始め

る。

——ではもう合の手は入れないことにして、君達が得意な芝居はどんなのか言って下さい。

——得意な芝居と申しますと、「サン・ドニの陽気な女達」、それから「ファウスタス博士」、それから「メネニウス・アグリッパの寓話」、「テュウレの王様」などがございます。

——そういうのに就ては明後日ゆっくり聞くことにしよう。皆立派な作品だけれど、私が書いたのは完璧だと言っていいのだから。それでここで今晩上演する為にこの脚本を内証で読んで置いて貰いたい。報酬に就て決して不満な思いはさせない。これは私が書いたもので、主な登場人物は三人しかいないのだが、その一人はゴンザゴという王様で、女王の名はバプティスタ、場所はヴィエナだ。そしてこの女王は義弟のクロオディウスと陰謀を企てていて、或る日のこと、王が東屋(あずまや)でその日常に罪深い状態にあって昼寝をしていると女王はその傍で、彼が起きた時の為に神妙に苺を選り分けている振りをしている。そこにクロオディウスが登場して、二人は黙って接吻し、それから鉛を少し匙の中に溶して、それを器用に王の耳に流し込む。

——まあ、恐しい、とケエトが言って、次第に拗ねた表情に変る微笑を浮べる。

——恐しいでしょう。実際に恐しい。……それで今も言ったように、二人は鉛を溶して(この蒼白い色をした液体をだ)王の耳に流し込み、哀れなゴンザゴ王は悶死する。然も王は罪深い状態にあって、懺悔する暇もなかったことに注意して貰いたい。そしてクロオディウスは王が死んだのを見届けて王の頭から冠を外し、それを自分の頭に載せて女王と退場する。というような筋で、だから今晩はどうしてもウィリヤムとケエトにこのひどい悪者に違いないクロオディウスと女王の役をやって貰わなければならないということになる。

——実は、……とケエトが言い掛けて躊躇する。

——実は、とウィリヤムが代って答える、私達の方針としては、なるべくならば感じがいい役しか勤めないことに致しております。

——感じがいい? 薄鈍(うすのろ)奴、そして或る人物が感じがいいということをこの世でどうして保証することが出来るのだ。それに、それならば人類の進歩はどうなるのだ。

——私達は殿下のお指図通りに致します。

——ではこれが脚本だ。君に預けるからなくさないようにしてくれ給え。私にとっては大切な品なのだ。それで、今晩の為に早速下読みに掛って貰いたいのだが、このように、赤い鉛筆で印を付けた所は特に強く言わなければならない部分で、その反対にこのように青い鉛筆で括弧(かっこ)に入れた部分はそれ程必要ではないからこの際省いても構わない。尤も、……まあ、例えばこの辺の、

少しも野心を持たないで
他人の瞳に見惚れる性分。
ああすっかり芸術で草臥(くたび)れた。
私自身の説明は頭痛を一層ひどくする。
　蜜の色をしたお月様、
　空からここまで降りて来い。

というような所やこういう歌、

小さな、勇敢な魂よ、
真直で、何も恐れない肉体よ、
その奴隷となることに
私は望みを掛けている。

——いい歌、とウィリヤムとケエトが思わず顔を見合せて口走る。

——いいだろう。ああ、もし今のような時代でなかったならば。……それからこれ、

お前は尼寺に行け。恋の思いは
この頃では、その日の挨拶か何かのように
簡単にやり取りされている。

——確かに特色がある台詞でございます、と、役者が保証する。

それを聞いてデンマアクの王子であり、又不幸な人間であるハムレットは有頂天になる。

——それからこの可愛らしい小唄、

一枚の下着がありました、
　ろんろんのぱたぽん
一枚の下着がありました、
　それには釦(ボタン)も付いていた。……

等々。——確かに私は不思議な運命に支配されている。

……所で、これを省いてはいけない。これは王位を簒奪するクロオディウスの凱歌で、「当てにならない予感」の節で歌われる。……君はあの節を知っているだろう。

この企てに神様が
賛成し給う確証を
私は今や
持っている。

では、解ったね。脚本をなくさないようにしてくれ給え。そして芝居が始るのは十時だから、私はその少し前に楽屋に様子を見に行く。それではそういうことにして、これは少しだけど納めて下さい。

二人の花形は、金を受け取って部屋から後退りして出て行く。

ウィリヤムは自分とケエトだけになると小声で暗誦する。

気が違うのに格式はなく、実直な商人も、
天才的な俳優も一様に頭が変になる。
そして宮殿の門を固めている番人は

ハムレットが出入りするのを傍観する他はない。

――お可哀そうに、とケエトが溜息をついて言う、それにちっとも怖くはないし。……

実際家であるということになっているハムレットは今や信頼していい人達に託された彼の作品に就て五分間ばかり夢想する。彼は急に元気になる。

――これでいいのだ。フェンゴさんも今度は思い知ることだろう。そして向うが解ってくれさえすれば結構なので、後は署名する形で私が行動に移るだけだ。行動に移るとはあれを殺すことなのだ。フェンゴに彼の命を吐き出させるのだ。……昨日私は小手調べにポロニウスを殺した。あいつはあの、ベツレヘムで子供が虐殺されている図を刺繡した幕の蔭に隠れて、私が何をするか見ていたのだ。ああ、皆私の敵なのだ。ラエルテスにしても、向う岸のフォルティンブラスにしても、早晩私の敵になるのに決っている。私はもう愚図々々していることは出来ない。私はあれを殺すか、或はどこか他所(よそ)に行く他はない。どこか他所に！　……ああ、自由よ、自由よ、どこか遠方に行って恋愛し、生活し、夢想し、そして有名な人物になること！　羨むべき凡人の幸福よ！　そうだ、ハムレットは自由ではない為に苦んでいるのだ。

——私は誰にも迷惑を掛けようとは思ってはいない。私には一人も友達がないのだ。私の代りに私のことを言ってくれて、私が大嫌いな色々な説明を私がしないでもすむようにどこに行くのでも私の先駆を務めるといった風の友達が一人もいないのだ。そして私の価値を理解してくれる女の子がいる訳でもない。看護婦みたいなのはいるさ、それは。そういうのは、後でそのことを人に話して自慢する気遣いがない瀕死の病人だとか、その他死に掛っている人間にしか接吻しない、言わば恋愛の為の恋愛をしている看護婦達なのだ。

——それに私自身が存在しているとか、或は私自身の生活を持っているとかということにしても、どの程度まで確実に言えることだろうか。私が生れる前にはこの私と少しも関係がない永遠があり、私が死んだ後にも永遠が横たわっている。そしてその間の僅かな時間を暇潰しをして過すとは！　そのうちに私も年寄りになるのだ、見栄ばかり気にしている平凡な女の子達が尊敬する年寄りに。私はいつまでもこうして無名の身分で足踏みしていることは出来ない。そして私の回想録を残した所でそれが何の足しになることか。ああ、もし本当に私のことが解っていたら、昔アドニスの死体の廻りに集って来て嗚咽（おえつ）した女達のように、女という女が私の胸に取り付いて泣きに来ることだろう（然もアドニス以後の幾世紀にも亘る文明に於て、私は彼よりも優れている）。——といって、毎日の食事のことだの、周囲の恋愛事件や誰彼が死んだということに気を取られている女達に、私の伝記がどれだけの印象を与えることか。それは芝居になって上演されれば、晩の食事の後で一時の感激の種にはなることだろうが、家に帰って来ればそれっ切りなのだ。

……

——後世の男や女達は二人ずつ組んで、私が自分自身の存在に就て持っている潔癖さを賞讃することだろう。併しそれでいてその真似をしようというのではなく、その為に家で互に愛し合っている男女として暮すのを少しも恥しくは思わないだろう。そしてもっと後になると人々は私が一つの流派を作ったと言って私を非難するに決っている。所で、もし私が仕えている聖なる主、私の万能の主が何であるかをここではっきり言ったとしたら！——併し、兎（と）に角（かく）私は何と孤独なのだろう。そして事実それは時代のせいではないのだ。私の五感は私をこの世での生活に結び付けているが、私が持っているこの第六感を、この無限の観念をどうすればいいのだろうか。——私はまだ若いのだ。そして今のように健康が申し分ない間は何とかしていられる。併し自由よ、自由よ、そうだ。私は一度どこかに行って、誰も知らない人間になってこの辺の正直な人達の中に戻って来よう。そして恒久的に、我々の日常生活に関する凡てを認めて結婚することにしよう。これこそ私が考えたことの中でも最もハムレット的なことであると言える。併し今晩は仕事をしなければならない。そして何よりも客観的になることが必要なのだ。では、自然も同様に、墓石を踏み越えて前進しよう。

ハムレットは塔を出て、ユトランド半島を描いた単調な風景画が掛っている長い廊下を渡り（彼はそれ等の画に勇壮に唾を吐き掛けて行く）、階段がある所に来ると、そこに立っている二人の番兵が慌てて矛を捧げる。その傍で他の兵隊がベンチに腰掛けて骨の欠片でお手玉をして遊んでいる。ハムレットは彼等に、Sustine et abstine、堪えよ、そして自我を抑制せよ。自由よ、自由よ、と大声で言って、口笛を吹きながら又階段があるのを降りて列柱廊になっている玄関に出る。その前に城守の舎宅がある。

城守の舎宅の窓が開いていて、鎧戸に鳥籠が下っている。ハムレットはその籠を見るや否や飛び掛って入り口から手を入れ、中で眠っていた一羽の生暖いカナリヤを摑み出して、親指と人差指で首を捩じ、相変らず口笛を吹きながら部屋の中を目掛けて死体を投げ込むと、それが（尤もこれは偶然にであるが）、部屋の奥でまだ日がある間に編物をしていた一人の小娘の顔に当る。娘はこの惨事に際会して目を見張り、手を組み合せる。

ハムレットは振り向きもしないで立ち去るが、途中から俄かに戻って来て、窓から部屋の中に入る。そしてまだ手を組み合せている娘の前に跪く。

——許して下さい、許して下さい。私はあんなことをする積りではなかったのです。罰には何でもさせて下さい。併し私は本当は善良なのです。私はこの頃滅多にないような優しい心の持主なのです。貴方なら解って下さると思う。

——ああ、若様、と娘が震え声で返事する、もし貴方に申し上げることが出来たら！　私には貴方が本当によく解っております。私は以前から貴方をお慕い致しております。私には何もかも解っているのでございます。

……

ハムレットは、又例の口だ、と思って、立ち上る。

――お前のお父さんは病気か？

――いいえ、若様。

――それは惜しいことだ。お前ならば安心して湿布をして貰える。

――それよりも貴方でございます。私は貴方のお世話をさせていただきたいのでございます。

――なる程。それならば来週の月曜に又ここに来ることにしよう。私の癌はまだ出血してないようだ（一体どうしたのか私には解らない）。では何れ月曜日に。

ハムレットは落ち着きを取り戻して歩き出す。あの小鳥を殺したのも小手調べだったのだ、と彼は思う。

若い、不幸な王子！　彼の父が余りにも変則な死に方をして以来、時々そういう奇妙に破壊的な意欲が彼の喉を締め付けるようにして起って来るのである。

或る日ハムレットは早朝から狩りに出掛けた。その時は前の晩からそのことばかり考え続けて、彼は少しも眠ることが出来なかった（夜は思索に適している）。そして翌朝になると飛び切り上等のピンを用意して、彼は先ず途中で見付けた甲虫にそれを一本ずつ刺してそのまま放してやることから始めた。彼は同じ伝で蝶々の羽を挘り、蛞蝓の頭を切り取り、蛙や蟇蛙の後脚を切り落し、蟻の穴に硝石を振り掛けてそれに火を付け、繁みの中から幾つも小鳥の巣を雛毎に取り出して、雛に旅行をさせる目的で傍の川に流し、その傍には辺りに咲いている花を手当り次第に、薬用としての価値などはお構いなしに薙ぎ倒した。又それで狩りが終った訳でもなかった。春になって、色々な物音で満されている森の蠢きは、この際大小の炉に火が景気よく起っている拷問部屋のようにハムレットの心を浮き立たせた。そしてやがてもっと森の奥の、ハムレットがすることを見ていなかった木の下で昼寝をした甲斐もなく、夕方になってもと来た道を帰る途中で、彼は序でに、それまでにどこか死ぬ場所を求めて這い去ることが出来ないでいた犠牲の眼を何斤も集めて、それで手を洗い、指にも塗り付け、既に気持が悪いので痙攣している指を一本々々念入りに折り曲げて音を立てさせた。ああ、それは現実の悪魔の仕業なのだ。即ちそれは、――然も神の名に於て、それが当り前なのである、――口が利けない、微力な存在に対しては何をしても構わないということを実証する喜びに他ならなかった。併し城に近づくに従って、寝が足りないのと愚劣な興奮とで疲れ切ったハムレットは、夕暮の名状し難い哀れさが彼の喉まで込み上げて来るのを感じた。彼は忍び足で城内に入り、明りも付けずに塔に閉じ籠って、無数の眼が瞬きし、拭い去れない涙に濡れているのを踏み付ける錯覚に悩まされてよろめき廻った揚句、着物を着たままで床に入って冷汗に濡れ、涙を流して、罪滅(つみほろぼ)しに自殺するか、或は少くとも顔を傷だらけにしようとさえ思った。彼は彼の優しい心が、何か考え込んでいるようなそれ等の哀れな眼の中に完全に沈められたのを感じないではいられなかった。併し翌日になると、

――何だ、つまらない。では人間の間ではそういうことはやらないとでも言うのか、田舎者奴、大根役者、薄鈍奴。

それ故にハムレットにとって小鳥を一羽締めること位何でもないのであって、――彼の animal spirits に少しばかりの捌(は)け口を与えたことをしか意味していない。これは重宝な考え方だ。そして哀れなオフェリヤに対する彼の態度も、それと余り異らなかったとハムレットはまだ思っていないにしても、彼の後見に付いている天使はそれを認めている。

エルシノアの墓地は町から二十分程の所にあって、街道に沿うて坂になっている地面に横たわっている。ハムレットは途中で町の城門を潜る。その辺には城門の番兵を相手に商売をしている店が五、六軒ある切りで、それを過ぎると、どこでも同じような、城壁の外の寂しい、単調な田舎である。……

職工が家に帰って行く。それからどこかの結婚式が終った後で招待された客が一塊になって、この時間に町に行って何をしようかと相談している。

エルシノアでハムレットの顔を知っているものは余りいない。大抵のものは躊躇して、結局挨拶しないでいる。それに彼は小柄であって、……要するに次のような人物である。

彼は背が高い方ではなく、先ず尋常な骨格をしていて、細長い、子供のような顔は俯き加減になっていることが多い。髪は栗色で、広い額に鋭角の生え際を劃(かく)し右寄りに真直な筋を作って両側に分けられ、平たく、力なげに垂れ下って、女のにしても恥しくない可愛らしい耳を隠している。髭は生やしていないが、その為に頬が滑(なめら)か過ぎる感じではなく、顔色は聊(いささ)か不自然に蒼白く、併し若さは失われていない。眼は青み掛った鼠色で、常に何かに驚いたように見開かれ、無邪気で、時には冷たく、時には寝が足りないので充血している（幸なことに、彼の

気が弱そうな眼付きは何事か思索しているような率直な明るさを持っていて、ハムレットが無形の触手を働かせて実在のありかを探っているかの如く、いつも伏目勝ちに辺りを見廻す様子は、デンマアクの世嗣の王子よりも、寧ろベネディクト派の修道僧といった感じを与える）。彼の鼻筋は肉感的であり、彼の素直な口は普通は閉じられているが、時によっては、それまで恋人の半ば開かれた口元だったのが俄かに鶏に似た歪んだ微笑を浮べ、又時代の圧力の下に固く結ばれていたのが、どうかすると十四歳の腕白小僧の堪え切れない馬鹿笑いになって精一杯に開かれる。彼の顎は生憎目立たない。そして下顎骨の両端にしても同様であって、ただ嫌悪や倦怠が嵩じて手に負えなくなっている時は顎が出張り、それと同じ作用で眼が打ち負かされた額の下に引込み、顔全体が締って、二十も老けて見える。ハムレットは三十歳である。彼は女のような足をしていて、手は巌丈であるが少し歪んでいて皺がよっている。彼は右の手の人差指に緑色の琺瑯で出来たエジプト風の甲虫の指輪を嵌めている。そしていつも黒い服を着て、端正な、ゆっくりした足取りで、別に用事もないといった様子で歩いて行く。……

それで夕方ハムレットは、端正なゆっくりした足取りでエルシノアの墓地の方に行く。

彼は女や子供や年取った男などの労働者の群が彼等の浅ましい運命の重荷の下に背を折り曲げて、資本家が日々彼等を監禁する工場から帰って来るのに出会う。

——ああ、とハムレットは考える。現在の社会組織が自然を噎せ返らせるに足る程言語道断なものであることは私にだってお前達と同じ位によく解っている。そして私自身は封建的な寄生物に過ぎない。併しそれだからどうしたと言うのだ。彼等はその組織の中で生れてそれは昔からのことで、それは彼等が新婚旅行に行くことや、死を恐れることを妨げず、凡て終ることがないことはいいことなのだ。——そうさ、いつかそのうちに蜂起するがいい。併しその時は凡てを終らせて貰いたい。何もかも、階級も宗教も観念も言語も虱と一緒に踏み潰してしまえ！　そして我々一同の母なる大地の至る所に互に愛し合える幼年時代を我々の為に再び出現させて、皆が熱帯地方の生活を楽みに行くことが出来るようにしてくれ。

我々の本能の
庭に、我々を
癒してくれるものを

探しに行こう。

そうだ、そしてその時彼等が付いて来るかどうか見るがいい。彼等はそうするのには余りにも家庭生活に於る暴君で、まだ充分な美意識を持たず、又まだ暫くは無限の前に余りにも臆病なのだ。彼等は一人のポロニウスか、誰かそういった博愛家が彼等に、「儲けなさい」と口説くのを口を開けて鵜呑みにするがいい。――そしてインドの王子だった釈迦のように、私も僅かな間使徒の情熱を抱いたことがあったとは！　しっかりしてくれ、実際。私の小さな、一つしかない命で（然もそれを私は小さな、一人しかいない女とともにしなければならないのに）、この私が猫に鈴を付ける役目を買って出るとは！　そしてその鈴に私の空っぽの、何を考えているのか解らない頭を使おうというのは！　我々はプロレタリヤよりもプロレタリヤ的にならないようにしなければならない。そして人間の正義の観念よ、お前も自然を無視してまで強くならないようにしてくれ。そうだ、私の友達、私の兄弟達よ！　我々は歴史の展開に我々の運命を任せるか、黙示録の要領で凡てを一掃するか、というのは例の進歩の観念に頼るか、或は自然の状態に戻るか、そのどちらかを撰ぶことが出来るのだ。そしてそれはそれとして、諸君の食欲が進んで明日は日曜だから存分に楽むように！

墓地の鉄格子の門に至る小道は勾配が急で登って行くのに骨が折れる。ハムレットは不機嫌になって、通りすがりに摘んだ芥子の花を指でもみくしゃにする。彼が着いた時は既に遅く、ポロニウスの埋葬式はすんでいて、最後に残った人達が墓地から出て来る。ハムレットは気付かれないように生垣の蔭に隠れる。ポロニウスの息子のラエルテスが端で見ていても気の毒な程打ち萎れて、連れのものに腕を支えられて通る。誰かが、もうこの上我慢することは出来なくなったかのように、「気違いだと言うのならば、そいつを監禁して置くのが当然だ。」と呟くのが聞える。

ハムレットは立ち上って、それまで知らずに蟻の穴を踏んでいたのに気が付く。――どうせ序でだ、とハムレットは思う。こうしてやって偶然のなり行きの手伝いをしよう。……そして彼は踵でその蟻の穴を滅茶滅茶にする。

墓地にいた人達は皆帰って、後には二人の墓掘りしか残っていない。ハムレットはそのうちの一人がポロニウスの墓に供えられた花輪を置き直している方に近づいて行く。

——胸像が出来上るのは来月です、とその男は別に話し掛けられもしないのに説明する。

——何で死んだのか知っているか。

——脳溢血。飲み食いが烈しかったから。

ハムレットは豊富な教養を持っているにも拘らず、それまで殆ど顧みないでいた事実をこの時始めてはっきり認めさせられる。そして彼が一人の人間を殺害し、法的にも充分な根拠を持つ一箇の生命を消滅させたことを感じる。ポロニウスなるもの、……彼は少くともまだ四十年はハムレットを横目で見ることが出来たのに（彼はいつも彼が病気というものをしたことがないのを自慢していた）、ハムレットは別に深い考えもなく、そしてそれにも拘らず決定的に、恰も請負師が差し出した大袈裟な建築見積書に線を引いて無駄な部分を削除するように、その年月を一撃の下に消し去ったのである。こういう矛盾した現象もこの世を離れた彼方に於ては何等かの意味を持っているのだろうか。

ハムレットは彼が花輪の置き方を褒めてくれることを期待して彼の顔を見ている墓掘りの前に立ちはだかり、暫くその男を見返していてから、いきなり、「Words! words! words! 解るか、言葉、言葉、言葉、というのだ、」と相手に叩き付けるように怒鳴る。

そして彼はその墓掘りが、「何だ、陸でなしの閑人奴、」と言うのを待たないで、もう一人の墓掘りの方に行く。

——お前さんは何をしているのだね。

——旦那も御覧の通り、私は古いお墓の始末をしております。さようでございます。こういうお墓がここにあったのは随分前からのことでございます。この墓地は今でも昔のままの大きさで、それだと言うのに、前の王様はこの町の人口を殆ど倍になさいました。

墓掘りは少し酔っていて、シャベルをかって真直に立っていようとする。

——ははあ、殆ど倍になさった。……

——旦那はこの辺の方ではいらっしゃらないと見えますな。前の王様は（やはり脳溢血でお亡くなりでしたが）なかなか達者なお方で、そして又親切な方でもいらっしゃいましたから、どこにお出になっても金をお惜みにはなりませんでした。

——併しあのハムレット王子は女王の子なのだろうな。

——どう致しまして。旦那はもう亡くなりましたあのヨリックという素敵な道化役者のことを御存じでしょうが。……

——ああ。

——つまり母親の方から申しますと、あのヨリックがハムレット様の兄になる訳でございます。

宮廷に仕えていた道化役者と兄弟だというのである。そうするとハムレットは、彼が思っていた程嫡流（ちゃくりゅう）ではなかったのだ。……

——それでその母親は？

——その母親というのは、旦那の前ではございますが、それはもう何とも言えない美人のジプシイでございまして、それが息子のヨリックを連れて占いをやりにこちらに参ったのでございます。そのジプシイがお城におることになりまして、それから一年後にハムレット様をお生みして亡くなったのでございます。お生みして、と申しますのは、……その時致しました帝王切開の結果が思わしくなかったのでございます。

——なる程。ハムレットをこの世に引っ張り込むには相当手数が掛ったと言うのか。……

——さようでございます。あすこの空地になっている所にそのジプシイの墓があったのでございます。この間女王様のお言い付けで、それを掘り返してあのようにすることになりました。それであのジプシイは貴方や私と同様にキリスト教徒だったのでございまして、その証拠に私達はその晩皆もう大飲みに飲んで酔い潰れました。それから可哀そうに、今度はヨリックの墓が同じように掘り返されることになりまして、そこの、旦那の足でお踏み付けになれる所に転がっておりますのがヨリックの骨でございます。

——いや、踏み付けたりしたくはない。

——そして一時間程するとポロニウス様のお子様のオフェリヤ様のお棺が着きますが、それをそこに入れる準備を私は今しているのでございます。世は果敢（はか）ないものでございます。

——そうか。……ではあの娘さんは見付かったのだね。

——水門の傍だったそうでございます。今朝御兄弟のラエルテス様がその事を私達に言いにお出（い）でになりました。それは見る眼もお気の毒でございました。大変評判がいい方でございます。あの方は労働者の住宅問題に関心を持ってお出でになるのを御存じですか。それに、この頃色々な噂が立っていることを旦那は知ってお出ででしょうか。

――そう言えば、ハムレット王子は気違いになったと言うじゃないか（おお、神よ、水門の傍で……）。

――そうなのでございます。これでもう何もかも終りでございます。前から申していることでございますが、こうしていられるのも長いことではございません。そのうちにノオルウェイのフォルティンブラス王子の上陸ということになるのでございましょう。私は溜めました小金の全部でノオルウェイの株を買って置きましたから、明日は日曜でございますが、安心して飲める訳でございます。

――そうか。仕事の邪魔をしてすまなかった。

ハムレットは墓掘りに金貨を一枚握らせて、ヨリックの頭蓋骨を拾いあげ、墓石や糸檜葉（いとひば）の木の間を端正な、ゆっくりした足取りで歩いて行く。彼は色々な人々の運命、それも尋常一様ではない運命を担わされて、彼がなすべきことを見出すのに何から手を付けたらいいのかよく解らなくなっている。

ハムレットは立ち止って、ヨリックの頭蓋骨を耳に当てて見る。

――Alas, poor Yorick! 丁度我々が貝殻を耳に持って行くと、海の音が聞えるような気がするのと同様に、私にはこの骨の中で、曾（かつ）てはこれがその反響で満されていた、宇宙の霊魂の尽きない交響曲が奏されているように思われる。これは一つの間違いがない考えなのだ。所が人類はそれ以上追究しようとせず、頭蓋骨の中で聞える漠然としたあの世の音に執着して、それで死を説明し、というのはそれで宗教を作っている。Alas, poor Yorick! ヨリックの知性は蛆に食われてしまった。……あれは何か超越した機智に富んでいて、又私の兄弟でもあった（九カ月間同じ母親を持っていた）。といって、だからどうということはないかも知れないが、兎に角彼は人物だった。彼は詮索好きな、狡猾な、一筋縄では行かない男で、彼は自分というものを信じていた。そういう彼はどこに行ったのだろう。誰も知っていない。彼の夢遊病さえ消え失せたようだ。見識というものにしても後には何も残らないということだ。これには曾ては舌があって、Good night, ladies: good night, sweet ladies! Good night, good night! などと囀（さえず）ったのだ。これは歌も歌ったし、中には随分際どい歌もあった。――これは予見した（ハムレットは手に持っている頭蓋骨を前に抛るようにする）。これは思い出した（同じ動作を後の方に向けて繰り返す）。これはものを言い、赤面し、又これは欠伸もした。

――何とも恐しいことだ。――私はまだ二十年、或は三十年は生きているかも知れない。そして結局は皆と同じようになるのだ。――皆と同じように？――おお、全体よ、最早その一部をなさないということは何とみじめなことなのだろう。――私は明日にも旅に出て、最も確実な死体の保存法を求めて世界中を遍歴したい。――歴史に記されていない凡人達も曾てはこの世に生きていたのだ。彼等も手習いをし、爪を切り、汚れたランプに毎晩火を燈し、恋愛し、おいしいものを食べたがり、虚栄心があり、握手や、接吻や人に褒められたりすることで気をよくし、噂話を生活の糧にして、「明日のお天気はどうだろう。もう直ぐ冬が来る。……今年は一度も乾し李（すもも）を食べなかった。」などと言っていたのだ。――ああ、凡て終ることがないことはいいことなのだ。そして沈黙よ、お前は地球を許してやってくれ。この子は何をしているのか自分でも解らないのだ。それに理想による意識の総決算の日に、これは唯一の進化に含まれている零細な進化の項に、他の些少な量とともに哀れな「同じく」で片付けられることだろう。――それ以外のことは凡て言葉、言葉、言葉だ。そして我々の言葉が何等かの先験的な実在と附合しない以上、私はそれを私の標語にしている他はない。――私としては、私が持ち合せている才能をもってすれば、私は所謂（いわゆる）救世主になれたかも知れないのだ。併し困ったことに、私は余りにも自然の恩恵を蒙り過ぎている。私は凡てを理解し、凡てに熱中し、凡てを一層豊かにしようとする。だから私の寝台に彫り付けてある詩の通り、

私の同化作用の活潑さは
私の閲歴をいびつにするだろう。

ああ、私はそれで又何と高級な退屈の仕方をしているのだろう。――併し私はここに何をしに来たのだろう。――死ぬということ、幾ら才能がある人間にしても、そんなことに就て誰が考えている暇があるか。私が死ぬとは！　そういう話は又次の機会に譲ることにしよう。何も急ぐことはない。

――死ぬということ、我々が例えば毎晩いつの間にか眠っているのと同じ具合に死ぬのだということ位は誰でも知っている。そして最後に何か考えてから睡眠に、或は仮死の状態に、或は死に移る過程を我々は意識することは出来ない。それは解っている。併し最早存在しなく

なり、ここにはいなくなり、この全体の一部をなさなくなるとは！　そしていつもと少しも変らない或る日の午後、どこかで弾いているピアノの音に籠められた哀愁を胸一杯に受けることさえ出来なくなるとは！

――私の父は死んだ。私がその延長だと言えるあの肉体はこの世から消えたのだ。そしてそのお父さんがあすこに両手を組み合せて、仰けになって横たわっているが、私としてもいつかはそうなるのだ。そして人々は私を見て言うだろう、「何だ、これはあんなに甘やかされて、いつもひどいことばかり言っていたあの若いハムレットじゃないか。あの男も皆と同じように真面目な顔付きをして、ここにこうしていなければならないという言語道断なことを、こういう落ち着いた態度で受け入れたのか。」と。

ハムレットはやがて頭蓋骨だけになるべき彼の顔を両手に取って、体中の骨に力を入れて身震いしようとする。

――ああ、せめてここでは真面目になろうじゃないか。私はここで言葉、言葉、言葉を並べて然るべきなのだ。併しもしこれが私に何も感じさせないならば、一体何があればいいのだろう。――例えば私はお腹が空けば、色々の食べ物のことが非常にはっきり頭に浮んで来るし、喉が乾けばそれと同様に飲み物のことをはっきり思い浮べる。そして独身者の寂しさが込み上げてくれば日頃憧れている眼や、得も言えない皮膚のことを思って胸が締め付けられるのに、死ぬことに就て考えるのがこれ程実感を伴わないのは、それは私の生活力が旺盛であって、生活が私を捉えて離さず、生活の方で私に期待を掛けているからに違いないのだ。――それ故に私は誰かと二人でする私の生活に専心すればいいということになる。

――おい、そこにいる人、と初めにハムレットに話し掛けた墓掘りが呼ぶ、あすこへオフェリヤのお葬式の行列がやって来た。

ハムレットはいい気持で眠っていたのを大太鼓の撥で背中を叩かれて起された道化役者のように跳ね上ろうとして、やっとのことでその衝動を抑え付ける。そして透し彫りがしてある石垣の蔭に隠れて見物することに決める。

オフェリヤの悲しい葬式の行列が墓地に入って来る（然も二度とあることなく！）。そして坂道を登って行く動揺で、棺に掛けてある黒い天鵞絨の覆いの上から白い薔薇の花が絶えず振り落される（これも二度とあることなく！）。

——併しあの女がそんな重い筈はないのに、とハムレットは思案する、そうだ、忘れていたが、あれは水を呑んで、水瓶みたいになっているのだ。しようがない奴だ、川から上げられたりして。然も私の本を無闇に読んでいればこういうことになるのは解っていたのだ。——今になって私はあの大きな、青い瞳を本当に美しく思う。可哀そうに、あんなに痩せていて、そしてあんなに健気な女だったのに。あんなに純真で、慎み深かったのに。——ああ、もうどうでもいい。これで何もかもおしまいだ。もしオフェリヤが生きていたらば、ここに近いうちに攻めて来るに違いないフォルティンブラスの妾にされるに決っている、あの男はそういうことに掛けてはトルコ人に引けを取らないのだから。そしてあれはそんな目に会って生きているような女ではない、私はあれを仕付けるのに随分念を入れたのだし、あの女の性格をよく知っている。それで、もしあれがそういう訳で死んだとしたら、そのうちに茶番劇に仕組まれそうな浮名を後に残すことになったのだが、私のお蔭で、……。

ハムレットは墓穴の廻りで埋葬の勤めをしている僧侶達の身振りに気を取られて、暫く考えるのを止める。僧侶達は日曜を控えているので、手軽に仕事を片付けて行く。それに彼等にとって女の子を一人埋めたり、結婚させたりするのは造作もないことである。然もそういうことに一々反抗する余裕を誰が持っているだろうか。芸術は余りにも長く、生活は余りにも短いのだ。そしてハムレットとしては、この際後悔が神経の表面を掻き立てるのを感じる位のことしか出来ない。

——何と言ってもだ、私のように親切な人間、又誰にでも立派な心の持主であることを認められているものが、何故こういうことをしなければならなかったのだろう。私は何ということをしたのだろう。……可哀そうなオフェリヤ、可哀そうなリリ、あれは私の小さな時からの友達だったのだ。私はあの女を愛していた。それは紛れもないことで、疑おうとしても疑いの余地がないことだった。そして私としてはあの女の微笑が示す方向に従って更生することの他に何も望みはなかったとさえ言うことが出来る。併し芸術の性格は余りにも偉大であって、生活は余りにも短いのだ。そして私は私の母や兄弟の関係、更に又その他の点から言っても初めから見込みがない人間だったのだ（そうだ、それも確かにある）。それでその結果として私がオフェリヤを苦めないではいられなかった為に、あれは痩せる一方で、私が以前もっと幸福な時代にあれの指に嵌めてやった婚約の指輪は動くと直ぐに滑り落ちるようになっていた。それも天の知らせだろう。……そしてあれは又如何にも長持ちするのに堪えないといった感じがする女だった。それに、ここの宮廷の宴会では、十六歳から肩を出した服を着けることになっているのだから、あれの肩がまだ純潔であるとは言えなかった。私はあれの肩を最初に見たのがいつだったかも覚えていない。所が肩の純潔さは私にとってなくてはならない条件なのだ。それに又、あれはあの眼差しの気高さにも拘らず、他の女達と同じような経験を持っていたのだし、そういう意味で私だけのものではなかったのだ。それ故に私は最早あれを単に一人の女として観察している他なかった。そして私は、「これからは誰の眼を信用することが出来るだろう。私はこの女の眼を抜き取って、それで手を洗うべきだった、」と考えたりした。そして最後に、私達の逢引の場所にあの厄介な声がいつも私より先に着いていて、それが私の耳に、「接吻する、止めて置こう。これは真実だ、いや、言葉、言葉、言葉に過ぎない、」というようなことを囁き、どうすればいいのか解らなくさせる。お蔭で私は本当に気違いになりそうだった。私は少しは私の健康のことも考えなければならなかった。

勝手に、Holy, holy, holy, Lord God Almighty! と合唱するがいい。それにしても、神に人格を附与するとはどういう了見なのだろう。当て付けがましいというのはこのことだ。――あれの天国は私の記憶のうちにあるのだ。何故ならあれは確かに私の天才に相応(ふさわ)しい恋人に是非ともなくてはならない条件を備えていたからで、それは、二つの何でも知っている大きな眼が無邪気に人を迎えようとする口に付き添っているか、或は(白状すれば、あのケエトという女優がそれなのだが)、二つの青くて綺麗な、そして誰か相手を求めているように絶えず辺りを見廻している眼がいつも他人の接近を極度に警戒して、片隅に意地悪い皺を寄せている、過去の経験に蹂躙された口に牽制されているか、そのどちらかなのだ。そしてオフェリヤの横顔は、然もそれが女の美しさを鑑定する場合の唯一の基準なのだが、あれの横顔はブルドッグから羚羊(かもしか)に至るまでの如何なる動物も聯想(れんそう)させなかった。又あれと付き合っていて、私は曽て雌犬の厭らしさを感じたことがなかった。要するにあれはスカアトを穿いた聖徒に他ならなかった。あれが年を取ったりすることが惜しかったし、ましてあの女がフォルティンブラスの妾になることなど考えられようか。ああ、オフェリヤ、何故お前は生れた時から私の連れ合いではなかったのだ。何故それを無理にするような身分の女だったのだ。私があれを萎れさせて、後は運命が引き受けたのだ。

オフェリヤよ、オフェリヤよ、
水に漂うお前の体は
私の古い思いに浮ぶ
棒切れだ。……

葬式が（又とあることなく）終りに近づいて、これも二度とあることなく、棺の上に土の塊が落ちる音が聞えて来る。

――もう一度言うが、あの女は天使のような体付きをしていた。併し今となってはそれに就てどうすることが出来るだろうか。よし、私はあれが復活することと引き換えに私の寿命の十年を提供する。神様は黙っていられる。そうか、それは神様など存在しないということか、或は私に最早十年の寿命も残っていないということなのだ。そして第一の仮説の方が私には正しいように思われる。

行為の人であるということになっているハムレットは、乱暴者のラエルテスが他の人達と一緒に帰って行くまでは、勿論彼の隠れ場から出て来ない。

――私の兄さんのヨリックよ、私はお前の頭蓋骨を家に持って帰る。私はこれを私の部屋の棚に、オフェリヤの手袋と私の最初の乳歯との間に飾って置くことにしよう。ああ、これだけの材料があれば、私はこの冬どんなに仕事をすることだろう。私には無限に書きたいことがあるのだ。

日が暮れて行く。そろそろ行為に移らなければならない。ハムレットは夜になった街道の平凡な景色を余り気に掛けないで、もと来た道を城の方に戻る。彼は先ずヨリックの頭蓋骨という貴重な記念品を置きに塔に登って、暫く窓際に肱を突き、黄金色の満月が凪いでいる海に映って、そこに天鵞絨風の黒と溶けた金の、その意味もなく美しい柱を屈折させているのを眺めている。

悲しげな水に映る月の光、……聖徒であって堕獄の罪を犯したオフェリヤはそのようにして一晩中漂っていたのだ。……

――併し私は自殺することは出来ない。私はまだ生きていたいのだ。オフェリヤよ、オフェリヤよ、許してくれ。そんなに泣くのじゃない、頼む。

ハムレットは窓を離れて、憑かれたように暗闇の中を歩き廻る。

――私は女の子が泣くのを見ていることが出来ない。確かに女の子を泣かせるということは、その女と結婚することと以上に取り返しが付かないことなのだ。何故なら涙は純然たる幼年時代の産物で、涙を流すということは、余りにも深い悲みが何年にも亘っての理性の発育や社会に対する習熟を突き崩して、それ等を幼年時代の無垢の存在から湧き出る泉で洗い去ることを意味しているからだ。――さらば、遂に人に馴れなかった為にまだ誰にも犯されなかったオフェリヤの美しい眼よ。もう夜で、私は仕事に掛らなければならない。その他の理論だの、接吻だのは明日になってからのことだ。

ハムレットは芝居の方がどうなっているかを見に下に降りて行く。

普通は宮廷で催す大舞踏会に運ぶ料理をそこに並べて置く廊下が幾つかの部屋に仕切られて、今夜の役者達の楽屋に当てられている。

ハムレットは別に深い考えもなく、その一つの戸を開けて中に入ろうとして、敷居の所で釘付けにされる。というのは、そこの床の上に、縄を解いた衣裳櫃（いしょうびつ）に取り巻かれて、女優のケエトがまだ涙が止らないでしゃくりあげながら、マグダレナのマリヤのように泣き崩れていたのである。ケエトは裾が長い、地は紅の金襴（きんらん）の着物を着ていて、コルセットはまだ着けず、腕や肩を出して、胸は襞が沢山付いている下着で包み、そこに一人の哀れな、そして或は慰めることが出来る女となって横たわっている。

ハムレットは戸を静かに、器用に締めて、この新しい噂の種に近づく。

――一体どうしたのだ、ケエト。

美しいケエトは王子がそこに立っておられることを何とも思わないで、更に何分間かの間、彼女の涙が呼び戻した幼年時代の感情に由来する気位の高さでそのまま動かずにいる。そして（いつかは行為に移らなければならないので）、漸くのことで立ち上り、王子には背を向けて、もっと泣くことが出来る様子でなかなか解けない紐と格闘しながら、半分やりかけたままになっている、一晩限りの女王としての身仕度に再び取り掛る。――それにしても何という美しい女なのだろう！　もしこの女が口をきいてハムレット的なものの考え方に堕するというのではなくてそれに接近するとしたら、ハムレットの敗北は眼に見えている。そしてその結果としてケエトは拾われるのである。

――いけないね、ケエト。一体どうしたのだ。

そう言いながら、ハムレットはケエトの肩に優しく手を掛ける。

――さあ、私に話しておくれ。

ここに於てケエトは向き直りハムレットの顔を見詰め、この清潔な王子の胸にいきなり顔を押し付けて、又発作的に泣き始める。そう言えば、ハムレットは先月オフェリヤがいい加減泣いて濡らした黒い天鵞絨の胴着を着ている。

ハムレットはケエトの髪を撫で付けて、慰めるのだとか、その他の意味を兼ねて首筋に幾度か接吻するのを妥当と考える。

ケエトの美しさを描写するには、ハムレットの文才がなければ駄目である。例えば我々がケエトのようなのに街で行き会えば、後を付ける気も起こらないで呆然と立ち止り（何故なら我々は、後を付けた所で何になる？　どうせあの女が暇な訳はないのだ、と自分に言い聞かせるからである）、又どこかの応接間にそういうのがいれば、優しく、そして大に気があるようにではなく、（というのは、あの女は人が驚いて振り返るのにもう飽きていることだろう。それならば何もその人数を殖やさないでもいい訳だ、と考えて）、他所々々しく、余り関心がない振りをして眺めることになる。そして後でその女が他の女と同じような暮し方をしていて、独身だったり、夫を持っていたり、或は恋人があったりすることが解っても、それがやはりその僅か二十五歳の生命と、前の晩はよく寝た怪物の面持にも拘らず、既に幾つかの国際的な事件を惹き起した、あの有名な何某ではないことが直ぐには納得出来ないのである。

ケエトは方々を渡り歩いて生活して来たが、そこに何も特筆すべきことは見出せない。ああ、みじめな生活！　地方の小さな町、ランプの笠、薄汚い仲介人、戸が乱暴に締められる音！　ああ、みじめな間に合せの生活よ！　ケエトは確かに渡り歩いて生活して来た。そしてそれがそこに立っていて、こちらを眺め、その不機嫌な皺をよせた口元は今朝開いた山小菜の花であって、その大きな、まだ誰にも知られていない眼は、「何？……そうかしら。……」と呟いているように見え、然もその細い首筋の上に付いている小さな髷には何という慎しさが感じられることだろう。——もうこの位で止めることにしよう。ケエトは女であり、奴隷であって、自分が何であるか解らないのである。……

ケエトには解らないし、ハムレットは憐憫と愛撫を兼ねて、その若い唇を悲しさで狭められたケエトの肩の、念入りに手入れされた皮膚に当てて、ただ自分が人間であることを示すことしか知らないのである。

併しそれでいい訳はない。今は天然の平野から遠く、先ず凡てを整理する必要があり、それも今晩を期して早速始めなければならないことなのである。

——さあ、ケエト、何故、泣いていたのか言っておくれ。お前は昨日まで私を知らなかったのに、今晩は既に私が接吻するのを少しも不思議に思わなくなっている。私にお前が何故泣いていたのか言っておくれ。

——いいえ、それはどんなことがあっても言えません。

——そんなにひどいことなのか。だから、私に、……。

ハムレットはそう言いながら、自分の頬をケエトの肩に戴せる。それでケエトはハムレットの方に顔を向け、眼を伏せて、両手を伸し、非常に迷惑そうに、怒っているような声で話し出す。

——それなら言います、私は陸(ろく)でもない女ですけれど、誰に何と言われようと私の魂は卑しくはありません。私が今まで立派な女役をどれだけ勤めたかは神様が御存じです。それだのに貴方がお書きになった芝居の、子供の時や婚約した頃の私の役を読んでいたら、それなんだけれど、……私達の運命っていうのはあの通りなんですもの、私達がそれに甘えることが出来るようでいて残酷で。本当に貴方みたいな方は他にいなくて、そして誰も貴方を理解していないのに違いありません。ここにいて荒っぽくて、拍車を鳴らして歩いている人達が貴方は気違いだなんて言っているのは嘘なんです。でも貴方は何て多くの女の人達をお苦めになったことでしょう。いいえ、そんなことじゃないんだけれど、……もう言いません。

——その先を言ってくれ、オフェリヤ。

——兎に角、私が支度をしながら、あの教会での台詞を暗誦していたら、私は又涙で一杯になって、それで床に泣き倒れたんです。私だってそういうことは解るんです。ああ、私が今送っているような嘘っぱちな生活は本当に嫌だ。私は明日何もかも止めて、カレイに戻って尼さんになります。そして百年戦争で負傷した気の毒な人達の世話をして一生暮すことにします。

ハムレットは無躾(ぶしつけ)な男ではないが、この場合彼の芸術家としての喜びを抑えることが出来ない。彼は自分が詩人であることとの確信を得たのであって、それをこの女優は右のような次第でロンドンの第一流の劇場から彼に齎したのである。だから彼がケエトを質問攻めにして、更に詳細な説明を求め、彼の作品で少しでもいい箇所をケエトに残らず言わせるのも無理はなく、かくの如く彼の宇宙的な心は彼の天才が啓発したその女の眼に自分の姿を映して飽きずに眺める。

——そうすると、もしこの芝居が大都会の劇場で上演されたら素晴しい成功を収めると考えていいだろうか。そして人々は私が悲しそうに街を歩いているのを見て立ち止るだろうか。又或るものは私の生活の謎が解けなくて自殺するだろうか。ケエト、お前にはまだ言わなかったけれど、この芝居なんて何でもないのだ。私はこれをつまらない家庭のごたごたの中で書いたのだが、私は他にも芝居だの、詩だの、仮面劇だの、哲学の論文だの、誰も今まで発表したことがなかったような、圧倒的な、或は読むものによっては致命的な効果があるのを書いて持っているのだ。私達はこれから一緒になってやって行くのだ。私は何もかも止めて、二人でこの月夜の晩にここを立つことにしよう。私はお前に何でも読んで聞かせる。そして私達はパリに行って生活しよう。

ケエトは黙って又泣き始める。

——いいえ、ハムレット。私にそんなことは出来ません。私は今までの生活を止めて尼さんになって、百年戦争で負傷した人達の世話をしながら毎日貴方の為に神様にお祈りします。

誰かが戸を叩く。

——ケエト、涙を拭いて急いで支度をしろ。私は芝居が終る前にここに戻って来る。私はお前が好きなのだ。この大変なことに就てお前の感想を聞かせてくれ。——誰だ。

その声に応じて舞台監督が入って来る。ハムレットは部屋を出て行く前に監督と立ち話をする。

——今晩の芝居の脚本は私が書いたのだということを誰にも言わないように。そしてこれはそっちで偶然に選んだのだということにして置いて貰いたい。では予定通りやってくれ。

——そうだ、とハムレットは塔に戻る途中で自分を相手にして言い続ける、今晩の芝居とか、それが持っている意味とかは、ケエトの最初の恋人が誰だったかということと同じ位に私にとっては最早どうだっていいことなのだ。――運命は既に決せられたのだ。私がなすべきことが何であるかは明瞭だし、こういう解決はいつも思いも寄らない方向から現れる。私にはやはり生活とその周辺と、それからそれにも拘らず尊重すべき生活に対する否定論が向いているようだ。

ハムレットは厚い着物に着換えて、何枚かの銅版や、原稿や、その他に金貨や宝石を二つの箱に詰め、その晩持って行く武器を選択する。次に彼は小さな炉に火を起して、その上に銅版画に使う銅の板を一枚置き、それに、胸にピンが刺っている二つの蠟人形を載せる。そしてその二つの蠟人形はやがて溶けて、汚い液体の流れとなって合体する。

――そしてこの国の王位に対する私の権利も放棄する。そんなことで頭を使うのも馬鹿馬鹿しいことだ。ノオルウェイのフォルティンブラスは私がこういう考えを持つことに賛成するに違いない。それでいいのだ、死んだものは帰って来ないのだから。私は旅に出掛ける。そしてパリに行くのだ！　ケエトは女優としても天使みたいに、又怪物のように上手なのに決っている。私達は大変な人気を博することだろう。そして二人とも風変りな別名を選んで付けるのだ。

ハムレットはそういう風変りな別名を考えようとするが、既にその時、二人がその晩馬で飛ばす距離の実感が彼の胸を締め付ける。明日は日曜で、エルシノアの女の子達が弥撒と晩禱に出掛けるのに変りはなくても、その明日の今頃二人は町の城壁から何と遠い所にいることだろう。

ハムレットは馬の用意その他を言い付ける為にベルを鳴して家来を呼ぶ。そして家来が来るまで彼はそこの壁に何枚も掛けてあって、彼の空しい青春の暗い記憶の一部となっているユトランド半島の画に唾を吐き散らして時を過す。

フェンゴ王とゲルタ女王は、機嫌よくしていなければならないので疲れた笑顔をして一通り辺りを見廻してから、着席する。それで一度立ち上ったその晩の参会者は、風が吹いて来る方向を聞き定めようとしている麦の穂に似た衣擦(きぬず)れの音を立てて、又腰掛ける。そして小姓達が戸の方に退き、舞台の幕が両側に開く。

このような場合、ハムレットに注意するものは誰もいない。彼は壁から突き出ている壇の隅の方にクッションを置いて腰掛け、そこに廻らされた欄干の蔭に隠れて舞台と会場を見下している。

「嵐のような喝采」という文句がハムレットの頭に浮んで来る。——併し何も逆上せ上ることはないのだ。会場の大部分は空で、宮廷の仕来りで拍手してはいけないことになっているし、今夜そこに来ている人々は王夫妻の顔色に従って自分達の表情を決めるのであり、然も第二幕以後はこの二人は余りいい気持がしなくなるのに決っていて、それだけ彼等が芝居を見る眼にも不公平が生じる訳である。

芝居が始って、それを殆ど全部暗記しているハムレットは舞台装置の出来栄えだとか、もっと本格的な観察を対象とした場合の言葉の効力だとか、訂正すべき箇所だとかに就てあれこれと思案する。そのうちにケエトが登場して、芝居全体が俄かに活き活きして来る。

——何ということだろう。私は全くの素人に過ぎなかった。私に欠けていたのは舞台での実地の経験だったのだ。私は考えていたことの四分の一も言い表していない。そしてあれは前髪が下った髪に結って、何と完全に、又幻想的に美しいのだろう。あれは自分がどこに連れて行かれるのか少しも気が付かない様子をしている。そしてあれの眼は時には凡てを理解していて、時には全く何も知らないように見える。実際あれの体は千年後までの語り草になることを成就する為に鍛えられたのだ。我々はお互に相手を理解している。我々は一躍して世に知られるに違いない。あれはオフェリヤと同様に、どこか着物の襟を立てているといった感じを持っている。併しあれの場合はその為にあれが逆に引立って見える(これを一つの言い方として覚えて置こうか)。私はあれを生活自体のように愛して行く積りなのだ。——今の台詞の言い方は全く素晴しかった。

私の所に戻って来て、
私の髪の中でお泣きなさい。
その時私は貴方の為に、告白で花輪を束ねましょう、
もし貴方がそれを望んで下さるなら、……。

ああ、戻って来ないでどうしよう。私は女を知っていると思っていたが、女とか自由とか言って、いい気になって観念的な常套文句を並べていただけだ。——そしてそこにいる二人の悪者も熱心になって見物していて、こ

の恐しい芝居を誰が書いたのか気が付かないらしい。あれだけ省略したのにまだ余計な所が残っているとすれば、私は少しそういう部分に気を入れ過ぎたのかも知れない。併しあの庭での場面が問題なのだ。――そう言えば、ラエルテスが来ていない。

幕間になって、人々は席を離れる。小姓たちが寄って来て、王と女王の着物の裾を持ち上げ、彼等は再び疲れた笑顔をして廻りのものに機嫌がいい所を見せる。その間に鰊の燻製やビイルが泡を立てている野牛の小さな角が配られる。

第二幕の第二場で、ゴンザゴが東屋で妻に扇がせて昼寝をする場面になるや否や、臆病者のフェンゴは芝居の意味を悟って、クロオディウスが登場する前に気絶する。女王は勿体振って席から垂直に立ち上り、人々は思い思いの顔付きで囁き合って、気忙しく右往左往する。そして間もなくポロニウスの後継者たる侍従長が矛で床を叩いて（彼は就任したばかりで張り切っている）、この恐しい芝居に幕が降される。

ハムレットも席から立ち上って、吃りながら叫ぶ。

――音楽をやれ、音楽を。ではやはり本当だったのだ。私は今まで信じることが出来なかった。――あれで併し沢山だ。私はここに愚図々々してはいられない。明日にもなれば、私は鼠も同様に毒殺されるに決っている。

彼はベルが鳴ったり、人を呼ぶ声がしている召使用の階段を駈け降りる。楽屋には誰も見えない。彼は中止された所が開かれたままになって置かれている彼の脚本を先ず拾い上げる。

ケエトが彼を待っている。

――ただ気絶しただけだ。後で話して上げる。私はお前に接吻しないではいられない。全く天使みたいな演技振りだった。これから大急ぎだ。……でなければ二匹の鼠も同然だ。

彼はケエトが着ている金襴の衣裳を脱ぐのを手伝う。ケエトはいい所に気が付いて、その下に普段着をそっくり着ている。ハムレットはケエトを外套でくるみ、頭巾を冠せる。

――こっちだ。

二人は庭を横切り、その足音で塒に付いた鳥が驚いて飛び立つ。ハムレットは歩きながら口笛を吹いている。二人が小さな門を開けて庭を出ると、そこに家来が馬を二匹用意して待っている。

そして馬の鞍に付けてある大切な箱の間に跨れば、後は何事もなかったように、早足で馬を進めるばかりである（これで本当にいいのだろうか。何か余りにも造作がなかった感じである）。

二人はエルシノアの城門を通らずに街道に出る為に、畑の中を行く。月夜の晩で、街道も、やがて二人の前方に果てしなく展開する平原も月に明るく照されているに違いない。……

それはハムレットが数時間前に、家に帰る職工と擦れ違いながら歩いて行った街道である。

何とも言えない温かな、いい気候であって、それに対して月は北極の夜の美しさを実現しようとして相当な成績を収めている。

――ケエト、食事はまだか。

――ええ、とても食べる気がしませんでしたから。

――私も昼から何も食べていない。もう少しすると狩小屋があって、そこで食事をすることが出来る。その小屋の番人は私の乳母の夫なのだ。あすこに着いたら私が赤ん坊の時の画を見せて上げる。ハムレットは墓地の傍を通っているのに気が付く。

（墓地、……）

そうすると、何がハムレットにそうさせたのか、彼は馬から降りて、その辺りに生えている木に繋ぐ。

――ケエト、そこで待っていてくれ。私は暗殺された私の父のお墓にお参りして来る。後でいつか話して上げる。花を一つ、紙で出来た花を一つ取って来るだけのことだから、直ぐ戻る。そして後で我々があの芝居を読み返している時に、その花を栞の代りに使って、結局は接吻するので読むのを止めることになるのだ。

彼は糸檜葉の木の影が石ころの上に落ちている中を、真直ぐにオフェリヤの、あの既に妖しく、伝説的になっているオフェリヤの墓の方に歩いて行く。そしてそこに着くと、両腕を組み合せて佇む。

――確かに、

死人は
口が固い。
冷たい中で
眠っている。

――そこにいるのは誰だ。ハムレットか。そこにお前は何しに来たのだ。

――ラエルテス君じゃないか。どうしてここに、……。

――そうだ、私だ。そしてもし科学の最近の進歩によってお前が全くの気違いであることが明かでなかったなら、私はそこの墓に眠っている私の父と妹の仇を即座に取らずには置かないのだ。

――ラエルテス君、私にとってはそれはどっちでもいいことなのだ。併し君の立場も充分に考慮していることを承知してくれ給え。……

――又何という恐るべき道徳観念の欠如だろう。

――それ程だと君は思うのか。

――もうその位でいい。帰れ、この気違い奴。さもないと私は我慢が出来なくなる。大抵お前のように気違いで終る奴は芝居をすることから始めるのだ。

――お前の妹もか。

――ああ。

この時、辺りは昼間のように明るく、どこかの百姓家で飼っている犬が月に向って余りにも孤独な感じで吠えるのが聞えて来る。そして人間として申し分がないラエルテスは（寧ろ彼の方をこの物語の主人公にすべきだったことに、私は漸く今になって気が付いたが、もう既に遅い）、三十を過ぎて遂に無名の身分で終る、自分の運命を思って、胸が一杯になる。彼がどうしてそれに堪えられようか。彼は片手でいきなりハムレットの喉を捉え、片手でその胸に短刀を突き刺す。

ハムレットは誰の前に出ても、かつて曲げたことがなかった彼の膝を折って、芝生の上に倒れ、夥(おびただ)しい血を吐き、死に追い詰められて最早逃れることが出来ない動物の恰好をして、口を利こうとする。……彼は僅かに次の言葉だけが言える。

――ああ、ああ、Qualis......artifex......pereo!

そして遂に彼のハムレット的な魂を、永遠に変じない自然に返上する。

ラエルテスは人間的な衝動に駆られて、前屈みになって死人の額に接吻し、その手を握り、よろめきながら墓の囲いの間を縫って、二度と戻って来ない覚悟でその場を立ち去る。そしてその挙句坊主になったことかも知れない。

沈黙と月、墓地と自然、……

――ハムレット、ハムレット、とケエトが呼ぶ声がやがて聞えて来る。ハムレット！……

月に照されて、凡ては北極圏を思わせる沈黙を守っている。

ケエトはしまいに自分で行って見ることにする。

それで解る。ケエトは月の光も手伝って蒼白くなっているハムレットの死骸に触る。

——短刀で自殺なさったのだ。

傍の墓には次のような言葉が彫ってある。

オフェリヤ

ポロニウス卿並びにアンヌ夫人の娘

享年十八

そして日附は今日になっている。

——この方の為だったのだ。それならば何故私をあんな風にして、お連れになったのだろう。お可哀そうに、……どうしたらいいのかしら。

ケエトは前屈みになってハムレットに接吻し、その名を呼ぶ。

——ハムレット、my little Hamlet!

併し死んだものは死んだので、生きているものは皆それを知っている。

——私はお城に戻って、私達の出発を知っている家来を見付けて皆言うことにしよう。

ケエトは、ヴァロア王朝が栄えているパリに行く途中の平原を明るく照しているに違いない月に背を向けて、早足で帰って行く。

その結果、よくない当てこすりを目的とした芝居のことだの、駈落ちのことだの、凡てが判明した。そして人々は上等な松明(たいまつ)に火を付けてハムレットの死骸を探しに出掛けた。——何と言っても、これは歴史的な一晩だったのだ。

所で、ケエトはウィリヤムの情人だった。

——太い奴だ、とこの男が叫んだ、そんなことをしてお前のビビを棄てる積りだったのか。

(ビビというのはビリイの略称で、ビリイはウィリヤムの愛称である。)

そしてケエトは散々殴られ、然もそれは最初のことではなく、又それが最後でもなかった。——併しそんな目に会わされてもケエトの美しさに変りはなく、ギリシャだったならばケエトに祭壇が立ったに違いない。

かくして全く秩序が恢復された。

ハムレットが一人いなくなったのである。併しそれでこの種族が絶えたのではないのである。

【解題】

ラフォルグ Jules Laforgue（一八六〇―一八八七）

吉田健一 よしだ・けんいち（一九一二―一九七七）

●底本

『ラフォルグ抄』（講談社文芸文庫／二〇一八年）

●初出

週刊誌「Vogue（ヴォーグ）」

一八八六年十一月十五日―二十二日号連載

（「伝説的な道徳劇」の中の一篇として発表された）

吉田訳初刊は『ハムレット異聞』（角川書店／一九四七年）

のち『ラフォルグ抄』（小澤書店／一九七七年）に収録

●資料 吉田健一「ハムレット」

吉田健一『シェイクスピア』（新潮文庫／一九六一年）より引用。

《フランス象徴派の詩人ラフォルグは、（……）シェイクスピアが創造したハムレットという人物の性格に魅了されることを躊躇しなかった。「モラリテ・レジャンデエル（引用者註・「伝説的な道徳劇」）」に収められている、ハムレットを主人公とした彼の短篇は、シェイクスピアが書いたこの作品に対する彼の理解を完全に生かしたもの、と言うよりも、その理解に生きることによって書かれたものであり、今までに現れた如何なるハムレット論よりも優れた批評を含んでいる貴重な文献である。

ハムレットの悲劇は、彼が見ないでもすむものを見ることから始った。彼の父の幽霊ではなくて、彼の母の不義である。母の再婚というようなことは、あり触れた事件である。ボオドレエルも、同じことを経験した。普通に悲劇と呼ばれる作品は、大概もっとひどいことで始ったり、終ったりしている。ハムレットが出て来る作品も、主要な登場人物の凡て（すべ）が変死することで終っている。併し（しか）その時、ハムレットの悲劇はもうすんでいるのであって、彼の悲劇は、そこにはない。同様に、ボオドレエルにとって、自分の母が再婚したことは、世間のあり触れた事件ではなかった。彼の母が再婚した夜、親達よりも先に彼等の寝室に鍵を掛けて、その鍵を隠した少年ボオドレエルの心理が、異常だったことは明か（あきら）である。あり触れたこととは、異常なことが幾らもあって、一々構っていてはやりきれない為に、あり触れたことと看做（みな）されるに過ぎない。そういう、直視するに堪えない故に、あり触れているとされていることを直視するに堪えている人間としてハムレットは登場する。》

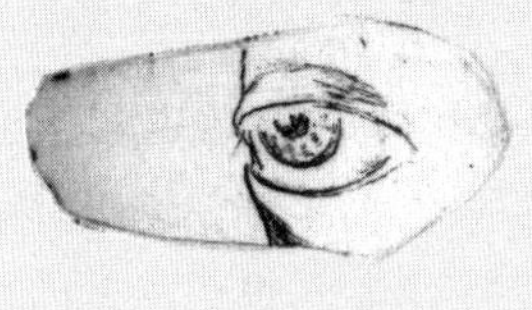

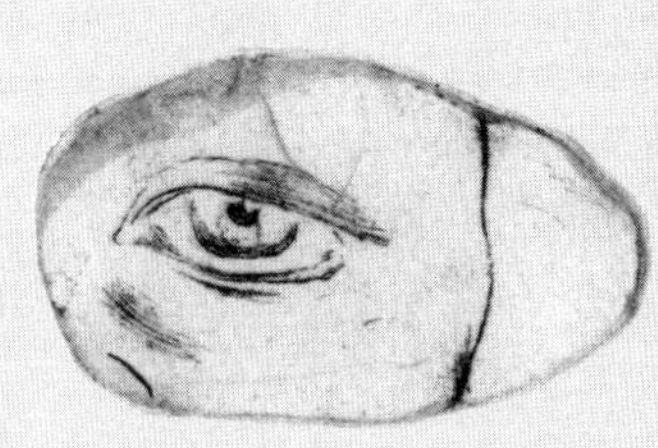

福田恆存　ホレイショー日記

一

二年ばかり前——いや、かっきり二年になる——日もおなじきょうだった。それでけさベッドのなかで憶いだしたのだ。その日の夕方、わたしはコヴェントリ・ストリートのスコッツでミシェル・ペリエに会う約束がしてあった。

かれは大層機嫌がよく、この店自慢の海老料理を賞味しながら、よく飲み、よく話した。わたしはもっぱら聴き役にまわった。だが、かれはいわゆる陽気なたちというのではなく、無駄話が好きなだけで、それもただ重くるしい話が二人の間に落ちてくるのを押しのけるためというふうなのだ。かつてのわたしがそうだった。が、その頃のわたしは、そういう配慮が面倒になっていたばかりでなく、その役割をいまはペリエが買ってくれていた。わたしは深々と椅子に腰をおろし、微笑を浮べながら、相手の話を聴いていればよかったのだ。それに話題は、わたしたちの「ハムレット」についてであり、この有名なフランスの劇評家はそれを観るために二三日前からロンドンにやってきていたのだ。わたしはその演出をしていたし、そのなかでいつものようにホレイショー役を演じてもいた。

ペリエはわたしの演出について当らず触らずのことをちょっとしゃべったきりで、あとはフランスの俳優たちについて機知にとんだゴシップを次から次へとしゃべり続けた。劇評は、いずれパリへかえってから、「ゆっくり考えたうえで」書かせてもらうというのだ。わたしもその方が気が楽で、あえてその場でかれの率直な意見を訊いてみようともしなかった。無駄話に続く無駄話——聴いていれば、それなりにおもしろいのだが、聴いていなくてもよかった。わたしは気の向いた時にだけ耳を傾ける。なにかについて相手の意見を訊き確めるなどというやぼなことは、かれは絶対にしっこない。わたしはかれのネクタイの結び目を見つめながら、まったくほかのことを考えていた。いや、考えてなどいなかった。こんな時ほど、わたしたちがなにも考えずにいられる時はないのだ。あらゆる約束や行動の脈絡から解きはなたれて、まったく一人で炉ばたに腰をおろしている時だって、これほど自由ではない。過去の追憶や未来の想念が、むしろこの時とばかり、わたしの脳裡に入りこんでくる。が、いまは、ペリエのおしゃべりがそれらの邪魔ものの侵入を一手にふせいでいてくれるのだ。わたしは本当に居心地よく、椅子の背にもたれたまま、時々グラスを唇（くちびる）にあてて、舌のさきをちょびりと黄いろい液体につけてみたりしていた。

　この自己喪失のひそかな快楽は、突然、ペリエの高笑いによって破られた――

「ははははは、あながち気のせいでもないでしょう――ネ・ス・パ？」

　かれはわざと最後の言葉をフランス語でいった。わたしはあわてずに坐りなおしながら、曖昧な表情で調子を合せた。

「光線のせいでもないとおもうんだ。玉座をじっと見つめているホレイショーの眼ですがね――こうして柱に右手をかけ、寄り掛るように上半身を前のめりにして、クローディアスとガートルードを睨（にら）みつけているあなたの眼には、妙に邪悪の影がありましたよ。あれはサタンの眼光だ――決して、ハムレットの誠実なる学友、ホレイショーのそれじゃない。」

　わたしは内心たじろいだ。自由闊達（かったつ）な会話というものは、往々にして話し手自身も気づいていないような真実をはじきだしてくるものだ。わたしは一瞬たじろいだけれども、相手の言葉にいささかの成心（せいしん）もないことはわかっていた。わかってはいたが、それでも首に血がのぼってくるのをどうしようもなかった。わたしはへまな答をしてしまった。

「睨みつければ、邪悪な影もやどりますよ。」

　ペリエはますます邪気なさそうに笑うばかりだった。しかし、わたしの方は、多少アルコールがはいっていたにせよ、赤面は相手に気づかれてしまったかもしれないし、そのうえ明らかに間のぬけた返答をしてしまったという自覚のため、もはやごまかしのつかぬほど両頬（りょうほほ）を真赤にしてしまったのだが、さらにその自覚が――おそらく相手はなぜ赤面したかわからぬだろうという気遣いとともに――重ね重ねわたしのうちに混乱をひきおこしていったのである。わたしは事態の馬鹿らしさに業（ごう）をにやしながら、切り返すようにこういった――

「それで、そのことが俳優としてのわたしの才能と本質的な関りがあるというわけなんですね。」

「え、それはまた一体どういうことです。」

ペリエは面くらったようだった。そうだ、かれはなにもそんな仰々しい、開きなおった問題に触れるつもりではなかったのだ。かれは初めから重くるしい話題を避けていたではないか。わたしはそういうかれの話しぶりに、すっかりいい気になって惰眠をむさぼっていたはずなのに、いつの間にかみずから火中に身を投ずるような愚を冒してしまった。

いま憶いだせば、まったく馬鹿らしいことだ。あのフランス人は完全に無心だった。その證拠に――わたしの狼狽をあの時はちょっと奇妙におもったかもしれないが――そのあとに続けられた二人の会話は、かれの心の隅にかすかに結ぼれたであろうそのこだわりを、おそらくきれいに跡形もなく払拭してしまったにちがいないから。そして、それは、わたしが自分のおもいをなにか外面的な事件に託して表明してしまうようなへまなまねをやりさえしなければ、かれの意識に生涯二度と浮びあがってはこぬほど微細な痕跡しか残していないのだ。勿論、わたしはそんなへまはやらぬ――いや、できないのだ。

それにしても実に業腹だ。というのは、たとえかすかにもせよ、かれの眼に自分の心の動きを見せてしまったからではなく、あの時――二年前のあの時――自分という人間の正体を隈なく見抜く機会を与えられたからなのだ。しかもその機会をひとから与えられた――初めて会った、そしておそらくふたたび遭うこともあるまい他国人に。かれにとってはなんでもないこと、かれの心のうちからは永遠に消え去ってしまい、たとえあの日あの場面がなくともかれの生涯の歴史はなんの変化も蒙らなかったであろうことが、この現在のわたしをつくる決定的な要因になってしまったのだ。それが業腹だというのだ。いや、業腹だというのはうそだ。ただ、そういってみただけだ。あの偶然がなくとも、やっぱりわたしはわたし自身の足で、きょうの日まで歩いてきたことだろう。事実、そうしたのもおなじことだ。なぜなら、わたしは、その偶然はペリエがわたしに与えてくれたものだということを、当のペリエにはもちろん、その他のなんぴとにも気づかせはしなかった。変ないいかただが、自分自身にだって気づかせはしなかった。わたしはあの日以来、徐々に変化しつつあるのだが、その変化をひとに気づかれるようなことはもちろん、自分自身がその変化をみとめ、そのために生活が変調を見せることをみずからかたく禁じているのだ。

　確かにあのとき以来、わたしはわたし自身の存在のしかたというものを――いわば外界とのわたしの関係を――はっきり見抜いてしまった。わたしのように、生れてからいつも自分の身ぶりばかり眺めて暮してきた人間が、自己の存在の本質的なありかたを、他人が洩した偶然の言葉をきっかけにして思い知らされたというのはまことにアイロニカルだといえよう。だが、事実はそうだった。そして――そんなものかもしれぬ。わたしはあれ以来、本当に変りつつある。すっかり変ってしまった。しかし、わたしは依然として、「歴史ある」オールド・ヴィック座の「一流演出家」であり、「名誉ある」ギャリック・クラブの会員であり、善良なるロンドン市民、身だしなみよき紳士、デイヴィッド・ジョーンズ氏である――この十年来、わたしは少しも変ってはおらぬ。

「はははは、なにをいってるんです。かつてハムレット役では世界に名声をはせたオールド・ヴィックのデイヴィッド・ジョーンズ氏、いまさらあなたの才能を問題にするやつがありますか。」

　ふたたびペリエの声が耳をうってきた――ああ、そうとられてはたまらぬ、おれが自分の人気を気にやんでいるとでもおもっているのか、話がそう俗っぽくなってきてはやりきれぬ、わたしはますます当惑した。にもかかわらず、わたしの相好（そうごう）はにやにやとくずれてゆく。わたしは「やにさがる」よりほかに手はないとさとった。その方がいい、その方がいい、これでうまく話は脇道に逸れてゆくだろう――わたしは観念した。

「それに、あなたのホレイショーときたら……。そう、ぼくは前々から考えていたんですがね、さすがのシェイクスピアもホレイショーは書けていない。まさか狂言まわしのためにあの人物を登場させたわけでもないでしょうが……、しかしそういう気味あいがないでもない。だって、あの芝居のなかで、ホレイショーはなんにもしていませんからね――が、あれがいないとなると困るんだ。」

　ペリエは最後の言葉を、肩をがくりとおとし、吐息とともに投げ捨てるようにしていった。そしてその言葉がさらに激しくわたしのおもてを打った――話は脇道に逸れてゆくどころか、真正面からわたしの眉間（みけん）に打ちこまれてきたのだ。

「ホレイショーは劇の進行係にして口上役――ハムレットの解説者――というよりは、ハムレットの内心を外界につなぐ紐帯、通路の役割みたいなものです。」

「けだし卓見だとおもいますね。」

わたしは自分の蔵に火がついているのを感じながら、しかし実際その意見はおもしろいとおもったので、そう口をはさんだ。ペリエの話はわたしの合槌を得て、いよいよ活気づいた。

「ホレイショーの常識の衣を著せてやらなければ、ハムレットの無念は永遠に世間に通じやしないんだ……。」

ペリエはふたたび「ネ・ス・パ」をくりかえし、かれの言葉の意味がわたしに正確に理解されたらしいのを見てとるや、さらに語をついだ。

「ホレイショーは常識人です。あなたがたイギリスのジェントルマンです。常識人は行動しやしない、なんにもしはせんです。いや、いや、そういう意味じゃない……。行動しますよ、むしろ行動ばかりする。だが、事件はおこさない。常識人の行動は規格どおりの行動だけ——だから、行動しないのとおなじことなんです。不服そうですね……。ぼくはなにもイギリス紳士を軽蔑してるんじゃありません。むしろ尊敬しているくらいだ。けれどもですよ、規格どおりの行動しかしない人間は——少くとも——芝居の登場人物には向かないんだ。少くとも、主役には向きませんよ。ホレイショーというやつはそういう人物です。いかにシェイクスピアの才腕をもってしても、あれだけしか書けなかった。というのは、役者にとって、やりがいのない役だということになりませんか。」

「お説のとおり、」とわたしはいった、「だからぼくのような演出家兼業の役者にはもってこいなんです……。」

「そこですよ……。そのやりにくい役、いわば芝居というものをちょっともしない役とでもいうべきホレイショーを、ジョーンズさん、あなたは実にうまくこなした。」

「それは贔屓の引倒しというものです。おそらく誰がやったって、ただ目立たぬようにさえしていれば、それだけで結構渋い藝にみえるんですよ。」

「そんなことはない。これでもぼくは劇評家のはしくれで、いままでいくつとなく『ハムレット』を観てきたんです。そしてあなたのホレイショーを拝見して、はじめて真のホレイショーがわかった。さっき、前々から考えていたことだといいましたけれども、この劇におけるホレイショーの位置を、いまのようにはっきり自分に納得させることができたのは、あなたの演技を見せていただいたからです。これだけで今度の劇評はできてしまいました。」

わたしはこのフランス人の調子のいい讃辞を耳にしながら、ふたたびほかのことを考えはじめていた――ほかのことではない、自分のことを。ああ、これほど、みごとにわたしの本質を抉(えぐ)った言葉がまたとあろうか――わたしがホレイショーを演じたのではなく、わたしはホレイショーなのだ、常識人で、ハムレットの解説者、かれと外界との紐帯、それゆえ、わたしこそ、現代のハムレットなのかもしれぬ。わたしにはホレイショーの方がハムレットよりもよっぽどハムレットらしい。内心でそう呟いた瞬間、またペリエの声が聞えてきた――

「ほんとに……、ホレイショーよりあなたの方がよほどホレイショーらしい。そうなれば、やはりシェイクスピアという男は曲者(くせもの)だ。かれの計算には、すでにそのことがちゃんとはいっていたのかもしれないですね。ホレイショーは、書けていないのじゃなくて、わざと書いておかなかったのだ――あなたの演技で余白をうずめさせるために……。ところで、わたしにはわかったような気がする、なぜあなたがあれほど、評判をとったハムレット役をジャイルズ氏にゆずってしまったかが……。」

　なにがわかるものか。わたしはもう相手の話をまともに聴いてはいなかった。楽屋入りの時間にはまだだいぶ間があったが、わたしはそそくさと時計を見ながら、それでもにこやかな笑顔をくずさず、なにげなく、まるで定められたせりふをしゃべるようにこういった――

「わたしにたいする過分な讃辞はお預けにするとして、わたしがホレイショーよりホレイショーらしいというのは、どうやら当っているようです――わたしの毎日は、規格どおりの平凡な生活者ですから……。」

「いや、いや……。」

「そろそろ時間です、これで失礼しなければ……。お客は大事にしなけりゃなりませんからね。」

「………。」

「商売となるとなかなかつらいですよ。わたしたちに《しごとはしごと(ビジネス・イズ・ビジネス)》ということわざがあるのはごぞんじでしょう……。」

　あとは笑いにまぎらした。

　ペリエはリジェント・パレスに宿をとっていた。わたしたちはピカデリ・サーカスで別れた。わたしはトラファルガ・スクエアのほうへくだっていった。急げばオールド・ヴィックまで三十分でゆける。まだ一時間もある。わたしはゆっくりゆっくり歩いていった。

　大きなレストランから空軍の将校が声高(こわだか)に談笑しなが

ら出てくるのとすれちがった――その日の新聞は、イギリスがドイツの和平提議を拒絶したことを報道していたっけ、あの連中、これからかれらのクラブへいって大いに気焔をあげることだろう。とうとう第二次世界大戦がはじまってしまった。国を愛し、同胞を愛し、広汎なる殖民地のうえに、ひたすらアングロ・サクソンの平安な生活の恒久をはかってきた、わが健康にして常識にとめるイギリス市民は、いよいよ譲歩しきれぬ最後の一線に到達したというわけだ。われわれはいつでも譲歩する――それが譲歩できる間は。それは敵の主張を容れるためではなく、むだに命を張りたくないために。われわれは美しい緑草地帯を、目のさめるような牧場や公園を、そして磨きのかかった街々を、居心地のいい炉ばたをつくり、それらをこよなく愛してきた。イギリス国民の誠実なエゴイズムは、他のなにごとよりも、この生活を愛し豊かにすることに賭けられてきたのだ。だからわれわれは知っている、炉ばたの平穏が破られる最後の限界点を――われわれはそれを本能的に知っている。ドイツは、ヒトラーは、いまこそ思い知ったであろう。イギリスの拒絶が面子や虚栄やジェスチュアのためではなく、最後の一線を守ろうとする平凡な常識から出たものであることを――すなわち、われらが誠実に賭けられたものであることを。

わたしはいま、当時を回顧して、われにもあらぬ興奮を感ずる。が、わたしは本当に興奮しているのであろうか――かすかではあるが、確かに、わたしのうちにもまだ興奮する力が残っているらしい。戦争という異常事、国家の運命に関る大事件。が、いまのわたしにはすべてがそらぞらしい。このリッチモンドから六マイル東のロンドンではナチの暴力がわたしたちの追憶に満ちた美しい街や建物を破壊しつつあるこの瞬間にも、わたしは興奮などしてはいないのだ――ただ興奮したいだけのことであり、しいて身うちに興奮を掻きたてているだけのことにすぎない。こうしているいまもあのかすかな興奮は徐々にひいてゆき、もはや、白けたようなそらぞらしさと、それだけに後味のわるい苦々しさとしか感じていない。わたしは、戦争という大事件にしいて自分を繋ぎとめようとし、そこにわずかながら興奮を感じようとつとめ、文字をつづることによって逆に幾分なりとも味わえた興奮に遮二無二すがりつこうとしたのであろうか。

この窓ぎわの書物机のうえだけがほのかに明るい。スタンドには黒のシェイドがかぶせてあり、窓はひとすじの光も洩れぬようにブラインドがおろされている。見えるのは、ノートの白い紙と、そのうえを走るペンと、そしてわたしの右手首だけ——その他の部分はわたし自身の姿すら闇のうちに呑みこまれてしまっている。うしろの寝台からは妻の弱い寝息だけが聞えてくる。そのほかにはなんにも聞えない。これが本当なのだ、これがわたしという人間の、本当の在りかたなのだ——現在のわたしの感覚が所有しているものは、白いノートと妻の寝息だけ、そのほかのすべてはわたしにとって無縁の存在でしかない。わたしは自分の思念と妻とだけを愛し、このふたつのものを通じてのみ、外界と繋っている。愛とは自分のそとの世界と繋るということなのではないか——だとすれば、このわたしは……。

二

わたしは、ゆうべ、あれからすぐ床にはいった。頭が妙に冴えて、眠れそうもない、ペリエの言葉が、うとうとしかけるわたしの耳に、何度もしつこくまつわりついてくる——

「さすがのシェイクスピアもホレイショーは書けていない……。」

「あの芝居のなかで、ホレイショーはなんにもしてやしない……。」

ホレイショーはなんにもしてやしないって……。典型的なイギリス紳士、常識人にして、ハムレットの解説者、だから、デイヴィッド、それこそまさにおまえのはまり役——

「ホレイショーよりあなたのほうがよほどホレイショーらしい……。」

これはいったいどういう意味だ。おれの方がホレイショーよりホレイショーらしい、それなら、シェイクスピアよりこのデイヴィッド・ジョーンズの方が、ホレイショーの性格や心理をずっとよく承知しているということになるのか。たしかにお説のとおり、おれはあの詩人が書かなかったホレイショーを——舞台裏のホレイショーを——よく知っている。それならおれはこの人物をおれの気ままに動かしてもいいわけだ。あいつの隠れた欲望を明るみに出してやってもいいわけだ。舞台ではすっかり黙りこんで、おとなしく、身ぎれいにすましこんでいるが、あれはハムレットに気(け)おされてしまったからで、あの男、もともとなまじろい貴公子の解説者どころか、ハムレットこそホレイショーの解説者にして道化役、「この世の関節がはずれてしまったぞ」などとあまりおとなげなく暴れまわるお坊っちゃんを目の前にしてみれば、これはどうやらおのがすがたを鏡にうつして見せつけられたごとく、なんとも気はずかしく、照れくさく——別(べつ)して勿体(もったい)ぶった「円満な人物」面などしたくはないのだが、ただちょこちょこ動きまわる猿になりたくないために——鏡にうつったおのれのミニアチュアを裏切ってやりたいために——わざとすまして、事なきがごとく、沈香(じんこう)も焚(た)かず屁(へ)もひらぬ常識人になりおおせてみたまでで、それに引きかえ舞台裏では——

ホレイショーはなんにもしてやしなかっただろうか——

ヘイ・ノン・ノンニー　ノンニイ　ヘイ・ノンニー
涙の雨に　墓石ぬれて——

ああ、あれは気の狂ったオーフィーリアの歌声だな、いや、イザベルの声のようだ、いつのまにこんなところへ——ここは……、では、うちじゃなかったのか……。イザベルが……、いや、オーフィーリアが歌っている——

主人の娘を盗んだのは、本当に悪いやつ、そこの家
の傭人(やといにん)だったのよ。

わたしが、このホレイショーが、主人の娘を盗んだって……。それにしても、ここはいったいどこだ、イギリスではないらしい。舞台の夢をみているのだろうか。わたしは眼をさまそうともがいてみた。

眼がさめて、体はそのまま動かさずに、隣に寝ているのはオーフィーリアだな、と気がついた。のどもとに、やわらかい髪の毛がくすぐったく触れてきた。——狂って振り乱した女の髪の毛……。ああ、そうだ、ここはデンマークのエルシノア——ハムレットにつれなくあしらわれて、自分を訪ねてきたオーフィーリアを……、わたしはとうとう泊めてしまった。ハムレットにすまない、自分をあんなに信頼してくれていたハムレットを、おれはあっさり裏切ってしまった……。でも、女がその気ならしかたないではないか。おれが誘惑したのじゃない。

オーフィーリアは初めからその気だったのだ。が、あれはそんな女だったかしら……。いや、この女はオーフィーリアではない、イザベルだ……。どっちだっておんなじことじゃないか。イザベルならオーフィーリアだ、イザベルのオーフィーリア、イザベルがオーフィーリアをやっていて、そのオーフィーリアがホレイショーと枕を並べているならば、それならイザベルがこのデイヴィッドと……。

わたしは不安になってきた。悪いことをしている――いや、悪いことじゃない。不安は罪悪感とはちがう。いや、いや、それは罪の感じからくる不安だ。卑怯(ひきょう)だぞ――わたしは不安からのがれるために罪悪感にすがりつこうとしている。許しがたいことだ……。が、不安はますます増大していって、それがなにか重々しく胸にのしかかってきた。

強烈なかわきとともに眼がさめた。さっき眼をさましたとおもったのは、やっぱり夢のなかのことだったのだ。床にはいってから一時間とは経過していないらしい。妻は寝がえりをうったらしく、左手をわたしの胸のうえにおき、顔を肩におしつけていた。わたしはそっと妻の手をはずし、のどもとの髪の毛をはらった。ああ、夢でよかった――わたしのシェーラ、妻はなにごとも知らずにあいかわらずおだやかな寝息をたてていた。わたしの心はしずまった。どうやらふたたび眠れるらしい。わたしは身動きもしないで、じっと横たわっていた。随分ながいあいだそうしているような気がする。周囲は完全な暗黒である。時間の経過が全然感じられない。それに――自分の肉体は確かにそこにあるのだろうか、手足は動かせるだろうか。それを確めるために、毛布の下で両手の指さきを触れあわせてみたい衝動にかられる。が、それができないような気がしてくる。もしできなかったら――わたしは、なおもじっと身をすくめて、奇妙な陶酔感に全身をひたしながら、自分が限りなく微小な一点に収縮してゆくのを感じた。

またいつのまにか眠りに落ちたらしい。頭痛がする、水がほしいとおもいながら、わたしはまたべつの夢の世界にはいってゆく。ああ、そうだ、頭が重いのも、のどがかわくのも、それはゆうべ疲れきった体を鞭(むち)うつようにして、むりに女の要求にしたがったためにちがいない、わたしはそんなふうにおもいなしていた。が、それははたして女の要求だったろうか、それとも自分の要求というべきだろうか。そのどちらでもあるまい。わたしはそのとき、自分のうちとそとにあるなにかが、自分にむかってそのことを要求していると感じたのだ。いつでもそうだ――なにかがわたしに、なにごとかを要求している、で、わたしはその要求をはたすためにのみ生きているようなものだ。わたし自身の要求などひとつだってありはしない。

ふと気がつくと、あたりには荒涼たる原始山脈がはてしもなく拡っている――だが、わたしにはその大自然の全体が見えていた、わたしはそのなかの一点に位置しているにすぎない、それなのにどうして全体が見渡せるのか……。いや、わたしはそこにいたのだろうか、いはしなかった、だれもいなかった。人臭のない、荒けずりの、壮大な原始自然だけが、そこにあった。わたしは呟いた――

「地球はいま誕生したばかりなのだ……。」

宇宙は暗黒のなかからいま目覚めたばかりで、その巨(きょ)軀(く)をひとゆすりすると――「動いてはいけない」とわたしは叫んだ、「小刻みな時間の流れがはじまり、わたしたちは二度と自然の全貌を眺めわたすことができなくなってしまうだろう……。」

いつのまにかそこへ、最初の夢の世界が流れこんできていた。オーフィーリアはどこへいってしまったのだろう、全然別の蒼(あお)ざめた女がひとり立っていた。すぐ、めくらだと気づいた。ああ、この女には、原始世界の美しさが見えないのだな、この壮大な自然美もついに女の生を刺戟することはできないのだな――わたしの心にかすかな同情が湧(わ)きあがってきた。

そこに女の姿をみとめたときから、どうやらわたしもその画面のなかに登場しはじめたようだ。自分に自分のしぐさが見えてきた。わたしは首をめぐらして、無限のかなたにまで延び連(つらな)っている壮大な山並みの美しさを女に説明してやろうとおもった。だが、どうしたことか、首がうしろにねじまげられなかった。わたしの前には――女の後には――日ごろよく眼にする、雑誌の口絵写真のような、小ぢんまりした山岳風景が展(ひら)けていた。

「ああ、やっぱり時間がはじまってしまったのだな、」――わたしはそんな舌たるい言葉を口にして、もっともらしくうなずいてみせた。

つぎの瞬間には、わたしは暗い映画館のなかでスクリーンを眺めていた。場内は見物人で一杯だった。画面は雪の山で、ひどく明るかった。雪渓を一組の男女が歩いていた。何年も前に見た山岳映画のシーンにそっくりだった——二人は夫婦で、そのうち女の方が足を踏み滑らせて、氷の裂け目に落ちこんでしまい、夫の登山家はそれから毎年夢遊病者のように、その山にあこがれ、妻の屍を求めて歩くのだった。あれとおなじ場面だ、これはあの写真なのかな……。わたしはあの男になりたいとおもった——わたしはその男になる、かれにかわって、そのスクリーンに登場していた。ふと見ると、女はさっきのめくらだ。わたしたちは前後して、ぎらぎらする雪渓のうえを歩いていた。女はきっと足を踏み滑らし、あの氷の亀裂に落ちこんでしまうだろう——きっとそうなるとおもいながら、わたしはどうすることもできなかった、どうしようともしなかった。黙ってさきにたって歩いていた。

　うしろに鋭い叫び声がすると同時に、おたがいの体を縛りつけてあったロープに腰をぐいと引かれ、わたしはよろめいた。わたしはわざと身を倒して重心を安定させ、両腕に渾身の力をこめてロープを握りしめた。見ると、亀裂の淵にほとんど全身をのみこまれながら、両手の指さきに渾身の力をかけて這いあがろうとしている妻の恐怖の表情がそこにあった——あっ、シェーラ、シェーラだったのか。背すじから脳髄にかけて激しい戦慄が走った。あっ、とおもった瞬間、わたしの全身は四五フィート、ずるずるっと滑った——いけないっ。シェーラのすがたが底しれぬ淵のなかに没して見えなくなった瞬間、ロープがぷっつり切れた。わたしの足さきはほとんど亀裂の縁に掛っていた。覗きこんだわたしの眼の下に、無限の奈落が人一人のみこんで黒々と沈んでいた。

　わたしは——いや、スクリーンの男は——その妻の屍を探し求めて雪の山を歩きまわる。わたしはスクリーンから抜け出てしまったらしく、説明者が登場して、その主役の男の悲しみを感傷的にぼそぼそ物語っているのだが、どうやらわたしがその説明役をつとめているらしい。つぎからつぎへと、カットごとにちがった風景がうつされ、そこへ突如として、左の隅から、あるいは右の隅から、沈鬱な男の登山服すがたが大きく乗りこんでくる。わたしはもうその男ではない、が、また、一方では依然としてその男でもあるらしい。

　やがて、かれは女の屍体を発見した。氷河の大きなかたまりに閉じこめられた女の裸体が大写しになって、見物のわたしにも美しくみえる——ああ、あれはセガンティーニの画想だ。シェーラ――あれはシェーラ、いや、ちがう、シェーラではない。イザベルだ、氷のかたまりから取りだされた女の裸体は、重い量感のうちに頽廃のかげをやどしている。褐色の腿、露出狂のように淫らなポーズ、モジリアニの裸婦。

「腹の皮が裏返しになって、腸がみんな露出しております――。」

　説明者が――それはわたしだろうか――そんなふうに説明する――どこかの戦場のニュース映画でそんな光景を見たような記憶があった。が、説明者は見物にそういったのではない、スクリーンのなかで主役の登山家に近づいて、その耳もとに囁いたようだ。わたしがその登山家であるようでもあるし、また、どこからか、その場のなりゆきを気味わるそうに眺めているようでもある。男は夢中になって女の腸を詰めこんでいる。すっかりもとどおりになったとおもったら――すでにわたしは完全にその男になっていた――女の腹の表皮に胎児の顔が透けて見えてきた。まるでデスマスクのようだ、片眼がつぶれている。わたしは救いを求めるように説明者の顔を仰ぎ見た。するとかれは無言でかがみこみ、女の腹のうえからそっと撫でてやる。胎児の顔は消えて、大きな褐色の腹――ああ、あのなかにはまだなにがあるか測りしれない、とおもう。

　わたしはどうにかしてこの女を救わなければならない。だが、もう死んでしまったものを救うというのはどういうことなのか。

「そんなことは不可能ですよ。」

　かたわらから説明者が口をはさむ。

「不可能じゃない……。」

「死んだものは生きかえりませんよ……。」

「死んだものは生きかえらないさ。でも、おれは屍体を守ってやるんだ。」

「守るって――そりゃ、一体なんのことです。」

「救うってことさ……。」

　背景はいつのまにか変っていた――ベックリンの「死の島」のような、暗い、夢幻の世界。わたしは死んだ女の体を仰むけのまま筏にのせて、地下水のうえをどこへともなく下っていった。あたりは一面の闇であるにもかかわらず、縮緬皺がこまかく漂っている水面だけは、きらきら視覚にとらえられ、筏のうえを洗う水音が冷たくひたひたと聞えてくる。周囲が仄明るくなってきた――すこしさきにマンホールがあるらしい。

「あそこから脱出しなさい。」――どこからか、決めつけるように説明者の声が響いてくる。

　わたしたちはそこからうまく逃れ出ることができた。が、ここはどこだろう。たそがれどきよりはるかに暗い――いや、深夜の暗さなのだが、ふしぎに建物の輪郭などはっきり見えるのだ。壁も芝生も地面も、一様に古苔のような暗緑色だ。

「ケムブリッジ大学の中庭ですよ。」――説明者がうしろから教えてくれる。その言葉が終るか終らぬうちに、右手の建物から――それはレストランだ、とすぐわたしには察しがついた――そこの給仕頭をさきにして五六人のコックがばらばらと跳びだしてきて、あっという間もなく、わたしに打って掛り、その隙に女の屍体をどこへか隠してしまった。わたしは倒れたまま、相手の顔を喘ぎ喘ぎうかがった――なあんだ、あいつか、それなら――

「なあんだ、アルバートじゃないか……。おれだよ、デイヴィッドだよ。学校友達を、ひどいじゃないか……。」

　が、その瞬間、相手の容貌ががらりと変ったようにおもえた――あ、人違いだったか……。あいつじゃなかった、あいつじゃない、アルバート・バーローじゃなかった、あいつは親切な、ひとのいい男だったが――でも、やはり、アルバートだ、オールド・ヴィックの、イザベルの恋人の、アルバート・ジャイルズだ、あっ、いけない、わたしはとんでもないことをしてしまった――

「そう、アルバートだよ。だからあの屍体はぼくのものさ。オーフィーリアはハムレットのものときまっている。余計な御節介はやめてくれ……。」

　ああ、そうだったのか……。わたしはオールド・ヴィックのデイヴィッド・ジョーンズ、ホレイショー役をやらせれば――「ホレイショーよりあなたの方がよほどホレイショーらしい。」そのおれに「余計な御節介」とはなんだ、愚にもつかぬ亡霊にうなされて、女を尼寺へ逐いやって、そのために、女は気が狂い、流れに身を投げてしまったじゃないか――それを、おれが救いあげて、筏にのせて……。ああ、そうじゃない、女はおれの不注意から足をすべらせて……。それに、あの腹の子は――やっぱり、罪はおれにある。それを知らん顔をして……。ああ、おれは偽善者だ、悪人だ……。女はおれのために、ああして死を選んだのだ。ああ、許してくれ、オーフィーリア。許してくれ、ハムレット。アルバート、イザベル、シェーラ、おれは偽善者だ、ホレイショーは悪人だ、許してくれ、許してくれ……。

わたしはあまりの胸ぐるしさに、ふたたび眼をさまし、枕もとの水さしをさぐった。妻はあいかわらずおだやかに眠っていた。途方もない夢をみるものだ。ホレイショーは——このディヴィッド・ジョーンズはなんにもしていはしない……。わたしは夢のなかの苦悶を忘れたように白けた気もちで、それでもほっとして、コップから冷たい水をのみほした。なんでわたしが悪人なものか……。わたしは、わたしだ——冷たい水が食道をつたって、胃のなかに流れこんでゆくのを感じながら、わたしは自分にいいきかせた、わたしはわたしだ……。

三

東洋でも、しきりに戦雲が動いている。アメリカは対日戦に加わるだろう。いままで孤立を守りとおしてきたアメリカも、これでいよいよ参加するだろう——文字どおりの世界大戦だ。日米開戦の場合は一時間以内にイギリスも対日宣戦を布告すると、きょうチャーチルが演説している。史上、類例のない大戦争、かつて人類を襲った惨禍のうちでもかほどの大破壊がまたとあったろうか——「われらなにをなすべきか。」

「ぼくたちはなんにもしてやしない、なんにもできはしない——自分たちの劇場が焼かれてしまったいまも、こうしていろいろ、あっちこっちと小屋を探し求めて歩き廻り、役者稼業をはじめて以来十何度目かの『ハムレット』をくりかえし興行してみせる以外には。」憤ったようにアルバートがそういった。きょう昼すぎクラブでお茶を飲んでいるときのことだ。さすがはハムレット役者、かれはこういう立派なせりふが大好きなのだ。

ええい、どうともなれ、類例なき大戦禍だって。そんなことがあるものか。世界中がこれほどの動乱に捲きこまれていながら、そして日に何千人、何万人と殺戮がおこなわれていながら、一方、わたしたちは——たとえ空襲におびえながらも——毎夜こうしてエリザベス朝時代のたわいもない夢物語を演じてみせ、お客は結構それを楽しんでいるではないか。昔だったらどうだ——もっとひどかった。交戦国民の一人一人にとって、芝居どころか、それこそ病気している余裕もないほど直接的な、身近な事件だったではないか。一支配者の野望のために家は焼かれ、父母は殺され、自分は傷つき、しかもその支配者はかれらに一つの病院も提供しなければ、一切れのパンも与えはしなかった。野心家は国土を荒廃にまかせながら、ただ戦った、戦線を前に押し進め、領土を少しでも拡大することだけが目的であった。

人間がおちいる最大の錯覚――人は自分の命が危機にさらされるやいなや、外部の物体の重さにたいして正しい測定能力を完全に喪失してしまうということ。自分の生命を危くするもののみが、大事件と考えられ、大戦争と呼ばれる。アレグザンダやナポレオンのために苦しんだ人民たちの苦痛は、自分の指先にできたささくれほどにも同情をもたない。それらは歴史の雲霧に遠ざけられ、史書のうちに人々はただ英雄だけを読み、それにみずからをなぞらえ、自己の欲望を託すのだ。かれらは人民に同情するどころか、英雄を讃仰することによって、ほしいままに殺戮の欲望を自己に許す。が、舞台が変って自分の出番になると、ヒトラーを憎み、この男を史上に類例なき惨禍をもたらした凶悪人と見なすのだ。そうにはちがいない――が、どうしてそれが類例のないことがあろうか。百年前のヨーロッパ人にとって、あるいは二千余年前の古代東方諸国民にとって、ナポレオンやアレグザンダが、そしてかれらの捲きおこした惨劇が、今日ヒトラーのもたらしつつある戦禍に比して、より小さなものだったと誰がいえよう。自己の危機感のために正しい測定能力を失ってしまってはならない。

その能力こそ、人間の矜り、われらヨーロッパ人の名誉ある知性に与えられた特権ではなかったか。が、だれもかれもが異常事態の前に浮足だっている。

わたしは信ずる――知性は長い歴史の磨きを受けて、地味ではあるが、着々とその成果をおさめつつある。なるほど、人類は前大戦後二十年もたたぬうちに、性こりもなくふたたび大きな戦乱のうちに捲きこまれてしまった。が、わたしたちは、人間の愚をあざわらい、人間性に絶望を宣告する必要はない。

アルバートはいう、「ぼくたちはなんにもしてやしないし、なんにもできはしない。」それでいいじゃないか。わたしたちはこうして毎晩「ハムレット」を上演している。そして見物は危険を冒してそれを観にやってくる。イギリス人はこの戦いのなかでせいぜいかれらの生を楽しんでいる。人類は戦禍をこえて生きのびるだろう――勝った国も、敗けた国も。

わたしがホレイショーよりもホレイショーらしいとすれば、アルバートはハムレットよりもハムレットらしい。かれこそ典型的な夢想家である。いや、世間では、かれのような人間を夢想家と称し、ぼくのような人間を現実家と呼んでいる。現代では平凡な現実家ほど、ちゃっかりした打算家ほど、喋々しく夢想を語る。どうやら夢想家と不平家とが同義語になってしまったらしい。現実の相貌が複雑になり、その正体がとらえがたくなってきたため、ついにそれは現実家の打算を超えてしまったからだろう。世に現実家ほど夢想的な存在はないという結果になってしまった。

わたしはきょうすんでのところでこういうところだった――「ねえ、アルバート、きみとヒトラーとはそうちがった人種じゃないよ。あいつも一級の藝術家だからね。」

ヒトラーは夢想家だ――だから現実家だ。かれが夢想家のごとくみえ、かれの行動が型やぶりのようにおもわれるのは、ただ打算と現実とのギャップのためにほかならない。アルバートのような人間はこのギャップのためにうろたえ、どうしていいかわからないで手をこまぬいてしまう。ヒトラーはそれを乗りこえただけの話だ。そして素人戦法は一応効を奏した。が、いずれ報復を受けるであろう。いや、現在それを受けつつある――かれは悲鳴をあげはじめた。

アルバートは、アルバートのような男は、永遠に罰を受けぬであろう。そして永遠に自己の夢想の愚をおもいしらされることなく、その夢を信じ、その夢の尊さを信じ、それに忠実な自分に矜持をもちつづけるにちがいない。かれが焦っているのは、人間が、人間性が危機に瀕しているからではない、ヒトラーに先手を打たれたからにすぎぬ。古今未曾有の大戦乱などとは、夢想家の近視眼を證してあまりある。もし歴史がこういう男に権力を与えたならば、かれは自分の飽くことなき夢想のために無辜の人民の幸福を平気で犠牲に供するであろう。

事実、ハムレットがいい例ではないか。かれのためにいったい何人の生命が失われたか。そしてハムレットはどれだけ高貴な夢をもっていたというのか。八人の命を失うことによって、その夢の何分の一が実現されたというのか。

無念だって――それならこのわたしの夢はどうしてくれるのだ。

「この生の形骸から脱して、永遠の眠りについて、ああ、それからどんな夢に悩まされるか、」――ああ、それはこのわたし、ホレイショーのせりふではないか。

なぜそんな甘ったれたことをいうのだ、ハムレット、死に直面して「もう、何も言わぬ。」などというくらいなら――いや、そのまえにホレイショーに向って「せめて、お前だけでも、生きて、伝えてくれ。事の次第を、なにも知らぬ人たちにも、納得のいくように、ありのまま。」などと頼むくらいなら――なぜ黙って独り耐えぬかなかったのか。「こればかりは口が裂けても、黙っておらねばならぬ」といいきった最初の決意はどうしたのか。いまさら「汚名」の残るのをおそれるなんて――そして、このわたしに肩代りを頼むなんて。

アルバート、わたしはきみの後始末など真平御免だ。わたしはわたし自身の生を、わたし自身のために生きる。だれの従僕になるのもいやだ。きみに仕えることは勿論、神にも、観念にも、その他いっさいの夢に奉仕することを拒絶する。

ホレイショーの眼にやどった、わたしの心の「邪悪」の影――「邪悪」とはなんだ。わたしはあのとき本能的に防御の姿勢をとった。話を逸らそうとして、「俳優としての才能」などと、馬鹿なことを口走ってしまい、その言葉がかえって、わたしという人間の本質に深く切りこんでくるのを感じ、ますますうろたえてしまったことを憶えている。

そうだ、「邪悪」とは、なにものにも仕えぬことだ。外部の世界と完全に切り離されて存在することだ。なるほど、ホレイショーはハムレットに忠実であり、ペリエのいうように、その解説者として、ハムレットと外界とをつなぐ紐帯であるかもしれぬ。が、かれは自分自身の思念と行動との間に、なんの紐帯も設けようとしないのだ。自己の行動をして内面の思念に仕えさせようとせず、両者の乖離に解説の労を取ろうとはしないのだ。ホレイショーの行動はまったくハムレットに従属している――が、かれは心中ひそかになにを考えているのかわからない。ホレイショーの思念は完全に独立不羈である。

わたしはあのとき、劇中劇の場でまったくほかのことを考えていた。ハムレットのことを、オーフィーリアのことを――というよりも、アルバートとイザベルのことを考えていたのだ。わたしはあの女をものにできるだろうとおもい、そうなったらアルバートはどうするだろうかとおもっていた。もちろん激しい情熱もなければ、憎悪も嫉妬も軽蔑もありはしなかった。わたしは無造作に、なにげなく、そう考えただけだ。そして事実そうなったところで、なにげなくそうなるだけのことであり、夢のなかの出来事とおなじように無責任に通り過ぎてしまうことだろう。わたしは妄想をたのしんでいた。

アルバートもイザベルも、その他の誰も彼もが舞台で芝居をやっていた。が、このわたしだけは舞台のそとの生活をしていたのだ。わたしはわたしのおもいを生きていた――ホレイショーになど断じてなってはいなかった。いままで何度ホレイショーをやってきたことだろう。わたしのように舞台生活を十年も二十年も続けてくれば、芝居はもはや藝術でもなんでもない。おそらく人々は俳優の演技に創造の情熱をおもうだろう。神聖なる藝術、華やかな舞台――が、わたしにとってそんなものは存在しない。アルバートやイザベルのような人間は、かれらの夢を藝術に仮託し、ハムレットやオーフィーリアになりきっている。それが演技者の悦びなのかもしれぬ。もしそうならば、わたしはその悦びを知らない。わたしにとって神聖なのは生活であり、もしわたしに夢があるならば、それは生活のうちに実現させるべきものなのだ。そして生活がその夢を拒絶するとなれば――わたしは生活の次元を変える。決して藝術には頼らぬ。わたしは演技者の悦びなど知らない。知っているのはその苦痛ばかりだ。あすが来ても、あさってが来ても、単調に繰りかえされる機械的な労働、工場労働者のように判で押された時間ぎめの賃銀仕事、それが舞台生活である。わたしにとって、それは日常茶飯事にすぎぬ。飯をくったり、著がえをしたり――いや、もし自由があるとすれば、むしろそういう日常茶飯事のうちにこそあるのだ。ホレイショーの衣装をつける時間を自分勝手の気まぐれに委ねることはできない。が、わたしたちは毎日の生活において朝食を定刻より遅らせることもできれば、食わずに済ませることだってできる。

が、わたしのように長い俳優生活をやってきたものは、たとえ脚本どおりの舞台のうえでも、ある程度の自由は獲得できるのだ。わたしは体をホレイショーに委ねたまま、おもいはデイヴィッド・ジョーンズの世界にもどることができる。演技者の楽しみというのは、いまではもうそういうことになってしまった。一定の役柄の枠内で自由を享楽すること――あの時のわたしが、やはりそうだった。わたしはハムレットやオーフィーリアはもちろんのこと、ホレイショーをも楽々と置きざりにして、アルバートとイザベルとデイヴィッドとの世界を動き廻っていた。わたしは本当に自由だった。決められたせりふ以外に、自分のなかのホレイショーがいいたそうな言葉が、あとからあとから口をついて出てきそうなので、わたしは妙に浮き浮きした気分にひたってしまった。わたしはそれらのせりふをハムレットやオーフィーリアに向ってひそかに投げつけていた。

イザベルはおれのものだ。ハムレット、知らぬのはきみだけだ。オーフィーリアはホレイショーのものだ。「たわいのない、それが女というものか！」――では、オーフィーリアは女でないというのか――きみは度しがたい夢想家――それほどたわいがないと知ったら守ってやるがよい、警戒し、縄をつけ、ほかの男になど見せぬがいいのだ。それを尼寺へ逐いやるとは。女に限らぬ、人間男だって「たわいのないもの」ではないか。きみは人間を信用しない、女を信用しない――いや、信用しないといってみるだけだ。ほんとに信用しないのなら、なぜ縛らぬ。きみに心を許した女が、わたしに心を許すことがないなどと、どうしてそんな馬鹿なことを……。イザベルが脣に紅をぬるのは、ただきみのためだけだとでもおもっているのか、アルバート。

わたしはさらに淫らなことを考えていた。わたしは始終イザベルを眺め、あの女の小鼻の盛りあがりや両端のめくれあがった脣のそりから、全身の構造を組みたて、その細部にいたるまで隈なく想像していた。どうしてイザベルがわたしのものでないことがあろうか――その乳房の重みも、横腹の肉づきも、腰の感触も、どうしてわたしが知らぬことがあろうか。いや、もっと、もっと知っている。ああいう鼻は、ああいうまぶたは……。わたしはしいて自分を淫らな欲望に駆りたて、自己の全存在を肉体の卑しい生理に委ね、自分をそのなかに閉じこめてしまおうとした。わたしはわたしのうちに肉体以外のなにものの存在をも許すまいとした。

分離は徐々に――しかも確実に――実現されてゆく。意識と肉体との両極への反撥が。体が、揺れる、揺れる。それはもう自分のものではないかのように。ついにホレイショーはデイヴィッドから独立しえたのだろうか。わたしは自分の浮き浮きする気持を、どうにも抑えることができなくなった。なにか突拍子もない、下卑た洒落でもとばしてみたい――

オーフィーリア　いけませぬ、そのようなことを。
ハムレット　いや、ただ頭をのせるだけさ。それでも？
オーフィーリア　いいえ、どうぞ。
ハムレット　なにか野卑なことでもと？

オーフィーリア　べつに、なにも。
ハムレット　女の子の膝の間に寝るというのは、それほど大したことでもあるまいが。
オーフィーリア　え、なにが？
ハムレット　べつに、なにも。
オーフィーリア　なんですか、大層おはしゃぎになって。
ハムレット　誰が、わが輩がか？

いや、待て、はしゃいでいるのはこのデイヴィッドだ……。どうだ、ハムレット、わたしはきみの解説者どころか、きみこそわたしの意図の解説者、演出者——ああ、不思議なことに、わたしはホレイショーを演じているばかりか、ハムレットまでも自分のおもいどおりに操っているではないか。いまや、舞台は、現実は、どうにでもわたしの自由になるのではないか。自由、無限の自由、わたしは心にハムレットのせりふを呟いていた——「この身は一介の狂言作者。」

オーフィーリア　なんですか、大層おはしゃぎになって。
ハムレット　誰が、わが輩がか？
オーフィーリア　はい。
ハムレット　何をいう。この身は一介の狂言作者。人間、はしゃぎでもするほか手があるものか。

はしゃいだ陽気な「狂言作者」——同時に心の奥底の方では、一種異様な沈鬱が自分の肉体を支配しはじめているのに気づいた——梃子でも動かぬ、かたくなな沈鬱状態が。思念の世界で自由であればあるほど、あの、柱に手をかけて玉座をみつめているホレイショーの肉体は、その場に凝固してしまい、劇中劇が終っても、釘づけにされたままの手足は一インチも動かぬのではないかというような、滑稽な不安が襲ってくるのをどうしようもなかった。わたしはそっと右足と左足とを前後におきかえてみた。やっぱり動く——かすかに自嘲的な笑いが……。芝居は進行していた——

オーフィーリア　コーラス役のように、なにもかもよくごぞんじで。
ハムレット　わけもないこと、操り人形がじゃれついているのを見ただけで、おまえと恋人の仲を嗅ぎつけてごらんにいれるぞ。

ははははは、アルバート、イザベルの心のうちがわかるか、このデイヴィッドの胸のうちがわかるのか。お人好しのハムレット、きみはこんな子供だましのお芝居で、王の心中が見抜けるとでもおもっているのか、夢想家め、恬然としていたって無罪の證拠にならぬと同時に、顔色を変えたからって有罪の證拠は摑めはせぬ。人間はそれほど単純な生物ではないのだ。

「邪悪」の影――あの時のわたしのうちには悪魔がやどっていたのか。いや、ペリエは見あやまったのだ。わたしがうろたえたのは思い過しで、あの時のわたしの心の内部の動きが、一劇評家の眼にとまろうはずはない。あれは「邪悪」の影などではなく、ただ眼光の鋭さにすぎぬ。わたしはじっとみつめていた、睨みつけていた――王の挙動から罪證を摑みとるために、というのは脚本の筋書にすぎぬ。勿論、わたしはこの筋書を意識し、自分のうちの演出家が指定するとおりに、王を睨みつけていたにはちがいない、が、それよりも、ともすればホレイショーを置きざりにし、筋書から逸脱してしまいかねぬ自分を、ただ視線によって舞台に繋ぎとめようと懸命になっていたのだ。あたかも、じっとして動かないでいる人が、眠りに落ちるのを防ぐために鋭く眼を見張っていようとするように。

四

きのうの昼すぎここまで書いてきたとき、炉ばたで本を読んでいたシェーラが突然声をかけた。

「ばかに御熱心ね、この間からなにを書いていらっしゃるの。」

わたしはペンをおいて振りかえった。

「しばらく日記をつけてみようとおもってね……。」

「日記……。」

そう、日記――だが、これが日記といえるだろうか。わたしは生活したことをしるしておこうとするのではなくて、日記に書きとめたように生活しようとしているのだ。わたしの念願は自分の生活からあらゆる偶然性を排除することにある。自分の意思のあらかじめ定めておいた軌道を、それ以外のなにものによっても乱されたくないのだ。それこそ「自我の権威」にかかわる。ああ、しかし、そんなことがどうしてできようか。行動の世界では、他人の協力と理解となくして、己れの企画は絶対に実現しっこないのだ。我執はかならず裏切られる。たとえば、きのう、ささいなことだが、こういうことがあった——

シェーラがナイツブリッジ街まで買物に出かけるというので、劇場へゆくにはすこし早かったが、いっしょに家を出た。わたしたちがそろって外出するというのはめったにないことだ。妻の外出嫌いはわたし以上で、知人の間でもそれで通用している。そういう妻の性向をわたしはむしろ好いていた。なぜといって——いやそれはいずれあとでいおう。

わたしは手ばやく身じまいをして、ポーチから斜めに花壇を横ぎり、正門ではなく、いつも駅へ近道をする時に通る西側の木戸のところで、妻の追いつくのを待っていた。わたしはこの木戸からの眺めをひそかに愛していた。リッチモンドでも、このあたりは小高い丘陵地帯になっていて、下町の家々の屋根ごしに、この丘陵のすそを湾曲して流れるテイムズの一部が、近景の樹間からちらっと覗いている。そういってしまえばまことに平凡な構図なので、わたしも初めのうちはその美しさに気がつかなかったのだが、一度発見してしまえば、もうそれを無視して通りすぎることのできぬような、そうした謂わば控えめの魅力があった。ことに日が西に傾きかけてからのちがよかった。この構図の西側に大きな檞が二三本そびえていて、近景を薄暗く遮っており、そのために河面の明るさを効果的に際だてている。もしこういう風景をカンヴァスにおさめたとしたら、わたしはその画家を軽蔑しただろう。が、自然がみずからをたくみに装ってみせたこういう偶然に、わたしはいつでもはかない愛着を感ずるのだ。わたしはこの木戸を通りすぎるとき、かならずまぶたをあげて、この平凡な一こまを網膜に取りいれ、意識の確認を求める習慣になっていた。勿論、光線や水蒸気のぐあいで、この構図はつねに最上の効果を発揮するとは限らなかったのだ。

たまに妻と外出することに、きのうのわたしは、おおげさにいえば、新鮮な興奮を感じていた。ひとは笑うかもしれぬ——が、わたしのような人間は、もはや平凡なことにしか、刺戟も興奮も感じなくなっているのだ。戦争や革命や死や恋愛こそ、かえって平凡な茶飯事にすぎぬ。わたしにとって特別なことというものは存在しない。なぜなら夢みがちな少年であったわたしは、ただもう特異な事件ばかりおもいつづけてきたからで、あらゆる特殊に慣れっこになっているからだ。そういうわたしにとって、しばらくぶりの妻との外出というささやかな事柄も一つの「事件」であり、かすかな心のときめきをおぼえた。すべての条件が最上の状態に整えばいい、いや、そうなるように努めなければならぬ——うまいことに、わたしのタブローはすばらしく上出来だった。わたしはますます上機嫌で、木戸の柱に背をもたせかけ、そのパスペクティヴを楽しんでいた。

シェーラはなかなか出てきそうもなかった。どうしたのだろう、早くすればいいのに。だが、おかしなことだ、ここにこうして待っていて——本当におかしなことだが、わたしは友達に返す画集を机のうえに置き忘れてきて、いまそれに気がついているのに、とってかえそうとせず、じっとここに待っていて——それというのも、わたしが本をとりにもどると、ゆきちがいにシェーラが出てきて、自分があれほど大事にとっておき、きょうという日にはぜひ一緒に見てもらいたいとおもっていたタブローに気づかず木戸を通りすぎてしまうのが気がかりで、ただそれだけのために、ここにこうして待っているのだ。ポーチですれちがって、まさかにそこで待っているようにと、そんな馬鹿なことはいえぬではないか。わたしの贓品(ぞうひん)はそれほど誇らしいものではない、いや、口にだして注意をうながしてしまったら、もうすべてはおしまいだ——こうして待っていても、わたしはシェーラになにげなく気づかせなければならない。なにげなく——そして、そのあとでもなにかをいってもらいたくない、いわせてはならぬ。そううまくいくだろうか。木戸から道はただちに西に折れ、ほんの十五六フィートのちがいで、テイムズは檞の梢にかくれ、構図はすっかり変ってしまうのだ。ほんの五六秒の間に——うまくいくだろうか。

「今夜あたりテイムズには霧が出るかもしれないね……。」

——まずい。第一、そんなことでは気がつきはしない。そうだ、なにげなく——ああ、だが、これが結婚生活というものだろうか、二人の人間の営む家庭とはこんなものなのだろうか。たがいに憎みあっている夫婦にしても、わたしたちよりはもっと深くむすびついていはしないか。わたしが悪いのだろうか、それとも妻が悪いのだろうか。これがもしシェーラでなくて、イザベルだったら……。わたしはそのほかの二三の女をおもいうかべた。けっきょくおなじことになるかもしれぬし、あるいは四十をすぎたわたしの胸奥にも、激しい生への意欲を掻きたててくれる女がいるかもしれぬ。そうなったら――やはり、いやだ、わたしはシェーラをそういう女と知っていて、それだからこそ愛しもし、結婚もしたのだ。では、愛とは……。わたしはシェーラを――

シェーラの肩をすぼめ、外套の襟をたてた後姿が、わたしの二三歩前にあった。

「お待ちどおさま。」

それは確かにうしろから呼びかけられたものだった、が、言葉は意識の硬い鎧にぶつかって、二つの物体の間に落ちてしまっていた――わたしがそれを拾いあげたのは、視覚が相手の後姿を認めてからあとだった。言葉は、それを発した人間を離れて、確乎とした物体として存在する。人は時にそれを数秒のちに、数十秒のちに、いや、二年、三年たって、なにかの拍子にふと拾いあげ、にわかにうろたえてあたりを見まわし、その間の時間の経過に疑わしげに首をかしげてみたりする。一体、時間とはなんだろう、そしてわたしたちに時間の経過を證しする事件の生起や消滅の秘密はどこにあるのだろう。わたしには、それは単なる無智からくるものであるようにおもわれる。意識の不透明と拒絶、個我の絶対化とそのかたくなな自己主張――そこに二つの物体は避けがたい摩擦を感得し、ひるがえって自己を確認し、ますますその枠を鞏固にかためようとする。さまざまな事件がそれにともなって生起し消滅し、その経過を目して人々は時間と名づける。が、真の時間の秘密はそんなところにはないはずだ。

意識の不透明が時間の経過をなりたたしめ、われを忘れることからもろもろの事件が発生する――馬鹿らしいことだ――馬鹿らしいことだが、事実、人々はそうおもいこんでいるし、そういう時間と事件とのうちに生きている。だから、誰も彼も、事件とは継起する偶然事だと決めてしまっているのだ。未開、蒙昧、野蛮、手の施しようがない。意識さえ透徹していれば、いかなる偶然事も起りっこないのだ。だが、わたし独りが意識の透徹を期したところで、相手がそれに協力しなければなんにもならない。わたしだけが苦しみ、わたしだけが徒労の馬鹿馬鹿しさを経験しなければならない。損をするのはいつでもこちら側だ。現に、きのうのことも――妻の自分勝手な行動のために、わたしの「企画」は、みじめにもその出発点を偶然の手に委ねられてしまったではないか。だが、罪はシェーラにだけあったのだろうか。わたしもまた油断していたではないか。わたしも自我のうちに閉じこもっていた。意識は生理に固着し、その肌を離れることができずにいた。だから、わたしはわたしの肉体を、離れて眺めていることができなかった。そのすきに偶然事が手もなく起ってしまったのではないか。二人の世界では——行動の世界では——協力は期しがたい。わたしたちは、そこでは、自己を偶然に委ねる以外に手がない。そこから逃避することを、わたしはむしろ卑怯だとおもう。生活は完全に——できるだけ——偶然のうちに埋没させるがよい。だとすれば、その些末な記録を一々日記に書きとどめておこうなどと、そんな馬鹿なことを誰がしようか。

わたしは自分独りの世界を——意識の生活を——日記にしるしておきたいのだ。そしてそこに書きしるしたように意識の生活をしたいのだ。そこでは必然の糸が一本まっすぐ通っている。

わたしはわたしの企画をあくまで貫徹しなければならない。

「そうだよ、日記だよ……。読んでごらん。」

わたしはいった。

「読んでもいいの。」

「かまわないさ。」

「でも、ひとが読んだら、書きにくくなるでしょう……。」

「反対だよ……。」

「…………。」

「俳優はひとに見せるのが商売さ。」

わたしはおどけて、しかし傲然（ごうぜん）と、いいかえした——ひとが見るよりもさきに、自分の意識の方がもっともっと完全に自分の姿を眺めている。わたしにとっては、他人の眼をくらますよりも、自分の眼をくらますことの方がずっとむずかしい。自分を眺めている他人の眼すら、すでにわたしの視覚のなかでは計算ずみになっている。

シェーラは木戸の場面を読むだろう。そしてどんな顔をするだろうか。だが、シェーラ、わたしはおまえに見せるのが目的であれを書いたのではない。厭味（いやみ）をいうためにあそこを書いたのではない。わたしに協力してもらおうとおもって、わたしを理解してもらいたさに、それだけのために、あんなことをいまさら書くものか。わたしはおまえを——

シェーラ、だが、わたしたちの結婚生活というのは、いったいどういうものなのだろうか。わたしたちの間の愛情というものは、世間の夫婦や恋人同士のそれとおなじなのだろうか。ちがうとすればどうちがうのか。わたしたちは世にいう蜜月というものをもたなかった。いいかえれば、二人の間には――二人だけのときにさえ――おおげさな愛の表現というものがなかった。はじめから、そして今日にいたるまで、おまえも、わたしも、おたがいに強い執着を示すこともなければ、嫉妬や猜疑(さいぎ)の言葉を投げあうこともなかった。相手に自分を押しつけることもなければ、諍(いさか)いらしい諍いをしたこともなかった。

だが、シェーラ、そういうわたしたちは愛しあっているのだろうか。おたがいに理解しあっているのだろうか。わたしは疑っているのではない。人にきいてみるまでもないことだ――わたしたちは愛しあっている。こうした二人の在り方は――シェーラ、どうやらわたしがおまえのために、おまえによって仕込まれたものらしい。わたしの方が弟子なのだ。

しかし、シェーラはこういう奇妙なわたしたちの関係を意識してはいない。そこに妻の弱みと同時に強みがあるのだ。妻はあくまで実体であり、わたしは機能である。シェーラの心も体も激しい生の意欲をもっていない。他人になにも求めず、なにも期待しない――このわたしにも。それゆえ、外界のあらゆる事物との連繋(れんけい)を失い、他人との結びつきも必要としないのだ。それみずからにおいて充足している存在――人はこれをいかにして愛しうるか。事物にせよ、人間にせよ、それみずからにおいて完結している存在を、人はどうして愛しうるか。わたしはそれが試したかった、生涯をかけてそのことを試したかった。もし愛という観念がこの世に存在するならば、そういう孤体に対してのみ、最高の力を発揮しえなければならぬはずだ。

欠けているものを補足すること、弱点を被(おお)うこと――なんでそんなことが愛でありえようか。いたわったり、いたわられたりすることは決して愛ではない。男が女の肉体を要求し、女が男の肉体を要求すること、そしてたがいになくてはならぬ存在となること、そんなことは愛ではない。それは狎(な)れあいというものだ。夫婦生活は単なる狎れあいにすぎぬものなのであろうか。

シェーラ、わたしはおまえがわたしに協力しなかったことに、あてこすりをいっているのではない。なるほど、行動の世界では、他人の協力と理解となくしては、自己のいかなる企画も実現しっこないであろう。そして、わたしたち人間は行動なくして生きられぬであろう。そうとすれば——それが人間の宿命であるとすれば——わたしたちはそれを逃げてはならぬ。そのなかに堕ちこみ、それに耐えてゆかねばならぬ。で、わたしは、それに耐えることに自分の最高の主題を見いだしたのだ。この企画こそは、他人の協力も理解もいらぬ——協力や理解が得られぬことこそ、その企画の必要条件なのだから。

シェーラ、そんなふうにいえば、かえって厭味に聞えるであろうか。だが、わたしはおまえを実験材料に選んだのでは決してない。なぜなら……。いまさらそんなことを話してなんになろう。おもえば、わたしの少年時代は本当に夢想家だった。わたしは完璧な愛を信じていた。白状するが、いまだって信じている。それがこの世にかならずあることを、いつかはどこかで、だれかに実現されるであろうことを信じている。ただ、わたしは周囲にそれを見たことがないだけだ。だが、それがないからといって、完璧な愛がないからといって、世の夢想家たちは、なにゆえ、ああも大立廻りを演ずるのであろうか——ハムレットもそうだ、リアもそうだ。数年前のわたしはそのハムレットに自分の夢を仮託して、舞台のうえをあばれまわり、いわゆる「名演技」に陶酔していた。そして「リア王」といえば、それはわたしの少年時代における唯一の愛読書だった。十七歳の秋、わたしは故郷の裏庭のベンチで、ひとり「リア王」を読みふけり、身をふるわせるほどの感動を味わった。はじめてそれを読みおわったとき、わたしは興奮のあまりベンチのうえに跳びあがり、奇妙な叫声とともに、あの緋色のアーデン版を大地にたたきつけたものだ。それはいまでもわたしの書棚にある——そのときの涙で剝げた表紙のしみを残したまま。

五

こんな日記をつけはじめたせいであろうか——今夜の舞台では、二年前のあのころの情感がまざまざとよみがえってきた。わたしはイザベルをどうしようというのであろう。どうするつもりもありはしない、ただあの女の体がほしいだけだ。

第四幕第五場——エルシノア、城内の一室。妃をさきにホレイショーと廷臣とが舞台に現れる。そこでわたしたちは妃にオーフィーリアの発狂を告げ、不憫ゆえに会って言葉をかけてやるようにと頼む。妃は狂気の言葉がひょっとして真実をあばきたてはせぬかと恐れている。

だが、恐れなければならぬのはわたしだ――ホレイショーなのだ。二年まえのわたしは「ハムレット」のうちに一つの妄想をつくりあげて、ひそかに楽しんでいた。ハムレットとオーフィーリアの関係に、アルバートとイザベルの恋を見たてていたのだ。わたしもイザベルを欲していた。そしてイザベルだって――アルバートの代りにわたしを選ぶようにならぬとは、だれが保証しえたろうか。ホレイショーはハムレットに果して忠実だったろうか。わたしがアルバートの友情に忠実でなかったとすれば、わたしのホレイショーはアルバートのハムレットに忠実でありうるわけがない。事実――

　ペリエとあって話をした一月ばかり前のことだった。長くわずらっていたシェーラの祖母の容態が悪化したという報せがあったので、わたしたちはともかくランカスタまで見舞にゆくことにした。いってみると、別にすぐどうこうということもないので、わたしだけはすぐその日の夜行でロンドンに戻ることにした。「ハムレット」の稽古が翌日から始ることになっていた。大部分のものにとっては、もう何回となく繰りかえされた芝居で、大した稽古も必要ではなかったから、大体の打合せだけで発(た)ってきてしまったのだが、できれば稽古の第一日目から立ちあいたかったのである。というのは、かねてからのアルバートの要求を容(い)れて、はじめてイザベルにオーフィーリアの役を振ってあったからだ。勿論、わたしの演出はそれまでいつもオーフィーリア役をやってきたヴァージニアがのみこんでいたから、はじめの二三日くらいどうにでもなったのだし、そのつもりで充分打合せもすませてきたのだが、その日のうちに帰れるときまれば、やはり最初からイザベルに稽古をつけてやりたかった。

　マンチェスタで乗換え、そこからロンドンゆきの寝台をとった。まだ寝るには少し早かったが、ぐっすり眠りこみたかったので、酒がほしく、わたしは身のまわりのものをおいて食堂車に出かけようとした。中腰で鍵(かぎ)をかけているわたしのうしろから、あわただしく乗りこんできた女の客が、となりの戸口の前で立ちどまり、ノッブに手を掛けたけはいがしたかとおもうと、急にびっくりするような、わざとらしい嬌声(きょうせい)をあげた。わたしはふりむいた。イザベルだった。豪奢なミンクの外套を著(き)こんで、あいかわらずはでな化粧だった。

「なあんだ、あなたか。」

　イザベルは腰をおとし、両手をひろげて、大仰に驚いて見せた――まるで舞台で客を前にしたように。

「偶然ですわ、それもとなりあわせに……。おなじ汽車に乗っても箱がちがえば、ロンドンまでおたがいに知らずにすませてしまうでしょうに。でも、御病人は……。よろしいんですの……。こんなに早く帰っていらっしゃるとはおもいませんでしたわ。でも、わたくし、うれしいわ。あしたから稽古をつけていただけるんでしょう……。」

わたしは黙っておしゃべりをきいていた。

「きのうの朝こちらへまいりましたの、主人の妹の結婚式で。朝の汽車で帰ろうかとおもったのですけれども、ついぐずぐずしちゃって……。でも、なにがさいわいになるかわかりませんのね、こうして御一緒になれて……。」

「御主人は……。」

「今夜クラブで銀行の会合があるので、朝はやく立ちましたわ……。」

イザベルは著がえを済ませてすぐゆくからというので、わたしは食堂車で待つことにした。

おれのような人間には、事件は起らない——椅子に腰をおろしながら、自分に納得させようとでもするかのように、わたしは心のなかでそう呟いてみた。イザベルは偶然をよろこんでいた。そしてそれを誇張し、意味あるものとして自己暗示をかけたがっている。おれがそれに同調することを女は期待しているに相違ない。わたしには、ここ三十分か一時間の間にとりかわされるであろう会話の筋書が——それにからまる細かい心のあやめまで——なんだかはっきりと見とおせるような気がしてきた。おたがいに相手の手のうちがすっかりわかってしまうようなものでありながら、しかもそれぞれ自分の方は尻尾を摑まえられずにすんだとおもいこんで別れることになるだろう。

——ところで、イザベルはだいぶ手間どるらしい。わたしはボーイにウィスキーを命じ、別に飲むでもなく、匂いをかぎ、脣をぬらしながら、ぼんやり窓のそとの暗黒に目を遊ばせていた。どんなことがあろうと、このおれはまちがいを犯しはしない。が、アルバートは……、ことによると、もう——とすれば、スキャンダルだ。勿論、そんなことはどうでもいい。が、イザベルという女のどこがそれだけの——

「すっかりお待たせしちゃって……。」

「いやあ……。」

イザベルはちょっとうしろをふりむき、なにかを確めると、急にテイブルのうえにのしかかるようにして、小声ではあるが、狎れ狎れしく、媚びを含んだ調子でいった。

「あたし、いま廊下で不審尋問を受けましたの……。」

「不審尋問……。」

「ふふふふふ、あたしそんな女に見えるのかしら……。」

「一体なんのことです。」

　イザベルはなおも笑いを含みながら、おとがいを引き、額ごしに上眼づかいで、

「なにかあったのかしら……。いまの紳士とはお知りあいですかって……。私服ですの。」

「失礼ですね。」

「あたし、いってやりましたの……。あのかたはオールド・ヴィックのデイヴィッド・ジョーンズさんです、藝術家ですよ、オールド・ヴィックのジョーンズさんといえば、高潔な人格者で通っていらっしゃるかたよって、そういってやりましたの……。しきりにあやまっていましたわ。」

　高潔な人格者——「ホレイショー、いままでずいぶん色々な人間につきあってきたが、かほど円満な人物には、ついぞ出会わなかったぞ。……人生のあらゆる苦労を知っていながら、すこしもそれを顔にださず、運命の神が邪慳に扱おうと、格別贔屓にしようと、いつもおなじ気持で受け容れる、そういう男だ、」——ああ、ここまた何週間このせりふを耳にしなければならぬことだろう。わたしはとぼけて答える、「御冗談を——、」わたしは——ホレイショーこそは——まことにわがイギリス紳士の典型……。イザベルの饒舌はなおも続いていた——

「どうしてなんでしょうね、自分でもわからないんですの。男のひとにはそう見えるらしいんだから、いやになっちゃう。実際はそうじゃないんだけれども。どこか男のひとのいない世界へいってしまいたくなりますわ。でも、そんなところありませんわねえ……。ほんとにあたしにはわからないわ。でも、ジョーンズさんは……、わかっていただけますわね。」

　なんの話だろう、聴いてはいなかった。小首をかしげて覗きこむようにしている女の顔がそこにあった。わたしは曖昧にうなずいた。

「あたしという女は恋のできない女なんですわ……。単純ということは、なんていいことでしょう。あたしは単純な女になりたい。そして単純な恋がしたい、オーフィーリアのような。」

「あしたから毎晩できるじゃありませんか、アルバートを相手に。」

「そうなんですの……。あたしはオーフィーリアとまったく正反対な女ですけれど、それだけにオーフィーリアの良さがわかるつもり……。ああ、すてき……。あたし本当にジョーンズさんに感謝しています。あなたの御推薦がなかったら、あたしなぞまだまだヒロインをやる資格なんてありませんもの……。」

「いや、あれはアルバートが……。」

「でも、あなたが承知してくださらなければそれまでですもの……。」

どうしてもおれの好意を強要し、おれ自身にそれを納得させようという肚だな——だが、わたしはどうしてアルバートの申出をすなおに受けいれたのか。反対する理由がなかったからだ。そしてわたしのような男には、めったに反対の理由なんてあるものではない。もしわたしがイザベルではなく、クララを好いていたら、クララのオーフィーリアを主張して、アルバートに反対しただろう。が、どっちだっていいのだ。どっちにも関心がないからであり、どっちにも関心があるからだ。わたしにとってあきらかな事実は、両方とも女だということだけだ。おれは、痩せぎすの女も抱いてみたければ、肥えた女にもさわってみたいというだけのことさ。そしてこの女の本能はそういうわたしの心中を見抜いている——

「でも、ジョーンズさん、あたし、自分のことはわからないんですけれど、一人前の役者になれるでしょうか。」

「そんなことは……。」

「あたしには才能があるでしょうか、どこか一点でも見どころがありますかしら。」

「そういうことは簡単にわかるものじゃない、ことに自分には。がむしゃらにやっているうちに、なんとか恰好がついてゆくものなんだ——アルバートだって、ヴァージニアだって、みんなそうです。」

「そうなんでしょうかねえ……。でも、自分にはわからないとしても、はためにはわかるでしょう——あなたには。ジョーンズさんはあたしの先生なんですもの……。今度あたしにオーフィーリアをやらせてくださったのは、どういうお気持からなのか、あたし、それをおうかがいしたいとおもっておりましたの……。」

ああ、話は予測どおりに進行しているではないか。細部までは見とおせはしなかったにしても、その目的地は、その終点は、ちゃんと過つことなく到達されようとしている。いまこそ、その時なのだ。女はわたしになにを尋ねようとしているのか。才能、将来の見こみ――そんなことはどうだっていいのだ。そんなことはこの女にもわかっている。才能なんてありはしないし、なくたってたいしてそれを苦にしているわけでもないのだ。そこには一人の女優が一人の演出家にたいして発する問いなどありはしない。ただ一人の女が一人の男に口を開かせようとしているだけじゃないか――おまえはあたしに屈従するかどうか、あたしの讃美者になるかどうか。いや、それすら女にはわかっている。雄はつねに雌の讃美者であり、その生命力の補給者にして犠牲者にすぎぬことを、女は生れながらの本能によって嗅ぎ知っている。もろもろの秩序や制度は、そして文化や藝術は、そういうなまの事実を隠蔽するための虚飾にすぎない。恋愛や情欲は――ただそれだけが――歴史の虚飾をいっぺんに剝ぎとり、くつがえして、赤裸々な、生の実相を剝きだしにする。

誰だってそんなことはわかっている。わかっているが、やぼはいわない、というだけのことだ。男こそ、身にしみてそのことを知っているはずだ。が、かれらはあえてだまされ、またみずからをだましている。藝術も文化も、その欺瞞のためにかれらが編みだした最高の方便にすぎないではないか。最高の藝術はつねに女性讃歌だ。宗教もまたしかり――クリスト教もマリアの媒介をまってはじめて世界的になりえた。政治すらその例を洩れぬ――最高の政治形式を創造しえたわがイギリス国民は、つねに女王のもとにおいてその生活力を最大限に発揮し、国家的繁栄を誇示しえたではないか。

イザベルはいまクィーンとしてわたしのうえに君臨し、ナイトの誓いをたてさせようというのだ。で、わたしはどうしたらいいのか、もしそれが人間の自然であり、その生理であるとすれば、それに反逆するものはかならず罰せられる。女の讃美者たることを拒否する男は、かならず不幸な末路をもたなくてはならない。おい、ホレイショー、おまえは運命の賞罰を甘んじて受ける円満な人物ではなかったか。だが、どうしてこういう問いに答えられよう。なるほど、このデイヴィッドも「かほど円満な人物」というわけだ――だから、おれのなかの雄はおまえのなかの雌に手もなく屈服するであろう、おまえの讃美者とも、犠牲者ともなるであろう……。イザベル、きみは知っているじゃないか、知っているからこそ、安心して乗りこんできたのではないか。が、ぼくも知っている、きみの要求している言葉がなんであるかを。知ってはいるが、それは断じていいませんよ、口がさけてもいいませんよ。わたしはそれをシェーラにだけはいった、「おまえを愛する、」と。

わたしはイザベルの第一撃をしりぞけようとした——

「オーフィーリアはハムレットの相手役なのだから、アルバートとうまの合うひとがいいんですよ。」

「あら、そんな……。」

「でも、むずかしいことですね、女の身で——家庭をもって——こういう仕事をやってゆくというのは。」

「そうでもありませんわ、うちでは理解していてくれますから……。」

「ぼくはねえ——これは持論なんですが——女の藝術家というのは、それ自体すでに言葉の矛盾だとおもうんですよ。」

「なぜですの、そんなことありませんわ……。」

イザベルはいきりたってきた。わたしはからかってみたくなった。

「女は作品を捧げらるべきものであって、つくるものじゃない。ミューズにはなるが、詩人になることはできないんだ。」

「もしお言葉のとおりなら、芝居はどうなるんですの。女優になりてがなくなってしまうじゃありませんか。」

「女優は女じゃありませんよ。」

イザベルは黙ってしまった。そんなことはどうでもいいのだ。で、相手はただちに反撃に転じてきた——

「あたし、そうなると、ジョーンズさんの女性観がうかがいたくなるわ。」

だが、こんないやらしいことはない。女を相手にいい気になって女性観をまくしたてるなんて——それは自慰をとおりこして、いちゃつきというものだ。が、イザベルは執拗だった。後で知ったことだが、この女は、会えば倦むことなく愚にもつかぬ女性論、男性論を、そして結婚観、恋愛観を語り続ける。一体どういうつもりなのだろう、一人前の男と女とが恋愛論を語りあうというのは——それはかならず相手の肚のさぐりあいであり、抽象的な一般論を借りての意思表示にすぎぬではないか。が、いつのまにか、わたしは結構イザベルとの会話を楽しみ、さぐりあいとくすぐりあいに耳朶をほてらせていた。二人の共鳴しあった結論はこうだ——夫があろうと妻があろうと、恋愛は自由であり、おたがいその気になれば、いますぐにでも始められるということである。

「はっははは、それでさっきの私服は失礼じゃなかったというわけだ……。」

「ふふふふふ。」

イザベルは含み笑いをして、照れ隠しにトイレットに立った、これで合意は成立したといわんばかりに……。ああ、なんということだ――わたしはやりきれなくなった。自分のいやらしさと卑劣な根性とはどうごまかしようもなかった。しかも、どうしたことであろう、わたしの心の奥底にはなお自信があった。あやうく根こそぎにされながら、わたしはなお自分を信じなければいけないとおもっていたのだ。そこには穢(けが)れのない、傷つかぬ領域がある。自分の表皮の醜さにうろたえてはならぬ。そのために自己のすべてを黒く塗りつぶそうというのは、それも一種の自己欺瞞、つまり感傷ではないか。わたしは自分の醜さを知っている、それに眼を覆いはしない。が、わたしはあくまで身ぎれいにおのれを持(じ)していなければならない。裸になってはいけないのだ。

イザベルはいそいそと席にもどってきた。

「さっきの私服、もういないわ……。」

なぜそんなことをいうのか、わたしにはわかっていた。イザベルはなおもわたしを火遊びの共犯者として確認したいだけなのだ。黙ってわたしのシガレット・ケースから一本ぬきとった、狎れ狎れしいそのしぐさは、もうすっかり「その気」でいる證拠ではないか。だが、なぜこういうことになるのか。女というものはいつでも与える気でいる――まるで自分の方は少しも与えられることなく、取引はつねに損と決めてかかっているかのように。イザベルがたばこに火をつけた瞬間、わたしは、いまだ、とおもった――いま立ちあがって、切口上でおやすみなさいをいえば、それまで二人であやとりをしてきた紐(ひも)は、いっぺんにぷつりと断ち切れる……。が、わたしはそれができなかった。いい子になりたかったからではない、勝つのがいやだったのだ。

が、わたしのうちでは欲情は冷めはじめていた。わたしは一刻も早く切りあげたかった、いきおい話に身が入らない。イザベルはそれに気づいて、さすがに言葉少くなっていった。食堂車の客はわたしたちだけだった。

「そろそろ引きあげましょう。」

わたしはイザベルをうながした。イザベルは食堂車のなかを先に立って歩きながら、わざと独り言のように、うしろは振りかえらず、「だけど、ジョーンズさんみたいな狡(ずる)い人、あたし、初めてだわ」――気軽に、冗談めかした言葉だったが、それが最後の誘いの手であることはわたしにもわかっていた。が、わたしは応じなかった。寝台車に足を踏みいれた瞬間――あと十歩の間に――わたしは二つの道のどちらかを選ばなければならないことを実感した。戸口で、黙ってうしろから女の肩を引きよせるか、それとも静かに「おやすみ」をいうか。

が、わたしは決定を最後まで保留した。わたし自身のうちに、いずれか一つの道を選ばなければならぬ正当な切っかけが、どうしても見いだせなかったのだ。イザベルはイザベルで、かがみこんで鍵穴に鍵をさしいれながらも、自分の方からは、なにもいおうとはしなかった。かたくなに黙したままの、その肩のあたりが明らかに緊張していた。女は鍵をはずし、左手でゆっくりノッブをまわしながら、なかば身を開くようにしてわたしの顔を見あげた。わたしは戸口に背をもたせかけ――おそらく相手の眼には図々(ずうずう)しく映じたことであろうが――両手を上衣のポケットに突っこんだまま、ぼんやり女を眺めていた。女はそっとドアを開いた、わたしは反射的に上体を起した。相手の硬い表情をみつめながら、そのつぎの瞬間には、両腕を首に投げかけてくる女の姿が、ちらりと脳裡をかすめた――が、まちがった、わたしの予感はまちがっていた――女の表情はさっと歪んだ。ああ、なにかいわなければいけない、とわたしはおもったが、間に合わなかった。イザベルはいきなりわたしの頬に平手打ちをくわせたかとおもうと、身をひるがえしてドアの蔭に隠れてしまった。

わたしはしばらく廊下に立ちつくしていた。イザベルにたいする軽蔑と憤りの気持を、わたしはもてあましていた。無智だ、度しがたい無智だ。それになんという俗悪な「演技」であることか。いい気なものだ――女が男の頬を打つ――メロドラマじゃないか。イザベル、きみは本当にわたしを打ちたかったのか。それならいい。が、明らかにそうではなかった。きみは芝居をやりたかったのだ。わたしにとってこれほどの屈辱がまたとあろうか。きみの低俗な芝居のために一役買わせられようとは――わたしの意識の緻密(ちみつ)な計画が、無智なでたらめのために踏みにじられてしまったのだ。わたしは自分の愚かさを悔いた。

上衣をぬぐ気力もなく、両手を後頭部にあてがったまま、わたしはベッドのうえに仰むけになっていた。やがて、体中が海綿のようにすかすかになり、その間を苦い液汁が流れめぐるような気がしてきた。後悔がふたたび憤りに代った。イザベルの手がシェーラの頬を打ったのだ――わたしの不注意がそうさせたのだ。不注意などと体裁のいいことをいわぬがいい。好奇心が、いや、そうじゃない、はっきりすけべ根性が、といったらいいのだ。

シェーラ、おまえはこれを読むだろう。いままで黙っていたが、あの時そういうことがあったのだ。わたしはおまえに謝罪はしない。謝罪できるようなことではないのだ。むしろあのとき欲情に身をまかせた方がどんなに男らしかったか。それなら、おまえはわたしを信用できるであろう。おまえは悲しむかもしれぬが、わたしを許してくれるだろう。が、罪を犯さなかったわたしを、どうして許せようか。許す許さぬではない、問題はわたしという存在を認めるか認めぬかだ。わたしは自分で自分が当てにできぬ。わたしはわたしの存在を認めることができない……。

六

そうだ、あの公演が終る頃には、アルバートとイザベルとのスキャンダルは劇団中、誰知らぬものがないほどになっていた。稽古の間でも、二人の関係が深まってゆくのが、わたしには一日一日はっきり見えるような気がした。勿論、イザベルはわたしにたいしては少しも変った態度を見せなかった。が、それは人前だけのことで、たまたま二人だけになるとひどく狎れ狎れしく、例の共犯者意識で、すぐさまさしむかいの雰囲気にわたしを引きこもうとした。わたしは切口上でそれを拒絶した。

一箇月の公演が終った日の夜だった。劇場がはねてから、アルバートは話があるといってわたしを誘いだした。わたしたちは寒い霧の夜をさまよいながら話しあった。おたがいの顔がはっきり見わけられなかったためか、アルバートはふだんならわたしに話せぬようなことを、すすんで話した。むしろ自分の感傷を楽しんでいるというふうだった。イザベルとの関係についても随分露骨なことまで話した。わたしは、イザベルが寝台車のなかのことをしゃべっていないのを確めると、すっかり陽気になってしまって、アルバートの話を始終茶化しながら聴いていた。といって、わたしはふまじめだったのではない。わたしはわたしなりに、この男をその「深刻な悩み」から救いだしてやろうとする誠意はもっていた。だが、かれの示す「道徳的煩悶」にはぜんぜん同情できず、ついふざけ半分の揶揄が口をついてでた。

「大いにたのしむさ、イザベルほどの体はそうざらにはないからな……。」

アルバートは終いに怒りはじめた。

「ぼくは結婚しようとおもっているんだ。いまの状態をながく続けることは耐えられない。イザベルにもすまないし、あの銀行家にも申しわけない。それに妻にたいしても、ぼくはもう黙っていられなくなった……。」

結婚するだって……。この男はわたしの良心をおびやかす——わたしは自分が責められているような気がして、その圧迫を押しのけるようにいった、「きみはほんとに悪いことをしているとおもっているのかね、ほんとに苦しんでいるのかね……。なぜいまの奥さんと離婚して、イザベルと結婚しなけりゃならないんだ。奥さんは奥さん、イザベルはイザベルじゃないか。」誠実とはなんだ——ああ、わたしはいま自分自身に誠実であるのだろうか。もし自分に誠実なら——自分の苦しみに誠実なら——そうだ、わたしは苦しんでいる。なぜといって……。

わたしはいまこれを書きながらも、シェーラが読むかもしれぬことを予想している。が、妻は少しも動じはしないだろう——それはわかっている。だから、安心して書いているのだろうか、そうではない……。

ああ、わたしはわからなくなってしまった——どういうつもりでこんなものを書きはじめたのだろう。けさのわたしはどうかしている。これを書き続けることができないのだ。なんのために、なにを書こうとしているのか、自分でもわからないのだ。

アルバートと二人でさまよったあの夜の自分の姿がどうしても摑めないのだ。ということは、書いているいまの自分が自分にはっきり見えていないということだ。疲れているのだろうか。確かに意識の溷濁がある。

自分の心の曲折を、その一つ一つは摑めても、一貫して自己完結する生の必然性のうちに、それらを位置づける根気がないのだ。けさのわたしは自分の主題をしっかりと保持しえていない。わたしにとって生の意欲とは意識の強烈さ以外のなにものでもなく、それが弱まっているということは——やはり、わたしは疲れているのだ。

ここ数日、眠れぬ夜が続き、ゆうべは代役を頼んで早くから床にはいってしまった。めざめたときは、睡眠剤のためぐっすり眠れたとおもっていたのだが、ちょうど遠足の途中に一休みしたようなもので、かえって疲れが出てしまったのだろうか。もう少しも眠気はなく、しばらく遠ざかっていた日記を書こうとおもって、机の前に坐ったのだが、書きはじめてみると頭の芯はまだ眠っているように靄がかかっている。

きょうはもうやめよう——アルバートと話しあったことを一々細々と書き続ける気力がない。背筋がいらいらしてくる。ペンさきをノートに突きたてたくなる。本当にやめよう。

七

きょうはクリスマス・イヴ。一年前に祖母が死んでからシェーラのものとなったランカスタの家にきている。クリスト生誕一九四一年記念を祝って、ロンドンでは空襲におびやかされながらも——いや、ここ数年、日常生活のささやかな幸福を禁ぜられているだけに、人々はかえって——この日のもつ特殊な意味に縋りつこうとしている。二三日前からそのけはいが街々に溢れていた。ロンドンばかりではない、この河口の小さな町でも、ここを一歩出れば、人々はこの与えられたわずかな機会をのがすまいとし、それぞれの幸福をおたがいに確認しあおうと努めていることだろう——プディングや七面鳥やサンタクロースに縋りついて。

誰も彼もそういうふうにして自分の生を確證しようとする。そうしなければ、生きていけないかのように、いや、そうしなければ、自分が生きているという事実を自分自身に納得させられぬとでもおもっているかのように。みんなそうなのだ。わたしだって——だが、少くともわたしは、そのためにクリスマスや戦争の手を借りようとはおもわぬ。世界中のものがそうなればいい。それをユートピアと呼ばないなら、一体なにを目あてに文明や進歩を信ずるのか。

ここは静かだ。クリスマスもなければ戦争もない。いつも瑣々たる日常性の一色にわたしはわたしの周囲を塗りつぶす。きょうまでわたしはそうして暮してきた。この生活法を変えようとはおもわぬ。また変えようとしたって、いまさら変えられるものではない。どうにもしようがないのだ。

とはいえ、この妙な不安はどうしたのであろうか。わたしはまちがってはいない。わたしの現実批判にいささかの誤りがあろうとも考えられぬ。それならば、生を批判し否定することそのことがまちがいなのであろうか。

それは人間に許されぬ、大それたことなのであろうか。が、わたしは生きることによって生を裁こうとしたのだ。素朴な、無自覚な生きかたを否定すること、それがわたしの目的であり、それがわたしの主題であり、それがわたしの生きかたであった。生の抹殺こそ、わたしにとっては生なのである。それなら、わたしは、抹殺という反逆行為をあえてする心の拠りどころを、わたし自身の生きかたのうちに求めていたということになる。

それとも逆であろうか――あらゆる生のいとなみにたいして反逆的にしか働かぬ自分の生来の資質を擁護するために、自分の生活を一貫する確乎たる体系と方法とを作りあげようとしているのであろうか。それも、無意味な自己を正当化し、弁護するために……。やはり自己欺瞞だ。体系も方法もありはしない。あるのは、こじつけと仮説だけだ。

いずれにせよ、わたしは逃げているのではないか。意識の世界の設定――現実の謀反(むほん)を恐れるために。

不安はなにもこの数日のことにかぎらぬ。この二年、それは絶えずあった。その不安に抵抗するために、日記をつけはじめたのではなかったか。わたしはこの日記のなかでは――というのは、意識の世界では、という意味とおなじだが――あくまで勝利の記録を綴りぬくつもりだったし、いまだってそのつもりでいる。わたしは大言壮語し続けるだろう。絶対に敗けてはならぬのだ。

だから数日まえの日記に、はじめて弱音らしい弱音を書きつけたときだって、実はそれが勝利の企画に利用しおおせることを計算にいれていた。わたしは決してけつまずきはしない。わたしにとってニヒリズムというものはありえない。デカダンスもない。あるとすれば、それは初めにあった、出発点にあった。いまさらそれにぶつかって愕然(がくぜん)とするような間の抜けたまねはしない。わたしの生活は、初めにそれを前提として、それから脱け出るために開始されたのだから。

あの朝、なるほどわたしは日記を抛棄(ほうき)した。あのまま続ければ、ただみじめな敗北感をなめさせられるだけだったろう。

肉体は妙に快調だった。あの背筋のいらいらするような焦燥(しょうそう)も、机の前を離れてしまうと、不思議に跡形もなく消えていた。わたしはたまっていた十数通の手紙に返事を書き、書棚の整理をやり、午後は庭に出て、花壇の手入れをした。体はひどくまめまめしく動くのだが、心は救いがたいほど空虚で、シェーラと口をきくのもおっくうだった。

どうしたわけか、朝からしきりに「ホミカ・エキス」という言葉が口をついて出た。公演はもうあと二晩残っているだけで、電話一本かけておけば、前の晩どおりに代役ですませられるし、そうなれば、しばらく家に引籠っていられる——事実あれから、きのうここへくるまで、わたしはそうして一歩も家を出ずにいた——そういう外界との交渉から切りはなされてしまった孤独のために、それでもなお他人に呼びかけ、外界と結びつこうとする生理的な習慣が、この二枚の脣に無意味な言葉を呟かせたのかもしれぬ。それとも、それは意識にとって一種の照れ隠しみたいなもので、自己把握の弛緩に抵抗して、なんとか言葉を動員しようとあせってはみるものの、結局は無意識の壁にぶつかってしまい、オートマティックなフォネティック・サインを弾きだしてきたのにすぎないのであろうか。自分でも馬鹿馬鹿しいとおもいながら、その日一日中、わたしはこの「ホミカ・エキス」に悩まされ、避けようとおもえばおもうほどそれにつきまとわれた。お茶の時にも、シェーラと向きあい、別に話すこともなく、ぼんやり腰をおろしていたが、その半時間ばかりの間にも、それがいくどか舌端にとびだしてきそうで、わたしはそのたびにあわてて脣を固く閉じるような馬鹿なまねをしたものだった。

まったく、その日はおかしなことばかりだった。夜、床につく前だったが、わたしはその日一日をかえりみて、そのまま寝てしまう気にはなれなかった。ひどく取りとめのない、ふやけたような一日だった。といって、どうしようもなく、わたしはブラックの画集をめくったりしながら、煖炉の前でぐずぐず時間をすごしていた。シェーラはさきに床にはいった。しばらくして、わたしも寝ようとおもい、しいて一日の区切をつけるように、ぴしゃっと画集を閉じて立ちあがった。その瞬間、あ、シェーラの眼をさまさなかったかな、とおもい、ちらっと衝立の方へ眼をやった。妻はいちど眠ってから眼をさますと寝つかれぬたちだった。几帳面なわたしは本を寝室に出し放しで寝てしまうようなことはなかったのだが、ドアを開けたり閉めたりしたくなかったので、今夜はこのままここへおいておこうとおもい、ガウンの紐をほどこうとして両手を結びめにもっていった瞬間、なあんだ、シェーラは台所だったっけ、どうかしているな、とおもいなおして、画集をとりあげ、書斎に返しにいった。

もどってきて、ふたたび寝室のノッブに手をかけた瞬間——そのころ、ランカスタから祖母の形見の衣装箪笥が到着する予定になっていたのだが——前にもおなじようにランカスタから荷物を運んでもらう話があって、随分日にちがたっているのになかなか到着せず、遅くともといったあすも当てにはなるまいと、ぼんやりそんな意識をもちながら、やはりこのノッブを夜おそく寝る前に握ったことがある、ああまったくおなじだ、が、たちまちその実感は消えてしまって、もう事実か錯覚か確めようがなかった。錯覚にしても、たった一瞬まえの気分が再生できぬというのはどうしたことであろう。わたしは二三歩さがって、前とおなじしぐさでノッブに手をかけてみた。が、だめだった。

部屋にはいって、寝巻に著がえて衝立越しにベッドの方を覗いた時、わたしはさすがに、これはちょっと変だと苦笑せざるをえなかった。シェーラはそこに寝ていた。たしかに変だ。どこかに時間の混乱がある。時が縦に流れずに、横に並列しているかのようだった。

わたしはどうかしている。こんなつまらぬことにまで、なにか自分の本質にまつわる意味を見つけようとしているる——それは乞食根性というものだ。世には他人の温情にすがる愛情乞食というものがある。その方がまだよい、わたしは他人の思い遣りの侵入を防ぎ、他人の見物を拒絶し、そのあげく自分自身のうちのなにものかに思い遣りを求めている——乞食であることに変りはない——が、そのわたしのうちのなにものかは、おのれが切に求められているのを承知しながら、見て見ぬふりをし、逆に向う側から施しを拒絶してくる。わたしは報復された——いい気味だ。

しかし、それだけの理由で——わたしがわたしを見ようとしないから——そのために、わたしは書きとめるに値するものを失い、あんなつまらぬことを書いてきたのであろうか。そうではない——いや、そうかもしれぬが、それにはもう少し訳がありそうだ。

つまり、こういうことなのである——

もしわたしが自分のことを小説に書くとしたら、あの汽車のなかの事件の結末をどうつけるかということ、その点がはっきりしていないために、わたしは前にも進めないし、後にも戻れないで、立往生してしまった形なのである。なるほど、これは小説ではなく、ただの日記にすぎない。しかし、日記が小説になるように、さらにいえば、生活が小説になるように、わたしは毎日を生きたいのであり、わたしの精神の一隅に——いや、その中核に——そのような生活を完全に設定してしまいたいのである。

とすれば、あのイザベルとの関係だが、それはあのまま中途半端に打ち切られてしまったのか、それとも、あの直後、あるいはずっとのちに、わたしはついにイザベルと関係をもつにいたったのか、この日記はそのいずれにしたがうべきであろうか——そこのところが迷って落ちつかぬままに、わたしは身動きできずにいるのだ。そうだった、わたしはあの車中のことを書く前に、「ハムレット」第四幕第五場から始めたのだった——それには訳がある。

俳優の地などということはあてにならぬ。シェイクスピアのような古典ものではことにそうだ。劇作家が登場人物の性格を隅から隅まで書きこんでしまい、俳優はその指定のために手も足も出なくなってしまった近代劇では、たまたまそういう性格にあった俳優だけが成功し、他はすべて失敗する。だから、何某はノラをやっても、ラネーフスカヤ夫人をやっても、みんな何某そのままで、ノラやラネーフスカヤ夫人はどこかへ吹きとんでしまう、あいつはうまいのではなく、芝居を地でやっているんだ、などといわれたりする。だが、そう簡単にはいいきれまい。それ以外に手はないのだ。その辺のおもしろみは古典が教えてくれる。

イザベルのオーフィーリア——正反対の性格。だが、はたしてそれは正反対であろうか。男好きで、ゆきずりの異性のすべてから流し目を欲しているイザベルは、あの「穢れのない美しい」エンジェルのような、うぶでいじらしいオーフィーリアのうちに、はたして棲んでいないだろうか。シェイクスピアはそのことを予想していなかったろうか。

さて、エルシノア、城内の一室、妃をさきにホレイショーと廷臣とが舞台に現れる。そこでわたしたちは妃にオーフィーリアの発狂を告げ、不憫ゆえに会って言葉をかけてやるようにと頼む。妃は狂気の言葉がひょっとして真実をあばきたてはせぬかと恐れている。だが、恐れなければならぬのはわたしだ——ホレイショーなのだ。わたしはあの時、この場になぜわたしが登場しなければならないのか、作者はどうしてこのホレイショーをあえてここに登場させる必要があったのかと、妙なことに気がついた。「廷臣」だけで結構じゃないか。ホレイショーの出場が少くなるとでもおもって、この毒にも薬にもならぬ役廻りを与えたというわけか。この場ではホレイショーは舞台に十分も留っていない。オーフィーリアが狂いさざめきながら引っこむと、「あとを。眼を離さぬように。頼んだぞ。」という王のせりふとともに退場するのだが、その間、ホレイショーには一つのせりふも与えられていない。わたしは黙って隅に突立ったまま、「オーフィーリア狂乱の場」を傍観しているだけだ。公演のふたを開けて四五日目だったろうか、ふとそんなことが気になりだしたのは——いままで何回となくこの役をやってきたのに……。

わたしはその日、朝から気が滅入ってしかたがなかった。イザベルとアルバートとの関係が稽古中、一日一日と深まってゆくのが眼に見えていたし、アルバートの煩悶もよくわかっていた。が、わたしはアルバートにちっとも同情していなかった。体面がなんだというのか、つまらぬみえは捨ててしまうがいい。みえじゃない、アルバートはおそらくそういうだろう。では、道徳的煩悶だというのか。イザベルの夫にたいして、それから自分の妻にたいして、許しがたい罪を犯しているとでもいうのか。純潔なる愛の騎士、ハムレット——が、アルバート、それもつまらぬことだ、わたしの苦しみはそんなことじゃない。夫婦関係なんて単なる習慣にすぎぬ。きみはただその習慣の破壊されることを恐れているだけなのだ——なぜなら、習慣こそきみの生を支えている大黒柱だから。習慣こそ、きみの正義の拠りどころなのだ。が、夫婦間の誠実が単なる習慣にすぎぬとすれば、その裏切もまた習慣にすぎないではないか。とすれば、そのいずれを選ぶかに苦悶はいらぬはずだ——それは道徳の問題にはならぬ。ハムレット、それ、聴きたまえ、オーフィーリアの歌を——

あすは十四日　ヴァレンタイン様よ
夫婦さだめの　吉日なれば
好いた男の　窓辺に立って
娘ごころに　願かけたれば
思いがけなや　さと戸が開いた
開いて閉って　閉って開いて
出てきた娘の　その胸のうち

ハムレット——いや、アルバート——この歌は楽屋にいる君にも聞えるだろう。卑俗な見物人を喜ばすための、座附作者の陽気なでたらめなどと気をよくしていたもうな。きみに尼寺へ逐いやられた、うぶで純潔なオーフィーリアは、高潔にして憂鬱なきみの顔を仰ぎ見ながら、黙って心のなかでこんな歌をうたっていたのではないか。なにを深刻ぶって道徳的煩悶に耽る必要があろうか。イザベルは待っている、イザベルは歌っている。ああ、これはオーフィーリアの歌ではない、イザベルの肉声なのだ。イザベルはきみを待っている。いや、イザベルはおれを待っている。オーフィーリアはホレイショーのものに——もうなっている——それゆえの狂乱。

えい　もう　くやしい　ああ　なさけない
なんぼ男の　ならいじゃとても
そりゃ　あんまりな　えい　あんまりな
夫婦になると　言うたじゃないか

すると、相手の男が、こう言うの。

その気だったさ　ほんとの話
お前のほうから　忍んでこなきゃ

その「相手の男」がホレイショーであってはならぬという証拠が、「ハムレット」のうちに一箇処でもあるか。忠実なるハムレットの学友——ホレイショーはハムレットからなにを奪ったか。「円満な人物」——かれはハムレットに充分盡しはしなかったか。オーフィーリアが本当にハムレットのものならば、誰もそれを奪うことはできぬ。奪いえぬもののみが、真にその人のものなのだ。人は人を所有しえない。男は女を、女は男を、所有しようとおもってはならぬ。ハムレットはそれができるとおもった。オーフィーリアも相手に所有されたいとおもった。かれらは、愛とはそういうことだとおもっている。愛とはそういうことだとおもいながら、かれらの我欲はその信仰とは反対の行動をする。男女はたがいに肉体のことを軽蔑し、愛はもっぱら精神の問題だと信じていながら、その確證を肉体のうちに求め、肉体を純潔の判定者に祀りあげる。精神と肉体との関係の倒錯——現代人の病根はすべてそこにある。

　オーフィーリア、きみはなぜその歌を正気で歌わなかったか。いや、なぜ気ちがいなどになったのか。それほどのことでもあるまいのに。気がちがいそうなのは、このわたしだ……。

オーフィーリア――いや、イザベル――きみはあの時とんでもない誤解をしていた。わたしが卑劣だって……。おそらくきみはわたしを狡いとおもったのだろう。肩に手を廻すのは男の役割であるのに、それをわたしが回避しているとおもったのだろう。なるほどそうにはちがいない。が、はたしてわたしは女のきみに最初の決定的な言葉をいわせ、あとの責任をまぬかれようとしていたのだろうか。そう取るのもむりはない。しかし狡いのはきみだ。狡いのはつねに女だ……。

あのあとで、わたしはベッドのうえに寝ころんでいながらも、隣りのけはいに耳をすませていた。イザベルの思惑を待つまでもない、わたし自身、自分が卑怯ではないかとおもった。イザベルの夫を恐れているのだろうか。シェーラの歎きを、わたしへの信頼の失墜を恐れているのだろうか。いずれにせよ、虚栄にすぎぬ。わたしの行為の基準は飽くまでわたし自身のうちになければならぬ。それなら、いますぐイザベルの部屋へゆけばいい、相手は待っているかもしれぬ――わたしはふたたび自分の欲情をもてあましはじめた。いや、それは欲情ではない。そのことが自分にはっきりわかっていた。抑えきれぬ欲情ではない、だからこそ、わたしはさっき最後の瞬間までイザベルを取る決心をしなかったのではないか。抑えきれぬ欲情などというものはない。人々はただそうおもいこむだけであり、またそうおもいこみたいだけなのだ。その方がどんなに楽であることか。

が、わたしは――欲望の必然にそってのみ行動を起さねばならぬ――わたしはふだん心にそう誓っていた。ところで、欲望の必然とはなにか、いや、必然とはなにか。そんなものがはたしてあるだろうか。そんなものはありはしない。ないから、わたしは不様にも頬をなぐられ、とんだ道化役を演じてしまったのだ。

わたしは卑怯ではない。世間態を惧れているのではない。そんなはずはあるものか。が、結果においてどう違いがあるというのか。いや、動機においても、それは臆病とどう違うのか。理屈のこねまわしに少々手がこんでいるが、結局もとの出発点に戻ってしまうだけのことではないか――臆病――行動を拒絶した自己分析はつねに出発点にもどる――臆病なのだ、臆病なのだ。わたしはやっぱり恥を搔かされることを惧れているのだ。相手の夫やシェーラが問題なのではなく、蔭で嗤いものにされるのがつらいのだ。女が寝巻のままでこのベッドの側に立ったなら、そしてわたしのうえに倒れかかってきたら、はたしてわたしはそれを拒絶するだろうか。わたしはただ据膳を食いたいだけのことではないか。

　わたしは疲れ、汽車の震動に快く身をまかせていた。アルコールの影響もあったのだろう、ともすれば眠りに落ちそうになった。一方わたしはそういう自分の意識を、しいて自己分析に駆りやろうとしていた。わたしは、いま、この瞬間、隣りで女がどんな姿でいるかを想像しようとした。イザベルの放恣な寝姿が眼に浮んだ。わたしは淫らな想像に耽った。その場面の一こま一こまを想い描いてみた。が、わたしがどんなに淫らな情景を空想しようとも、それは結局、一つのことにすぎず、どんな想像もその最後の一線で無慚にも限定されてしまい、それ自身を限りなく楽しむことはできない。それは想像力の貧しさのためではなく、結末があまりにはっきりしすぎていて、その現実の味気なさが想像力に冷水を浴せかけるからだ。わたしはおなじ終点で敗退するためにのみ、いくたびも繰りかえしてその過程をいろいろに辿ってみた。わたしは疲れはて、ふたたび眠りに落ちこもうとした――まだ眠ってはならぬという声をどこかに聞きながら。

　うとうととした瞬間だった。さっきイザベルが自分の部屋のなかへ駆けこみ、ドアをわたしの眼の前にぴしゃりと閉じた時、鍵が鍵穴にさしこんだままになっていたことを、わたしはなんの脈絡もなく突然おもいだした。はっとして眼がさめると、わたしの意識は一瞬まえの朦朧たる状態とは打って変って、嘘のように冴えかえった。いや、そんな気がした。

　なるほど、わたしはイザベルの夫を恐れているのでもなければ、妻のシェーラを恐れているのでもない。まして世間態などわたしの眼中にはない。が、わたしはわたし自身を恐れている。イザベルを知ることによって、わたしのシェーラにたいする愛は、霧のようにはかなく消えうせてしまいはせぬだろうか。イザベルを遮絶することによって――いや、他のあらゆる偶然的な可能性を抑圧することによって――わたしは妻にたいする愛を必然と見なし、それを守ろうとしているのではなかろうか。もしそうならば、卑怯といわれてもしかたはない。そうだ――

　イザベルの部屋へゆけ。わたしは自分に命じた、イザベルの部屋へゆけ、鍵はそのままだ、イザベルの部屋へゆかねばならぬ。義務なのだ。わたしにとって不義を犯すことは、一種の義務なのだ。この機会にこそ、自分自身をためすがよい。シェーラが自分にとって不可欠なものであるかどうかをためしてみるがいい。そうだ、わたしはようやくのことで行動に身をゆだねる理由を発見したのだ。この偶然に自己を投げだすこと、それがわたしの必然をはっきり見きわめることにもなろうし、またそれこそわたしの必然性なのにほかならぬ。が、そうおもいながらも、わたしは心のどこかで自分の理由づけにうさんくさいものを嗅ぎつけていた。この時ほどわたしが堕落した時はなかった。この時ほどわたしが卑怯であった時はなかった。わたしもまた――いや、わたしこそ、わたしがもっとも軽蔑し、もっとも嫌悪している人種、またたきをするにも理由を納得してかからねば気のすまぬあの連中のうちの典型的人物ではないか。

ふと、気がつくと、わたしはイザベルの足もとに立っていた。ただこれだけのことか――もうなにも口をききたくない――イザベルにもしゃべらせたくなかった。わたしは硬い表情のまま無言で、もう事はすんだ、帰るというような冷たいそぶりを示した。突然、イザベルは跳びあがるようにしてわたしの襟を両手に摑んだかとおもうと、脣を耳もとに寄せてきて囁いた――

「いつからなの、いつから、あたしが、好きだったの……。」

――だから、口をきかせたくなかったのだ、そのせりふこそ、わたしがイザベルにいわせたくなかった唯一のものだった。わたしは相手に自分の顔が見えぬまま、苦りきった困惑の表情を隠そうともしなかった。

「じゃ、きみは――きみはぼくが好きだったとでも……。」

イザベルは怒ったようにわたしを突き放した――

「あたりまえじゃないの。嫌いな人と、誰がこんなことするもんですか……。そんなことというなんて……。いま、そんなことというなんて……。あんまりだわ……。」

わたしは黙って立っていた。サインを先にさせておいて、そのあとで誓約文を書きこむ手だってある。わたしが好きだって――好きだったかもしれぬ、が、それは愛とはちがう、愛とは。男と女とが、たかがこんなことをするのに、なんで愛などという大げさな言葉を必要とするのか。きみはそのつもりなのだろう、わたしを愛していたというつもりなのだろう。そしてわたしもきみを愛していたといわせたいのだろう。誰が――

「じゃ、あんたは好きでもない人と、いつもこんなことをするの……。あたしが好きでもないのに……。」

――そうだ、わたしはきみを好いているわけじゃない、愛してはいない。イザベルは泣きくずれた。わたしは立ったまま、それをじいっと眺めていた。イザベルは悲しいのだろうか。いや、そうじゃない。ただ悲しいとおもいたいだけにすぎない。愛してもいない男に身をまかせたことが悲しい、そうおもいたいだけのことなのだ。だが、イザベル、自分をだましちゃいけない――きみの涙はほんの気まぐれ、つまり惰性にすぎないのだ。わたしはわざと皮肉な微笑を浮べてみた――ほれ、あの時だって、きみは泣いたじゃないか。きみはただ生理的に泣きたいだけなのさ、神経が興奮しているというだけのことなのだ。

「いや、いや、いや……。あたしを棄てちゃ、いや……。」

そうしてなおも迫ってくる相手に、わたしは自分の不快を隠すことができなかった。それにしても――わたしはいつの間にか自分の部屋にもどり、ベッドに腰をおろして考えこんでいた――それにしても、わたしは見事に報復された。自意識などというものは高が知れている。わたしは自分の観念的な甘さを、イザベルの肉体によってはっきり教えこまれた。女がこれほどの陶酔感を与えてくれることを、そして女の肉体があれほどに自己陶酔を知っていることを、イザベルがはじめてわたしに教えてくれた、ああ、シェーラは――シェーラは……。わたしが自意識の権威を誇りえたのは、つまりは、シェーラという虚弱な生を対象としていたからにすぎなかったのか。肉体の営みを狎れあいとしてしりぞけ、強烈な自己意識のうちに愛の支えを期待したわたしは、やはり途方もない夢想家だったのか。だが、シェーラ、わかってくれ、わたしはおまえに殉じようとしたのだ――消え入るようにはかない、おまえの生命に。

すまない、わたしはおまえにどうあやまっていいか――いや、あやまってすむことではない――わたしはついにイザベルにつまずいた。わたしはとうとうおまえを裏切ってしまった。

「そう、あやまることではないわ……。」

わたしの溷濁(こんだく)した意識の一隅に――いや、はっきりとわたしのそとに――視界からはずれた、斜めうしろの枕もとに、あのシェーラが、いつものくせで、あたかも羽のあるものがいま地上に着陸したかのように軽々と、いくぶん前かがみになって胸もとに両手をそっと重ねあわせ、静かに立っていた。わたしの顔の向きでは見えぬはずなのに、なぜかその姿だけがわずかにほの明るく眼のまえに映っていた。そしてわたしはそのことを不思議ともなんともおもわず、弱々しい眼色で妻を迎えた。

「あやまることじゃないわ、」ふだんの妻に似あわずきっぱりいった、「あなたはあたしとイザベルとを比較なさりたかったのよ。イザベルにかぎらない、ほかの女とあたしの体とをくらべてみたかったのよ。」

「なんのためにそんなことを……。」

　わたしは喚くように叫んだ。

「あたしを知りたいために……。いいえ、御自分の生を確めたいために、というべきだわ。あなたはあたしを裏切ったのじゃなくて、あなた自身に謀反なさったのよ。そしていまこそはっきりわかったはずだわ、生きるということがどういうことかが、そして、あなたが愛だとおもっていたことは、生への反逆にすぎないということが……。イザベルは生きてゆきます。けれども、あたしは……。あなたに繋ぎとめられていなければ、あたしは、どうなってしまうか――ただ待っているだけ、そっと消えてゆくのを……。」

　わたしは泣いた。そしてふりしぼるように声を放って許しを乞うた――

「シェーラ、許してくれ、ぼくは、本当はおまえのような女が好きなんだ。おまえにはそれがわかっているはずじゃないか……。おまえなしでは、ぼくは生きてゆけない……。」

「嘘よ、そんなことありませんわ、誰かが誰かにとって必要だなんて、そんなことは嘘だと、あなたはいってらしたじゃありませんか……。あたしはあなたを責めているんじゃないの……。あたしだって――あたしだってそうなの……。」

「ああ、シェーラ、そんなことをいうものじゃない。ぼくたちの間にはすばらしい瞬間があった……。二人だけが共有している過去をおもいだしてくれ、それはいまもここにあるんだ、シェーラ……。」

「あたしたちの間にはいろんなことがあったわ、静かで動きのない生活だったけれども、それでもずいぶん激しい……。」

「おたがいの心のうねりが……。一つになってぼくたちの間を縫ってきた。」

「それが嘘だったのね。あなたはあたしのために自分をだましてきてくださった。そのあなたの自己欺瞞のおかげできょうまで支えられてきた嘘が、もうどうにもごまかしのきかないところまできてしまったのね。あたしはそれでいいの。あたしのような人間は、ほんとに誰とも結びつけないの。でも、あなたは違うわ。あなたはいままであたしにおつきあいしていてくださったんですもの、すまないとおもっています。ありがたいとおもっています。あなたの自己欺瞞だなんて、ごめんなさい。でも、もうだめよ。あなたはイザベルとでも誰とでも結びつける。御自分の心のなかをよく覗いてごらんなさい、あたしとのおつきあいが我慢できなくなって、ほら、歯ぎしりして悔しがっていらっしゃる……。」

わたしはほんとに歯ぎしりしていた――そして、はっとして眼がさめた。いつのまに眠ってしまったのか、わたしは寝台車のベッドのうえに依然としてきちんと衣服をつけ、仰むけに寝ころんだままだった。よかった、卑怯とでもなんとでもいうがよい。わたしはイザベルにたいしては――イザベルにたいする自分の心の動きにたいしては――不忠実であり、卑怯だったかもしれぬ。が、シェーラにたいする自分の愛情には忠実だった。ひとは誰かに誠実であれば、誰かを裏切らなければならぬ。わたしはシェーラを裏切らなかった。いや、愛というものを裏切らなかった。だが、わたしはなんという夢想家だろう……。

「きみはまちがっている、アルバート。誠実というのは自己の内部の現実にしたがうことじゃあ、かならずしもないんだ。それだけなら、ただいい子になりたいっていうことにすぎないじゃないか……。」

トラファルガ広場に足を踏みいれた時、わたしはアルバートに向ってそういい放った。

「逆じゃないか……。妻をごまかし、世間をごまかし、それでいて、蔭で……。そんな卑劣なまねはできない。それこそいい子になりたいってことじゃないか。」

右手に、獅子(しし)のシルエットが二つ、霧の中からぼうっと浮き出てきた。それらはたがいに反撥しあうかのように、かたくなに別の方角を睨んでうずくまっていた。

「きみは他人事(ひとごと)だからそんなことをいうんだ。ぼくの立場になってみたら……。ね、デイヴィッド、きみだったらどうする。きみがもしイザベルと……。」

「イザベルに心ひかれたらというのかね……。」

「うん……、いや、それ以上の関係にまですすんでしまったら……。」

それ以上の関係だって――わたしはそれ以上の関係に

すすんでいないだろうか。あの寝台車の事件は確かに夢だった。が、それははたして単なる夢にすぎないものだろうか。

「おんなじことさ……。」

わたしはさすがにうしろめたかった。すすけた靄(もや)のような煙のかたまりが、腰のあたりから背中を通って首筋の方へむくむくと盛りあがってくるような感じがした。ああ、わたしはこの男をも裏切っている。ハムレットの第四幕第五場が、例のあの場面がふたたび脳裡をかすめた。わたしはあのときオーフィーリアのせりふにはっとした――

主人の娘を盗んだのは、ほんとに悪いやつ、そこの
家の傭人だったのよ。

傭人とはハムレットの忠実な学友、このホレイショーなのだ。――わたしは思わずあたりを見回した――その時、オーフィーリアの仮面のなかから、イザベルの不敵な嘲笑がのぞいているかのような幻覚に襲われたものだ。「おんなじことさ、」わたしは妄念を振りおとすように、ふたたびいい放った。わたしたちは噴水の池を固めている周囲の石囲いにもたれ、記念碑の向うの街の明るさを眺めていた。逆光のため、獅子のシルエットはわたしたちの前にますます巨大な群像として現れ、その背景の街灯や窓の灯が霧のためにぼうっと淡い一色に溶けあっていて、あたかも落陽をうしろに隠した山の稜線(りょうせん)のように、シルエットの輪郭をはっきり際だてていた。それはなかば自然にできあがった街の一角というよりは、野外劇の舞台面のごとき趣きを呈していて、その群像だけがあたりの建物や風物に同化することを頑強に拒否しているかのように見えた。

「やっぱりいい子になりたいのさ――ただ大衆のそれよりは少々インテリむきな趣味に応じて、というだけの話にすぎない。きみは自分の芝居の見物人に、大衆よりインテリ層を期待しているだけなのだ。見物人がいなくては芝居ができないという点ではおんなじことさ……。あの獅子を見たまえ――エドウィン・ランドシーアの傑作を。あれは傑作だよ、きみ、なまなかの近代彫刻なんか、あの足もとにもおよばない。あの獅子は見物人を待ってはいないんだ。誰にも見てもらいたがっちゃいない。腰の据えかたといい、首の坐りかたといい、じつに平凡で何気なく、まったく記念碑の台座のマナリズムさ。だが、

あいつらは厳然として存在しているじゃないか。あの輪郭の強さ、確かさ。サー・エドウィンはね、自分でもあの作品に見とれていなかったんだよ、それがはっきりわかる。ところが、絵でも彫刻でも、あらゆる近代藝術というやつは、かならず作品のどこか一点に弱い隙があって、そこから作者のナーシシズムがちらっと顔を覗かせているんだ。サー・エドウィンにはそれがない。いや、わがイギリスの藝術にはそれがないということ、こいつはぼくたちの自慢にしなけりゃならないことなんだぜ。あの獅子は他人はおろか、自分からさえ見られていない。ということは、なにも無意識だということじゃないんだ。それは徹底的に見ているということにならないだろうか。あいつらは見ている、じっとなにかを見ている……。見物を期待するということこそ、どこかに無意識の領域を残している證拠で、それも、ほんとの無意識じゃなく、眺められたい、かわいがられたいの一心で、わざとそれを残しておくんだ。狎れあいだよ——あいつらは徹底的に見ている、そしてどこからも見られていない——自分のうちに無意識の領域など絶対に許さないという自覚だけが、皮肉なことに、はじめて無意識の世界を生みだすのさ——あの獅子を見たまえ、四頭がそれぞれ我不関焉といった形で、そっぽを向いている。あれが本当の意味で存在するということさ。人間一匹の存在のしかたなのさ……。」

わたしは自分の言葉に酔っていた——その大見え切った言葉にもかかわらず、相手はアルバートではなく自分自身であり、自分自身を納得させたくてしゃべっているのであることを意識しながら。

「ねえ、アルバート、イザベルとの結婚なんて、そんな馬鹿なことを考えるのはやめにしたまえ。いまの奥さんと離婚して、そしてイザベルと——おんなじだよ。愛しえないっていうことじゃ、おんなじだよ、そして誰だって愛しうるということでもおんなじだよ。」

「ああ、デイヴィッド、でも、もしイザベルにぼくの子供ができたとしたら……。」

「なんだって……。」

わたしは「きみの子供ができたとしたら」といわれたかのように、ぎょっとした。

「そんな馬鹿な……。」

「でも、イザベルはそういうんだ……。」

「そんなはずはないじゃないか……。それに誰の子だかわかるもんか。」

わたしは怒ったようにいいかえした。それきりアルバートは黙ってしまった。しばらくしてわたしはおだやかに呟くようにこういった——

「易きについちゃいけないよ、アルバート。内心の声なんかよりもっと大事なものがあるんだ。自己の内部の現実よりは、自己の意識の方が、その意識が奉仕する自分の理想の方が、ずっと大事なんだ。どっちか一つに随わなけりゃならない立場に追いつめられたら、ぼくだったら、現実よりは理想をとるね。自分の現実を自分の夢に屈従させるね。どうしてそれが嘘で、偽善で、そして現実に随う方が誠実だなんていうことになるのかね。それは自分を甘やかすというもんだ……。」

そうなのだ、自分は悪者になってもいいから、自分よりも大きな真実に——愛や人間性に——傷をつけてはいけない。なるほど、アルバートはスキャンダルに面と向い、世間態を恐れずに、愛の真実を貫こうとしている。が、それは小さな悪を犯して、大きく許されようとの下心にすぎないのだ。そんなことは悪にもならない。真の悪は許しを期待しないところにあるのだ。わたしは自分が底知れぬ悪に陥るのをじっと見守っていたい。底知れぬ悪——他人に尻尾を摑まれることなく、身ぎれいに処世すること。なぜなら悪徳を犯さずには、なんぴともこの世を生きてゆけぬのであり、そうである以上、尻尾を摑まれぬことこそ最大の悪であるから。ホレイショーが身ぎれいに見えるのは、悪事と無縁だからではない、自己の罪悪感を押えつけているからだ。

そうなのだ、個々の人間はあのラジウムを含んでいる鉱物のようなもので、高貴な成分を放射しながら、みずからは下劣な鉛に化してゆく宿命を背負わされているのだ——現にわたしはなんと立派な言葉を吐きちらしていることか、これほど下劣な心根をもったわたしが……。いや、立派な言葉であればこそ——いや、いや、言葉が立派で、心情が下劣なのではない、すでに言葉そのものが立派でもなんでもないのだ。ああ、わたしはどうしたらいいのか。

八

このノートをかえりみなくなってから、きょうで七週間になる。忙しいことも忙しかった。だが、ほかにも理由がある。わたしははじめからこれをシェーラが読むことを予期して書いてきた。シェーラなら、どんなことを書いても構わないとおもっていたのだ。平生はシェーラには見えないわたしの心の動き、それを知ったところでシェーラは驚きもしないだろうし、わたしたちの間柄になんの変化が起ろうともおもわれぬ。わたしはそう信じていた。

　ある日、年が明けてまもなくのことだった。シェーラは数日ひどくふさぎこんでいた。わたしはべつに理由をきくほどのつもりもなく、ごく軽く「耳鳴りでもするのかい……。」ときいてみた。前にも何度かそんなことがあったからだ。シェーラは顔をしかめてうなずいた、

「ええ。」

「幾日くらい前から……。」

「いつだってそうなのよ、ちっとも療(なお)らないの、今度のはしつこいの、おととしの秋から……。」

「え、おととしの秋から……。それじゃ、もう一年の余もたつじゃないか。ずうっと続いてるの……。」

「ずっとじゃないけど、しない時ってほとんどないのよ……。」

　わたしは黙ってしまった。なんということだ、一年以上も耳鳴りが断続していながら、毎日顔を合せているこのわたしがそれを知らずにいるなんて。わたしはかっとして、「なぜ黙っているんだ。」と叫びそうになったが、つぎの瞬間、「ああ、シェーラという女はそういう女なんだ。」とおもいなおした。

「医者に相談したらいいじゃないか。」

　わたしは穏かにいった。

「だめなのよ、診てもらったって……。持病なんだから。」

「そう決めてしまったものじゃないさ。それに、ひどい時とそうでもない時とがあるんだろう、ここ四五日、はたで見ていても、辛そうだもの……。」

「だって歯が痛いんですもの……。」

　わたしは文字どおり呆(あき)れかえってしまった——まるで落し話じゃないか。わたしはふたたびこう書きなおすべきだろう——四日も五日も歯痛が続いていながら、毎日顔を合せている夫のわたしがそれを知らずにいるなんて。

九

　きのう、ここまで書いて馬鹿馬鹿しくなり筆を投じてしまった。いま、その時のことを憶いだして、こうして書いてみれば、確かに馬鹿らしいことにちがいないのだ

が――ところで、きのう、わたしはなんのつもりであんなことを書きはじめたのだったっけ……。

そうだ、わたしはその頃からふたたび一種の不安におちこんでしまったのだが、そのことを書こうとして、しかしああいう書きだしでは、あの落し話が不安の動因であるかのような結果になるので、それではあまりに喜劇的だと感じて、やめてしまったのだった。

それは不安そのものの動因ではない。が、少くとも、その不安についてわたしが反省する動因にはなっていた。

きのうも書いたとおり、シェーラはこの日記を読んだところで、別になんともおもいはしないだろうし、わたしたちの関係になんの変化も起りえぬだろう、とわたしは信じきっていた。だが、本当にそうだったろうか。いったいシェーラが心のなかでなにを考えているか、それがどうしてわたしにわかるだろう。耳鳴りや歯痛がわからなかったように――いや、あの時の憂鬱にしたって、シェーラ自身のいうように、はたして耳鳴りや歯痛が原因だったかどうか。わたしの心を知ったための悩みでなかったと、誰がいいきれよう。そして自分ではそのことを意識していない。もちろん、知らぬわけではなかろう、が、妻はその苦痛を、獣のように受動的に――それゆえ、ただ生理的に――耐えているだけなのだ。それを自己意識の筋道のなかに織りこんでゆくすべを知らない。だから、わたしがつねにその役割を買ってきた。言葉の矛盾ではあるが、妻にとって、わたしは妻の自己意識であった。

だが、わたしはその役割をはたして完全に果してきたろうか。その困難な仕事を大過なく遂行してきたといえようか。「しかり」という、それだけの自信がわたしにあるだろうか。

わたしは時折、自分でもびっくりするような立派な言葉を口にのぼせる。さすがにあとで苦々しい気分に襲われるのだが、妻はそれらの言葉を真正面から受けて、徐々に自己を完成していった。シェーラは一度注意された欠点を二度とわたしに見せたことがない。わたしはそういう妻を愛し、また畏(おそ)れてもいた。それに、シェーラのわたしにたいする信頼がそらおそろしかったのだ。立派な言葉にもかかわらず、わたしの方は本(もと)の杢阿弥(もくあみ)で、妻だけが次第に完成されてゆく――どうしてこんなことが起りうるのだろう。いったい人間は成長しうるものかどうか。わたしはそれにたいして、可能だと答える自信はない。

わたしは不安になってきた。シェーラの心の内部には、わたしの注意や批判にたいする抵抗があったのであろうか、また、わたしの指摘した欠点は、事実当っていたのかどうか、それが全然わかっていないということに気づいて、わたしはいまさらながら愕然とした。

なんということだ、わたしは自分の主題を追求するのに急なあまり、ただそのなかに妻の存在を織りこもうとして、勝手に自分に都合のいいようにそれを位置づけてきただけではないか――妻の心の動きについて、わたしはなにを知っているというのか。シェーラはわたしによって自己完成をしつつあるのではない、ただわたしに圧服(あつぷく)されて、自己を表現するすべを失ってしまっただけではないか。妻は身動きもできず、自分のうちに閉じこもってしまったのだ。わたしが妻をそういうふうに追いこんでしまったのだ。なるほど、わたしは妻の自己意識ではあったかもしれぬ、が、そのために妻を無自覚な獣か物質の位置におとしてしまった――そうする方が、わたしの自己意識を安全地帯におくことができるから。

かわいそうなシェーラ――

おまえはとまどっているにちがいない。わたしの日記を読んで、おまえが想像してもいなかったことを、想像もできぬ場所で、ひとり芝居しているわたしを見て、きっとどうしていいかわからなくなってしまったのだろう。おそらくわたしという人間がひどく当てにならぬもののようにみえてきたのであろう。

だが、わたしはわたしにとっても当てにならなくなってきた。シェーラ、わたしも苦しいのだ。いや、苦しいなどといってはならぬ。なぜなら、わたしは、結局は、安全地帯から一歩も足を踏みだそうとしない人間だからだ。そんな男に真の苦しみがあるわけはない。わたしは現実を拒否し、冒険を軽蔑してきた。それというのも、冒険を拒否することのうちに、意識の冒険があると信じてきたからだ。だが、それは結局は逃避であり、安逸なのだ。意識が意識にとどまるかぎり、それはつねに安全地帯のうちから一歩も脱け出られるものではない。

十

わたしはシェーラを愛しているのだろうか。誰かが――わたしではない、誰かが――そうだ、おまえはシェーラを愛している、それが本当の愛なのだといってくれたら、そしたらわたしは救われるのだが……。

ああ、わたしとしたことが、それでは神を求めているのだろうか。

わたしたちの夫婦関係って、一体どういうものだろう。わたしたち二人の知らぬところで、どんな謀反がたくらまれているかわかったものではない。もちろん、それはわたしたち以外のものが企てるのではない、わたし自身のうちに——わたしとシェーラとの関りかたのうちに——自意識の計量しえぬなにものかが跳びだしてくるかもしれぬということだ。なんだか恐しい……。

十一

わたしとシェーラとの関りかたのうちに、自意識の計量しえぬなにものかが跳びだしてくるかもしれぬ、それが恐しい——けさ、そこまで書いてペンをおいた時、それがなにを意味しているか、どれほどの深さをもっているか、別にはっきり自覚していたわけではない。いまからおもえば多少、筆がすべっただけのことかもしれない。だが、夕方、花壇の手入れをしているシェーラの後姿を書斎の窓からぼんやり眺めていた私は、息を呑むほどの衝撃を心のうちに感じた。といって、その時、とくにシェーラのことを考えていたわけでもないし、その他、なんにせよ、脈絡をたどってものを考えるというようなことをしていたわけではない。わたしは文字どおり、ぼんやりシェーラを眺めていただけなのだ——その衝撃がどこから来たのか、シェーラからか、わたしのなかから か——とにかく、それは突如わたしに襲いかかったのだ、わたしは椅子に腰をおろしたまま、おもわず机に片手をかけようとして体をずらし、肘をしたたかに打ったほどだ。ほんとにどうしたのだろう——どうしてあんな時にトラファルガ広場の獅子が、いや、獅子ではない、獅子について私がアルバートにいった言葉が、急に脳裡をかすめたのだろう——

あいつらは見ている……。徹底的に見ている、そしてどこからも見られていない——自分のうちに無意識の領域など絶対に許さないという自覚だけが、皮肉なことに、はじめて無意識の世界を生みだすのさ……。

私がシェーラの自己意識だって……。そのためにシェーラは自分を表現するすべを失い、無自覚な獣の位置におとされてしまったって……。とんでもない——花弁を算(かぞ)えるように小さな花にじっと見入っている妻、あれこそ人間の本当に生きている姿ではないか、シェーラは静かに生きている、静かだが、決して弱々しくはない、むしろ自然の源に繋っている確かさがそこにはある、生きるということは、存在するということは、ああいうことではないか……。

かわいそうなシェーラだって……。

それこそ不遜というものだ、かわいそうなのは、憐れむべきは、デイヴィッド、おまえの方なのだ。

わたしとシェーラとの関りかたのうちに、自意識の計量しえぬなにものかが跳びだしてくるかもしれぬ、それが恐しい――その恐しいことが、自意識の計量しえぬものが、なんであったか、わたしはいまこそ思い知らされた、自分を表現するすべを捨ててわたしにつきあってきたシェーラによって。

シェーラはわたしの鏡だったのだ。

シェーラこそ、わたしの自己意識だったのだ。

いま、わたしはシェーラのまえに――

十二

おととい、そこまで書いて、そのさきを書き続ける気がなくなってしまい、シェーラと無駄話でもするつもりで、隣室の居間にはいっていった。シェーラはいなかった。わたしはなんの気もなしに、ふとラジオのスウィッチをひねった。ちょうどニュースが始るところだった。アナウンサーの声をうしろにして、ソファの前までぼんやり歩いていったわたしは、無意識にズボンの膝うえのところをつまんで腰をおろそうとした瞬間、はっとして棒立ちになってしまった――シンガポール陥落の入電だった。まったく予期しなかったことではない、が、事実となってみれば、やはり大きなショックだった。

この戦争は大英帝国の運命にとってプラスになるのであろうか。それとも大きなマイナスになるのだろうか。もちろん大英帝国は滅びはしない。が、オーストラリアを失い、インドを手離すことにならぬとは誰がいえよう。いままでイギリスは全世界をリードしてきた。今日もなお合衆国とともにこの大戦の指導者であり主役であることに変りはない。が、わたしはそんなことがいいたいのではなかった。この戦争の結果が大英帝国を分解に導こうとも、またファシスト、あるいはひょっとするとコムミュニストに世界の主導権を奪われてしまうかもしれないにしても、わたしたちはおそらくイギリス国民としての矜持を失わぬであろう。イギリス国民としての矜持、といまわたしはいった——が、それはいいかえれば世界人としての、あるいは個人としての矜持ということにほかならぬ。イギリスの歴史がわたしたちにそれを教えたのだ。

確かにイギリス人は偏狭な愛国心をもっている、強い階級的偏見をもっている、つまらぬ社会的虚栄心ももっている。が、その底には、名誉や金銭や国家や階級のいずれにも頼らぬ激しい自恃（じじ）があるのだ。わたしたちの祖先は宗教や道徳にすら頼ろうとしなかった。ただ己れ一人を頼りに、北海を荒しまわったヴァイキングの子孫こそ、このわたしたちなのだ。かれらは——わたしたちは——のうのうとお客面（づら）をして、他家の炉ばたに手をかざすことをいさぎよしとしない。正しいか正しくないかの問題ではなく、それがわたしたちの習性なのだ。世界はわたしたちのうちに老獪（ろうかい）なエゴイスト、あるいは偽善者を見ているかもしれぬ。が、誰がエゴイストでなかったか。誰が偽善者でなかったか。わたしたちはエゴイズムや偽善の迷彩に他人を、あるいは文化を借りなかっただけのことではないか。

大英帝国は滅びるかもしれぬ。わたしたちの社会は崩壊するかもしれぬ。が、わたしたちは大国民の——個人の——矜りを決して失わないであろう。

すべてを失っても、悪にまみれ、あやまちにつまずこうとも、わたしは最後まで自分を失わないであろう。わたしがこの世に存在したという事実は、たとえわたしが死んでも永遠に失われはしない。わたしは自分の爪痕（つめあと）をはっきりこの世に残しておく。誰も見てくれなくともよい、わたしはわたしのシェーラのうえに自分の爪痕をはっきり残しておくであろう。

きのうから、またランカスタにきている。わたしはこれで約一箇月仕事から解放されるわけだ。一座の大部分は地方巡業に出ている。アルバートもイザベルも一緒だ。あれから間もなく二人は結婚したが、半年もたたぬうちに別居してしまった。わかりきったことではないか。

きょう、わたしはシェーラと午後から郊外に散歩に出かけた。小高い丘の中腹に日溜りがあって、そこにはべンチが据えてあり、遠く斜め右の方にアイルランド海が見はらせる。わたしたちはベンチに腰をおろし、サンドウィッチを食べ、お茶をのんだ。ふと麓の方に眼をやると、そこにはグラウンドがあって、青年たちがフットボールをやっていた。あたりは静かで風もなく、はだかになった枯枝の間の空気はあくまで澄んでいる。わたしたちは水平線の方にぼんやり眼を遊ばせていた。

——わたしとシェーラとはこうしてなにごともなく一緒に暮してゆくだろう。そしてどちらかが先に死に、残された一人がいつかまたここへやってくるであろう。シェーラは——あるいはわたしは——いまとおなじように海を眺め、かすかな冬の日のぬくもりを肌に感じながら、きょうのことを憶いだすにちがいない。そしてふと麓の方に眼をおとすと、そこではやはりフットボールをやっているかもしれない。わたしは、その時——一秒の二分の一か三分の一のごく短い瞬間——隣りにシェーラの肩さきを感じて、はっとするようなことがないであろうか……。

あの林の枯枝のからみあいには、なにか静止のリズムとでもいったようなものがある。静止のリズム——わたしはこの自分の発見にいくぶん気をよくして、妻の注意をうながそうとしたが、それもものうく、外套の襟をたて、ポケットに両手を突っこんだまま、だらしなく腰をずらして、首をベンチの背にもたせかけ、弱い冬の日のなかに全身をひたしていた。だが、気のせいか、シェーラは黙ってうなずいたようにおもわれた。

わたしは首をほとんど仰むけにしたまま、伏眼に下方のグラウンドの方に眼をやった。ひとびとは勝負に熱狂していた。が、おそらく声高に交しているであろうその叫喚も、埃を蹴たてて交錯する足の靴音も、ここまでは聞えてこない。闘志からにじみでる熱気も体臭も全然つたわらず、数十人の四肢の入り乱れる物理的な運動が、あたかも望遠鏡を逆さにして覗き見たように、非人間的な印象を与える。愛も憎しみも、悔いも嫉みも、あらゆる情念を完全に拒絶してしまった物体のメカニズム——ああ、いつか、そういう世界が、この地上を、すべて覆いつくす時がくるような気がする。

わたしたちは随分ながいあいだじっとしていた。

日はかなり傾いてきた。あたりの空気が冷え冷えとしてきたのに気づき、わたしはそっとシェーラをうながして立ちあがった。

小道を下りながら、わたしは心のなかで独り呟いていていた——存在するものにいいもわるいもありはしない、在るものは在るのだ、そして唯一の真実は、在るものが在ることによって時間は永遠に流れるということ、それだけにすぎぬ……。いままでわたしはわたしの存在を許し認めることができなかった。いや、いまだってそうだ、いまだって、わたしは自分を認めることがどうしてもできない。わたしは——わたしは人を真に愛することができぬ、一度も、誰をも愛したことがない、そういう人間がどうしてこの世に自己の存在を主張しうるだろうか……。

思わず、わたしの唇から *"My heart is sad, sad unto death."* という呟きが洩れて出た。わたしは神を求めているのだろうか。が、神ありとすれば、一匹の仔羊（こひつじ）が「人の子」の言葉を口にする傲慢を、どうしてそのままに許すであろうか。

木の間隠れにランカスタの町が薄陽に霞んで隠見（いんけん）する。わたしはふたたびあそこへ還ってゆくだろう。そして数週間後にはロンドンへ——そこでは舞台がわたしを待っている。デイヴィッド・ジョーンズはホレイショーを演じ続けねばならぬ。わたしはわたしの義務を果さねばならぬ……。

【解題】

福田恆存 ふくだ・つねあり（一九一二―一九九四）

●底本

『福田恆存全集 第八巻』（文藝春秋／一九八八年）

随時『福田恆存評論集 別巻』（麗澤大学出版會／二〇一一年）参照

＊新漢字新仮名遣いに改めた。

●初出

「作品」第三号 一九四九年三月刊

●資料 「河上徹太郎・ホレイショーに事寄せて」（一部引用）

《或る演出家が『ハムレット』に出て来るホレイショーについて次の様に述べている。ホレイショーは友の名に値する真の友であるが、といって、ハムレットを引立てる為の単なる背景では決してない。劇中、彼について語られている事以上に、彼は多くの事を知っている。というのは、彼は他人の心の動きに敏感であり、周囲の動勢を適確に摑むからである。彼はハムレットが側にいない時に最も多く語り、ハムレットの前に出ると、その言葉は極度に短いものに圧縮され、しかもそれは頗る核心を衝いたものとなり、飾り気のないものとなる。彼は劇中においてハムレット以外、事の真相を知る唯一の人物であるが、その難問はハムレットだけが自力で解かねばならぬものであり、自分の助言など無意味である事を良く理解している。随って彼はハムレットの為に、ハムレットと共に悩みながら、この友人の為にしてやれる慰めは、相手が裸にされた時に衣を著せてやり、斃れた時にその支えになるという事しか無い。が、ホレイショーのハムレットに対する唯一の慰めはその温かさであり、沈黙の同情であり、純粋で単純な愛情である。》

＊註 初出は「河上徹太郎全集」第三巻月報（勁草書房／一九六九年）『福田恆存評論集 別巻』より、新漢字新仮名遣いに改めて引用。

小栗虫太郎

オフェリヤ殺し

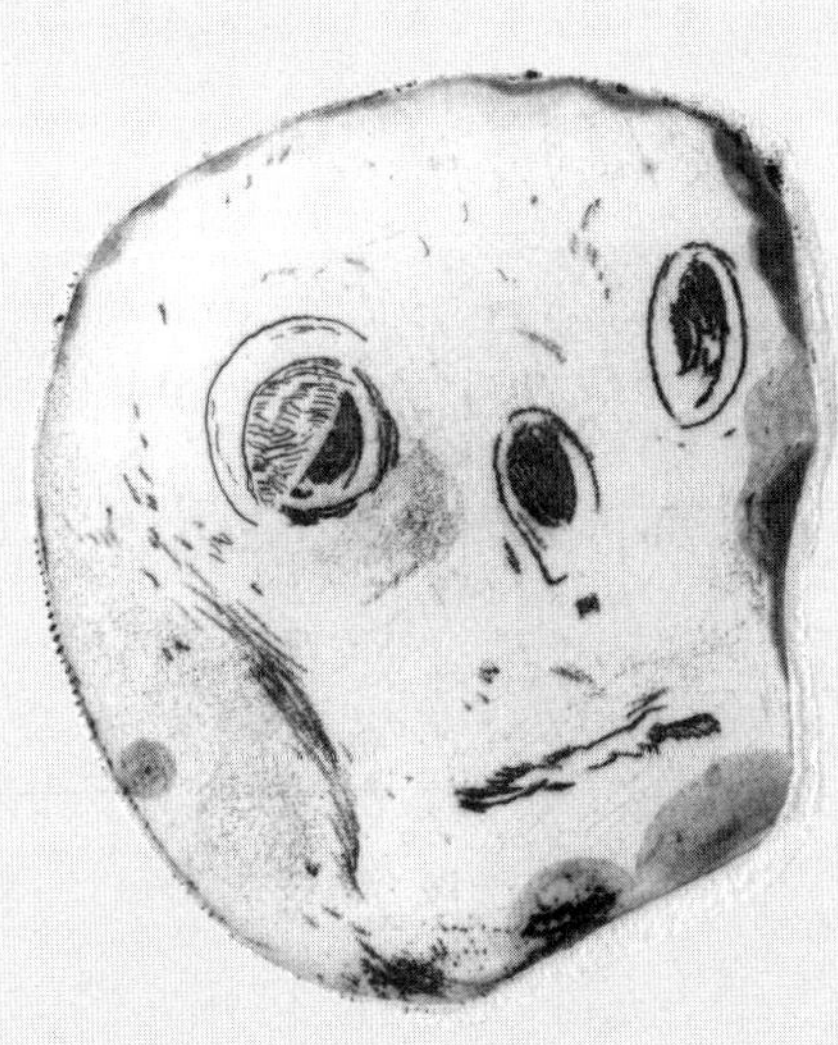

小栗虫太郎

序、さらば沙翁舞台よ

すでに国書の御印も済み
幼友達なれど　毒蛇とも思う二人の者が
使節の役を承わり、予が行手の露払い
まんまと道案内しようとの魂胆。
何でもやるがよいわ。おのが仕掛けた地雷火で、
打ち上げられるを見るも一興。
先で穿つ穴よりも、三尺下を此方が掘り
月を目掛けて、打上げなんだら不思議であろうぞ。
いっそ双方の目算が
同じ道で出会わさば、それこそまた面白いと云うもの。
〔と云いつつ、ポローニアスの死骸を打ち見やり〕
この男が、わしに急わしい思いをさせるわい。
どれ、この臓腑奴を次の部屋へ引きずって行こう。
母上、お寝みなされ。さてもさて、この顧問官殿もなあ
今では全く静粛、秘密を洩らしもせねば、生真目でも御
　座る。
生前多弁な愚か物ではあったが
ささ、お前の仕末もつけてやろうかのう。
お寝みなされ、母上。
〔二人別々に退場――幕〕

そうして、ポローニアスの死骸を引き摺ったハムレットが、下手に退場してしまうと、「ハムレットの寵妃」第三幕第四場が終るのである。緞帳の余映は、薄っすらと淡紅ばみ、列柱を上の蛇腹から、撫で下すように染めて行くのだった。その幕間は二十分余りもあって、廊下は非常な混雑だった。左右の壁には、吊燭台や古風な瓦斯灯を真似た壁灯が、一つ置きに並んでいて、その騒ぎで立ち上る塵埃のために、暈っと霞んでいるように思われた。そして、あちこちから仰山らしい爆笑が上り、上流の人達が交わす嬌声の外は、何一つ聴えなかったけれども、その渦の中で一人超然とし、絶えず嘆くような繰言を述べ立てている一群があった。

その四、五人の人達は、どれもこれも、薄い削いだような脣をしていて、話の些中には、極まって眉根を寄せ、苦い後口を覚えたような顔になるのが常であった。その一団が、所謂Viles（碌でなしの意味――劇評家を罵る通語）なのである。

彼等は口を揃えて、一人憤然とこの劇団から去った、風

間九十郎の節操を褒め讃えていた、そして、法水麟太郎の作「ハムレットの寵妃」を、「悼ましき花嫁（チャールス二世朝の淫靡を代表すると云われる、ウイリアム・コングリーヴの戯曲）」に比較して、如何にも彼らしい、ふざけるにも程がある戯詩だと罵るのであった。

が、訝かしい事には、誰一人として、主役を買って出た、彼の演技に触れるものはなかったのである。所が、次の話題に持ち出されたのは、いまの幕に、法水が不思議な台詞を口にした事であった。

その第三幕第四場――王妃ガートルードの私室だけは、ほぼ沙翁の原作と同一であり、ハムレットは母の不貞を責め、やはり侍従長のポローニアスを、王と誤り垂幕越しに刺殺するのだった。その装置には、背面を黒い青味を帯びた羽目が繞っていて、額縁の中は、底知れない池のように蒼々としていた。そうした、如何にも物静かな、悲しい諦らめの空気は、勿論申し分なしに王妃の性格を――弱き者よと嘲けられる、弱々しさを様式化してはいたが、俳優二人の峻烈な演技――わけても王妃に扮する、衣川暁子の中性的な個性は、充分装置の抒情的な気息を、圧倒してしまうものであった。

所が、その演技の進行中、法水は絶えず客席に眼を配り、何者か知りたい顔を、捜し出そうとするような、素振りを続けていた。そして、幕切れ近くなると、王妃との対話中いきなり正面を切って、

「僕は得手勝手な感覚で、貴方の一番貴重な、一番微妙なものを味い尽しましたよ。ですから、それを現実に経験しようとするのは、よそうじゃありませんか」と、誰にとなく大声に叫んだのだった。

勿論そのような言葉が、台本の中にあろう道理とてはない。或は、日々の悪評に逆上して、溜り切った鬱憤を、舞台の上から劇評家達に浴せたのではないかとも考えられた。けれども、冷静そのもののような彼が、どうしてどうしてさように、端たない振舞を演じようとは思われぬのである。然し、そうして根掘り葉掘り、さまざま詮索を凝らしているうちに、ふと彼等の胸を、ドキンと突き上げたものがあった。

と云うのは、はじめ座員に離反されて、失踪して以来、かれこれもう、二ケ月にもなるのだが、それにも拘わらず、生死の消息さえ一向に聴かない風間九十郎のことである。

事に依ったら、何時の間にか九十郎は、この劇場に舞い戻っていたのではないか。そして、こっそりと観客の中にまぎれ込んでいたのを、法水の炯眼が観破したのではないだろうか……。だが、云うまでもなく、それは一つの臆測であろうけれども、風間の神秘的な狂熱的な性格を知り、彼の悲運に同情を惜しまない人達にとると、何となくそれ

が、欝然とした兆のように考えられて来る。

何か陰暗のうちに、思いも付かない黙闘が行われているのではないか――そう考えると、はやそれから、秘密っぽい匂が感じられて来て、是非にも、最奥のものを覗き込みたいような、ときめきを覚えるのだった。

もしやしたら、この壮麗を極めた沙翁記念劇場の上に、開場早々容易ならぬ暗雲が漂っているのではないか――そうした怖れを浸々と感ずるほどに、この劇場は、既に風間の魂を奪い、彼の望みを、最後の一滴までも呑み尽してしまったのであった。

然し、何より読者諸君は、法水が戯曲「ハムレットの寵妃」を綴ったばかりでなく、主役ハムレットを演ずる、俳優として出現したのに驚かれるであろう。けれども、彼の中世史学に対する造詣を知るものには、何時か好む戯詩として、斯うした作品が生れるであろう事は予期していたに相違ない。

その一篇は、「黒死館殺人事件」を終って、暫く閉地に暮しているうち、作られたものだが、もともとは、女優陶孔雀に捧げられた讃詩なのである。

現に孔雀は、劇中のホレイショに扮しているのだが、この新作では、ホレイショが女性であって、ヴィッテンベルヒに遊学中、ハムレットと恋に落ちた娼婦と云う事になっている。

つまりその娼婦を、男装させて連れ帰ったと云うのが、悲劇の素因となり、全篇を通じて、色あでやかな宮廷生活が描写されて行く。そして、ホレイショはまず、嫉妬のためにオフェリヤを殺す。しかも一方では、王クローディアスやレイアティズとも関係するばかりでなく、末には諾威の王子フォーティンプラスとも通謀して、ハムレット亡き後の丁抹を、彼の手中に与えてしまうのである。

その女ホレイショの媚体は、孔雀の個性そのものであるせいか、曾っての寵妃中の寵妃――エーネ・ソレルの妖佚振りを凌ぐものと云われた。

従ってこの淫蕩極りない私通史には、是非の論が喧囂と湧き起らずにはいなかった。第一、女ホレイショの模本があれこれと詮索されて、或は妖婦イムペリアだとか、クララ・デッティンだとか云われ、またグラマチクスの「丁抹史」や、モルの「文学及び芸術に於ける色情生活」なども持ち出されて、些細な考証の、末々までも論議されるのだった。

然し、劇壇方面には、意外にも非難の声が多く、結局、華麗は悲劇を殺す――と罵られた。勿論その声は、風間九十郎に対する隠然たる同情の高まりなのであった。

風間九十郎は、日本の沙翁劇俳優として、恐らく古今無双であろう。のみならず、白鳥座の騎士――と云われたほどに、往古のエリザベス朝舞台には、強い憧れを抱いていた。（前、奥、高）と、三部に分れる初期の沙翁舞台――。その様式を復興しようとして、彼は二十年前の大正初年に日本を出発した。それから地球を経めぐり、スタニスラウスキーの研究所を手始めにして、凡ゆる劇団を行脚したのだった。

けれども彼の、俳優としての才能はともかくとして、その持論である演出の形式には、誰しも狂人として耳をかそうとはしなかった。そして、疲れ切った身に孔雀を伴い、敗残の姿を故国に現わしたのが、つい三年前の昭和×年――。

そう云えば、滞外中九十郎が、第二の妻を持ち、その婦人とは、ラヴェンナで死別したと云う噂はあったけれども、その浮説が遂に、混血児の孔雀に依り裏書された訳である。

然し、日本に戻ってからの九十郎には、言葉に不馴れのせいもあって、それは非度い、厭人癖が現われていた。のみならず、声音までも変ってしまって、その豊かな胸声は、さながら低音の金属楽器を、聴く思いがするのだった。然し、その後の生活と云えば、どうして不幸どころではなかったのである。

二十年前情なく振り捨てた、先妻の衣川暁子も、その劇団と共に迎えてくれたのだし、当時は襁褓の中にいた一人娘も、今日此頃では久米幡江と名乗り、鏘々たる新劇界の花形となっていた。そうして、僅かな間に、欝然たる勢力を築き上げた九十郎は、秘かに沙翁舞台を、実現せんものと機会を狙っていた。

所へ、向運の潮に乗って、九十郎を訪れて来たものがあり、それが外ならぬ、沙翁記念劇場の建設だった。最初その計画は、九十郎の後援者である、一、二の若手富豪に依って企てられたのだが、勿論その頃は、一生の念願とする、沙翁舞台が実現される運びになっていた。

ところが、そこへ他の資本系統が加わるにつれて、九十郎の主張も、いつかは顧みられなくなってしまった。それではせめて、クルーゲルの沙翁舞台とも――と嘆願したのであったが、それさえ一蹴されて、ついにその劇場は、バイロイト歌劇座そっくりな姿を現わすに至った。

もちろん舞台の額縁は、オペラ風のただ広いものとなった。また、その下には、隠伏奏楽所さえ設けられて、観客席も、列柱に囲まれた地紙形の桟敷になってしまった。これでは、如何にしようとて、沙翁劇が完全に演出されよう道理はない。九十郎は一切の希望が、その瞬間に絶たれてしまったのを知った。

しかも、それと同時に、彼を悲憤の鬼と化してしまうような、出来事が起った。と云うのは、一座が九十郎を捨てて、一人残らず劇場側に走ってしまったからである。

恐らくその俸給の額は、絶えず生計の不安に怯え続け、安定を得ない座員の眼を、眩ますに充分なものだったであろう。わけても、妻の暁子から娘の幡江、孔雀までが彼を見捨てたのであるから、ついに九十郎は、一夜離反者を前にして、激越極まる告別の辞を吐いた。そして、その足で、何処ともなく姿を晦ましてしまった――と云うのが、恰度二月ほどまえ、三月十七日の夜のことだったのである。

それなり、バルザックに似た巨軀は、地上から消失してしまい、あの豊かな胸声に、再び接する機会はないように思われた。が、また一方では、それが法水麟太郎に、散光を浴びせる動機ともなったのである。

あの一代の伊達男――犯罪研究家として、古今独歩を唱われる彼が、はじめて現場ならぬ、舞台を踏む事になった。然し、決してそれは、衒気の沙汰でもなく、勿論不思議でも何でもないのである。曽つて外遊の折に、法水は俳優術を学び、しかもルジェロ・ルジェリ（アレキサンドル・モイッシィと並んで、欧州の二大ハムレット役者）に師事したのであるから、云わば本職はだしと云ってよい――恐らく、寧ろハムレット役者としては、九十郎に次ぐものだったかも知れない。

従って、興業政策の上から云っても、彼の特別出演は上々の首尾であり、毎夜、この五千人劇場には、立錐の余地もなかった。そして、恰度その晩――五月十四日は、開場三日目の夜に当っていた。

一、二人亡霊

法水の楽屋は、大河に面していて、遠見に星空をのぞかせ、白い窓掛が、帆のように微風をはらんでいた。

彼が、長剣の鐺で扉をこづき開けると、眼一杯に、オフエリヤの衣裳を着た、幡江の白い脊が映った。そして、卓子を隔てた前方には、前の幕合から引き続き坐り込んでいる、支倉検事と熊城捜査局長が椅子に凭れていた。

検事は法水の顔を見ると、傍らの幡江を指差して云った。

「ねえ法水君、実はさっきから、このお嬢さんが、君に役者を止めろ――と云っているんだぜ。とにかく、俳優としてよりも、探偵としての、君であって欲しいと云うんだからね」

その言葉が幡江の表情を硬くしたように思われた。久米幡江は、半ば開いた百合のように、弱々しい娘だった。頸は茎のように細長く、皮膚は気味悪いほどに透明で、血の管が一つ一つ、青い絹紐のように見える。そして、肩の顫えを見ても、何か抑え切れない、感動に戦いているらしかった。

ハムレットの寵妃(クルチザン)

登場人物

ハムレット……法水麟太郎(のりみずりんたろう)
王クローディアス……ルッドイッヒ・ロンネ
王妃ガートルード……衣川暁子(きぬがわあきこ)
父王の亡霊
侍従長ポローニアス……淡路研二(あわじけんじ)
ポローニアスの息
レイアティズ……古保内精一(こぼないせいいち)
同娘・オフェリヤ……久米幡江(くめはたえ)
ホレイショ……陶 孔雀(すえくじゃく)

幡江は法水を振り向いて、その眼を凝然(じっ)と見詰めていたが、泣くまいと唇を噛んでいるにも拘(かかわ)らず、やがて二筋の涙が、頬を伝って流れ落ちた。

それに、法水は静かに訊ねた。

「ねえ、何を泣いているんです。貴方(あなた)のお父さんの行衛(ゆくえ)なら、僕はその健在を、断言してもいいと思いますがね。いいえ、大丈夫——十日の興業が終ってからでも、結構間に合うんですから。今朝の英字新聞で、僕の事を畏敬すべき(レスペクタブル)——と云いましたっけね。だがそれは、一体どっちなんでしょうか。俳優としてか、それとも、探偵としての法水にでしょうか」

「ええ、お話したいのは父の事なんですけど」

幡江の瞳が、異様に据えられたかと思うと、みるみる全身が、はちきれんばかりに筋張って来た。「貴方は、いまの幕の亡霊を、淡路(あわじ)さんの二役だとお思いになりまして」

その亡霊と云うのは、云うまでもなく、ハムレットの父王の霊の事である。

所が、配役の際に、その亡霊役一つだけが余ってしまったので、止むなく法水は、台本を訂正しなければならなくなった。

と云って、王クローディアスに扮する、独逸(どいつ)人俳優ルッドイッヒ・ロンネは、傍わら演出者を兼ねているのだし、レイアティズ役の小保内精一は、音声上役どころでないと云った訳で、よんどころなく亡霊の台詞を消し、ポローニアスの屍体を、幕切まで露わさないようにした。そしてその間に、その役の淡路研二を使って、一人二役を試みるより外になかったのである。

つまり、垂幕の蔭を切り穴の上に置いて、その中で、亡霊の扮装と吹き換えを行い、それが済むと、淡路は穴から奈落に抜け、舞台の下手に現われると云う趣向にした。

然し、何故に幡江は、その二役の淡路に疑念を抱いているのであろうか。法水はその一度で、好奇心の網をスッポリと冠せられてしまった。

「では、その吹き換えの謎を、淡路君に訊ねてみましたか。合憎とあの男は、僕の剣を喰ったが最後なんです。何しろ殺されたポローニアスなんですからね。あの狭い中で、動けばこそですよ。それで、僕に斯んな愚痴話をしましたがね。――苦しいの何んのって、垂幕に向っては、碌々充分に呼吸さえつけないって」

「ええ、あの方は、私にいい加減な嘘を並べ立てました。だって、あの亡霊は、擬れもない父だったのですから」

幡江の淑やかな頬に、血の気がのぼって、神経的な、きっぱりした確信を湛えた顔に変ってしまった。

が、それを聴いた瞬間、検事と熊城は椅子を揺って笑いこけたが、法水だけは、この娘の幻に、不思議な信頼を置いているかの如く見えた。

「それは斯うなんですの。ねえ法水さん、貴方だけは真面目にお聴き下さるでしょうね。いまの幕の間、私は下手の舞台練習室に居りました。それは、入水（小川に落ちて溺れるオソエリヤ最期の場面）の際の廻転に馴れるよう、実は稽古して居たからなんです。と云いますのは、身体の調子のせいですかしら、どうも廻っているうちに、胸苦しくなって来るのです。それで、母も孔雀さんも、前々から、身体だけは馴らして置いた方がいい――と云うものですから、彼処の廻転椅子で、その稽古をする気になりました。所が、そこの椅子にかけて、緩く廻って居りますうちに、いきなり私の身体が慄っと凍り付いて、頭の頂辺にまで、動悸がガンガンと鳴り響いて参りました」

「そうですか。しかし、貴女に休演されることは、この際何よりの打撃なんですからね。出来ることなら、少しくらいの無理は押し通して頂きたいんですよ。本当は、二、三日静養なさるといいのですがね。わけてもそう云う、幻覚を見るような状態の時には……」

法水は、憮然と語尾を消したが、それが却って、幡江の熱気を掻き立てた。

「ああ、貴方も幻だと仰言るのね。ところが法水さん、そ

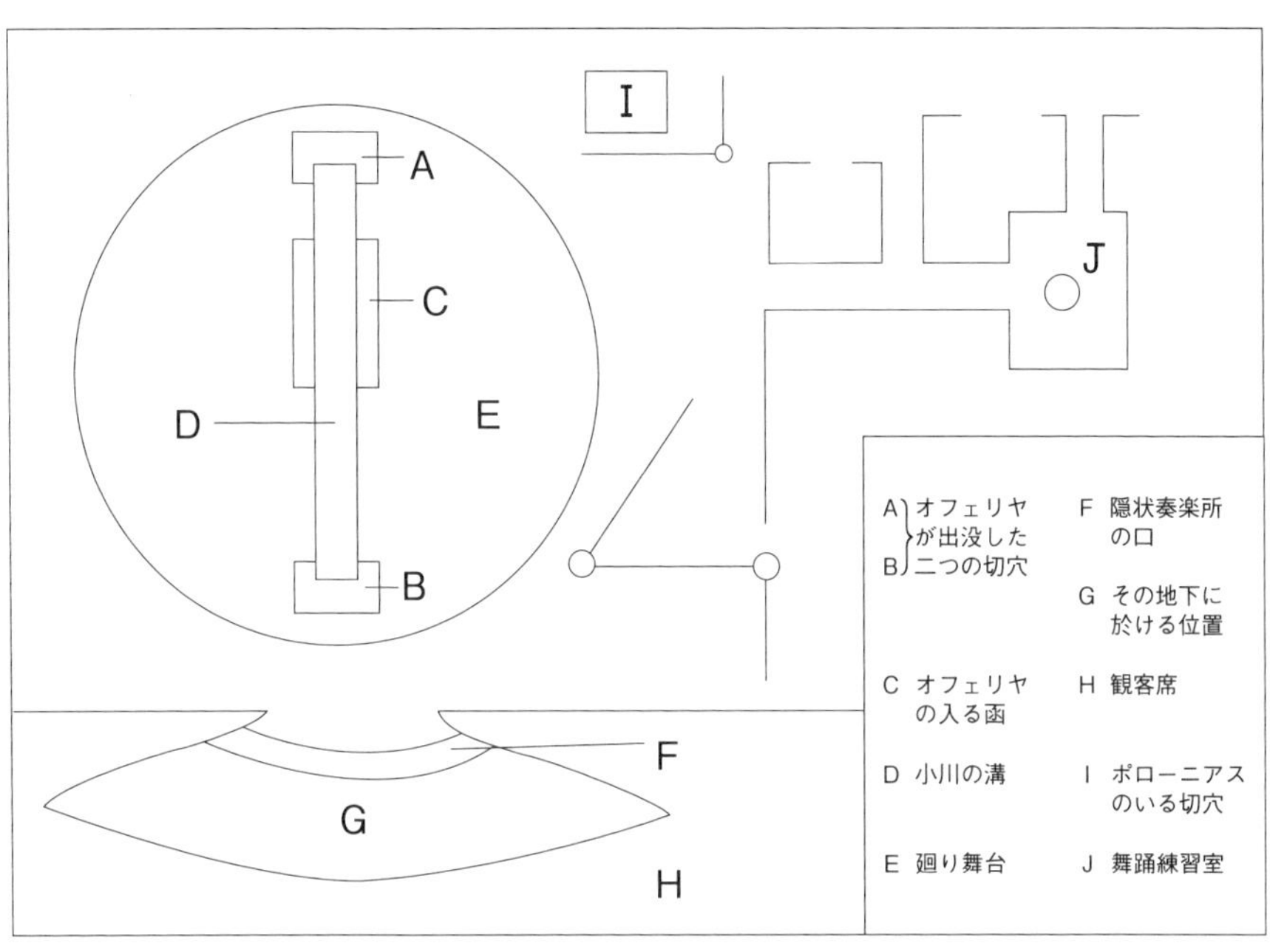

の幻が――それが、どうしてどうして、幻とは思われないほど、鮮かな形で現われたのですわ。御存知の通り、あの室には入口が二つありまして、一つは舞台裏に、もう一つは舞台の下手に続いているのですが、その時舞台から、退場して来る亡霊と云うのが、なんと父では御座いませんでしたろうか。ねえ法水さん、あれは他の老役とは違いまして、貴方の好みから、沙翁の顔を引き写したので御座いましょう。ですから、髭も顎髯も細くて、そこから鼻にかけての所が、恰度光線の工合で、十字架のように見えるのです。すると、その亡霊の髭が、絶えずビクビク動いているのでした」

「しかし、髭が動いたと云う事に、何か特別の理由でもあるのですか」

「ええ、無論のこってすとも。それが隠そうたって、隠し了せない、父の習慣なんですから。父はいつも、顔にチック（ビクビク顔を顰める無意識運動）を起す癖があるんですの。ですから、懐かしさ半分、怖さ半分で、言葉が咽喉にからまり、目の前に靄のようなものが現われて来て、もしやしたら、父は死んでいるのではないかと思うと、その顔に覗き込まれたように慄然となって、もう矢も楯もなく、私はハッと眼を瞑じてしまいました。すると、その反動で、廻転椅子が廻り始めたのですが、それが幾分緩くなったかと思うと、今度はそれに手をかけて、いきなりグイと、反対の方へ廻したものがありました。父——私は、ただそうとのみ感じただけで、その瞬間、神経が寸断寸断にされたような、麻痺を覚えました。けれども、一方にはまた、妙に強い力が高まって来て、いっそ父と話してみたい欲求に駆られて来たのです。それで、眼を開いてみますと、亡霊の後姿はもうそこにはないので、私は思い切って、舞台裏の方へ駈けて行きました、すると、道具裏の垂幕の蔭には——そこには、淡路さんが居りましたのですけど」

「ああ、それが淡路君なんでしたか。それなら、何もそう、奇異がる理由はない訳じゃありませんか。きっと、あの男ですよ——貴女にそう云う悪戯をしたのが……。で、その時は、まだ亡霊の扮装で居りましたか？」

そうしてはじめて法水は、気抜けしたように莨を取り出した。しかし、遂にその一人二役は、幡江の心中に描かれていた、幻とだけでは収まらなくなってしまった。

「いいえ、もうすっかりポローニアスになっていて、亡霊の衣裳を側らに置いたまま、寝そべっていたのです。けれどもあの方は、一向何気なさそうな顔付で、舞踊練習室は通らなかった——と云うのでした。そう云えば、あの室の前には、横へそれる廊下が御座いますわね。所が、その時衣摺れのような音が——たしか天井の、それも簀子の方へ行く、階段の口あたりでしたと思われたのです。と云って、その前後には、何も床板を踏むような音はしなかったのですから、私は不審に思い行ってみました。すると、そこにあるのは、脱ぎ捨てられた、亡霊の衣裳では御座いませんか。そして、簀子の上の方で、チラチラ動いている影が、眼に映りました。けれども私は、もうその上追う事が出来なくなりました。と云うのは側らの時計を見ますと、それが恰度九時になっていたからです。いいえ法水さん、たしかに父は、いまこの劇場の、何処かにいるに違い御座いませんわ。ところが私達は、どれもこれも卑怯者ばかりなんですの。父の一生を台なしにして、あの無残な破滅に突き落してしまった……」

幡江は膝頭をわなわなと顫わせ、辛ろうじて立っているように思われた。

所で、彼女がいま、九時と云う時刻を口にしたのだったが、その理由を云うと、道具建ての関係で時間が遅れた場合には、続く二場を飛び越えて、次を、オフェリヤ狂乱の場とする定めになっていたからである。

然し、不思議な事には、検事の時計も、熊城のも、指針がまだ九時には達していなかった。そして、今がかっきり八時五十分だとすると、その時計が九時を指している頃は、ほぼ八時三十分頃ではなかっただろうか。更に、その時計を進ませたと云うのには、何か幡江の追求を阻む以外にも、意味があるのではないだろうか——などと考えて来ると、法水の頭の中が急にモヤモヤとして来た。

が、思い付いたように、化粧鏡の抽斗から何やら取り出して、その品を卓上に載せた。けれども、その口からは、意外な言葉が吐かれて往ったのである。

「幡江さん、僕はこの品一つで、一人の男の心動を聴き、呼吸の香りを嗅ぐ事が出来ました。とうにこの通り、貴方のお父さんから、消息を貰っているのですよ」

そう云って、突き出したのは、洒落た婦人用の角封だった。が、内容を読み終わると、同時に三人は、呆気にとられた眼で法水を見上げた。

それは、韻律を無視した英詩で記されたところの、次のファン・レターに過ぎなかったのである。

In his costumes he recites

The word the poet to his dear ones composed: "*Hirder Bortier, it is per* stages. The flower of Heaven, once dreamed; now *enabled. Farea tell* happy field; where joy forever dwells. Hail quake *viles.* Lo, unexpected *tort*"

〔訳文〕彼は舞台の上よりして、詩聖がその最も愛するもののために作りし章句を唱わん。——陰れたる最奥の紅玉石よ、そは凡ゆる場面にあり。天国の花よ、曾つて夢みしも、今はなされたり。老いたる序詞役共は、幸ある園の事を語る。そこには、喜びとわに住むとかや。いざ、劇評家共を戦かせよ。見よ。この予期せざりし鋭さを。

幡江は、訝かしさを満面に漲らせて顔を上げ、

「これが、一体どうだと、仰言るんですの。一向に、何でもないでは御座いませんか」

そうは云ったが、法水の唯ならぬ気配に圧せられて、ただただ幡江は、相手の開こうとする唇を、凝視めるばかりであった。

「所が、幡江さん、これを隠伏決闘と云うのですよ。つまり、嘲罵挑戦の意志を、反対に書き表わして、それを対敵に送るのです。然し、秘密の感受性に富んでいる人間なら、ほぼこれに傾斜体文字が混っている——それだけでも、妙に唆られて来るじゃありませんか。僕は散々捻った揚句に、とうとう電信符号記法で、相手の意志を曝露する事が出来ました。大体電信符号では、Dが線一つに点二つ（—・・）なのですから、短線がT、点二つがIとすると、DはTIなり——になってしまうじゃありませんか。つまり、その筆法で、傾斜体文字の何処か一個所

を変えて行くのですよ」

と法水は、傾斜体文字（イタリック）の下に、すらすらその解語を書き添えて行った。

すると、見る見る不思議な変化が現われて、はては天国が奈落と変り、その紙のあちこちから見るだに薄気味悪い、爪の形が現われ出たのだった。

"Hinder, Border, Upper Stages, the flower of Heaven, once dreamed; now fabled. Farewell, happy field; where joy forever dwells, Hail, quake stiles. Lo. unexpected mort.

〔訳文〕奥、前、そして高舞台よ。天国の花よ。そは曾つて夢みしかど、今や欺かれたり。さらば、幸ある園、喜びとわに住めど。来たれ、列柱を震い動かさん。見よ、予期せざりし獲物の死を報ずる角笛を。

「ねえ幡江さん、奥（ハインダー）、前（ボーダー）、高（アッパー）――と、この沙翁舞台の様式ですが、それを一生の夢に描いていた人と云えば、まず貴方のお父さん以外に、誰がありましょう。然し、法王アレキサンドル六世はカテリナ・リアリオから、毒を含んだ手紙を送られたとか云いますが、まさにそれを読んだとて、死にはしなかったでしょう。だがこの手紙には、予告している殺人にも優る、効果があるのです」

と風間の狂熱に魅せられたかの如く、法水は瞬（また）きもせず云い続けた。

「ねえそうでしょう。真理は憎悪を生むと云います。そして、虚無と死とは、その強い衝動から一歩も離れ去る事が出来ないものなんです」

その紙片には、彼女にとって一番懐かしい人の手が、以前につけた跡をとどめている。幡江はさながら、死体でも覆うかのように、その紙片を二つに折って見まいとした。が、その堪え難い苦痛を、どうしても取去る事が出来ないように思われて来るといきなり癲癇（てんかん）のような顫（ふる）えが襲い掛って来た。

「ねえお父さん、貴方は私を戦（おのの）かしている、恐怖の事などは考えられないのでしょう。ああ、いつまでも、あの意地悪い幻にとりつかれているのでしょうか。いまも貴方のお声が――あの圧（お）しつけるような響が、まざまざと耳に入って参ります。でも私だけには、見ない振りをして、通り過ぎて下さるでしょうね。お父さん、あの最後の夜、貴方は私達を前にして、斯（こ）う云う言葉を仰言いましたわね。この劇場には形体も美もなく、云わば、幇間（ほうかん）は如何なるものであるかと云う画幅（がふく）に過ぎない――と」

「幇間――。ああ貴女も、お父さんと同じ皮肉を僕に云うのですか。此処に穢わしき者あり、彼処へ去れ――なんでしょう。ハハハハ」

そう云って法水は、空虚を衝かれたような気持を、わずかに爆笑でまぎらわせてしまった。が、その時、開幕の電鈴が鳴った。

そして、次の幕――「エルシノア城外の海辺」が始まったのである。

然し、その幕から始めて、観客には見えないけれども、暗澹とした雲が、舞台を一面に覆い包んでしまった。

俳優達はどれもこれも、演技が調子外れになり、台詞の節度がバラバラになった。そして、詰らない事が神経をたかぶらせて、いっそ何事か起ってしまえば、この悪血が溜り切った血の管が、空になるだろうなどと思われもするのだった。けれども、その後の二場は何事もなく終り、愈々オフェリヤ狂乱の場となった。

所が、幡江は、あのような打撃をうけた後のためか、それとも自分の現在が、オフェリヤに似ていて、心の奥底に秘められた、悲しい想い出を呼び醒まされたためでもあろうか。花渡しの場になると、彼女自身が、或はそうなったのではないかと思われたほどに、狂いの迫力が法水を驚かせてしまった。

そして、一人一人に渡す花にてんで違ったものを持ち出したのを見て、三人は秘かに顔を見合せたのだった。

（オフェリヤの台詞）「さあ連理草（レイヤティズに）、別れってこと、それから三色菫、これは物思いの花よ。あなたには茴香（王に）それから小田巻。あなたには芸香（王妃に）、私にも少しとって置こう。これね、安息日の祈草と云うのよ。それから、あの方には、雛菊を上げましょう。ああ、この迷迭香でもフルール・ドウ・リシイ――いいえ百合の花でも、どっちでもいいのだけれど、きっと凋んでしまうにきまってますわ。父の没くなりました時、それは立派な最期でしたけど」

と、弥生の春の花薔薇、いとしのオフェリヤは、そうして残りの花を、舞台の縁にふり撒くのだった。

がその時、幡江は暫く前方の空間を瞶めていて、そこに何やら霧に包まれながら遠退いて行くようなものが、あるかに思われた。

続いて舞台が廻ると、そこはエルシノアの郊外。いよいよ女ホレイショが、オフェリヤを小川の中に導く、殺し場になった。

そこは、乳色をした小川の流れが、書割一体を蛇のようにのたくっていて、中央には、金雀枝の大樹があり、その側らを、淡藍色のテープで作られている、小川の仕掛が流れていた。その詩的な画幅が夢のような影を拡げて、それを観客席に押し出して行くのだった。

　然し、その熟れ爛れた仲春の形容は、一方に於ては、孔雀の肢体そのものだった。

　孔雀は丈高く、全身がふっくらした肉で包まれていて、その眼にも唇にも、匂いだけで人の心を毒すような、烈しいものがあった。得も云われぬ微妙な線が、肩から腰にかけ波打っていて、孔雀は肥った胸を拡げ、逞ましいしっかりした肉付の腰を張って、夢幻の寵妃を、その人であるかの如く、演じて行くのである。そしてこの、男のような声を出す女優が、まだ十七に過ぎないのを知ったら、誰しも、その異常な成熟には、怖ろしさを覚えるであろう。

　さて演技が殺し場まで進むと、狂いのはかなさにオフェリヤは、ホレイショに導かれて、小川の中に入って行く。と、最初は裳裾が、あたかも真水であるかの如く、水面に拡がるのであるが、続いてそれは、傘のように凋まって、オフェリヤは水底深くに沈んで行くのだった。そこが何より、この場面仕掛の見せ所だったのである。それから、ホレイショの凄惨な独白があって、それが終ると、頭上の金雀枝を微風が揺り、花弁が、雪のように降り下って来る。と、その下から、屍体が水面に浮き上って来るのだ。そして、花の冠をつけた弥生の花薔薇は、そのまま脚光の蔭にある、切り穴から奈落に消えてしまうのであった。

　所が、そうしてオフェリヤの屍体が、舞台から消え去ったとき、何ともたとえようのない、驚くべき出来事が観客席に起った。

　最初は桟敷の後方から、柱が揺れる——と叫ぶ声がしたかと思うと、その劇動が、この大建築を忽ち震い始め、ぎっしりと詰った五千人の観客が、悲鳴を上げながら総立ちになった。

　然し、その数瞬後には、また夢から醒めたような顔になって、一度はたしかに覚えた筈の震動が、不思議にもその瞬間限りで去ってしまったのに気が附いた。そして、再び視線を舞台に向けたとき、そこに、何事が起ったのであろうか。いきなり、金雀枝の幹にしがみついて、孔雀がつんざくような悲鳴を上げた。

　見ると、驚いたことには、一端は消え去った筈のオフェリヤの屍体が、再び今度は、書割際の切り穴から現われて来た。彼女は、ジョン・ミレイズの「オフェリヤ」そのままの美くしさで、キラキラ光る水面を、下手にかけて流れ行くのである。そして、前方の切り穴の上を越えて、上体を額縁の縁から乗り出し、あわや客席に墜落するかと思われたが、その時折よく、緞帳が下り切ったので、彼女は辛くも胸の当りで支えられた。

すると、その機みに、頸だけがガクリと下向きになって、その刹那、一つの怖ろしい色彩が観客の眼を射った。

オフェリヤの頸には、その左側がパクリと無残な口を開いていて、そこから真紅の泉が、滾々と湧き出して行くのである。しかも、その液汁の重さのためか、素馨花の花冠が、次第に傾いて行って、やがて滴りはじめた、血滝の側から外れて行くではないか。

二、オフェリヤ狂乱の謎

「まるで熊城君、この顔は少しずつ眠って行ったようじゃないか。だんだんと脣の上の微笑が分からなくなって行って、遂に消え失せる。そして、その脣が一寸触れたかと思うと、再び分れる。然し、気のせいか、どうも、眼球が少し突き出ているようじゃないかね。たしかにこれは、云い表し難い言葉の幽霊だよ。この事件の幽霊は、淡路の一人二役にもなければ、柱の震動でもない。僕は、この一点にあると思うのだ」

と白い皮膚の上の脈管を、しげしげと見入りながら、法水はまるで、詩のような言葉を吐いた。

突如起った惨劇のために、その日の演技はそれなり中止されて、人気のない、ガランとした舞台に立っているのは、この三人きりであった。

幡江の全身には、この世ならぬ蒼白さが拡がっていた。手足をダラリと臥かして、その顔には恐怖も苦痛の影もなく、陰影の深い所は、殆んど鉛色に近かった。そして、脣は緩かな弓を張り、それには無限の悲しみが湛えられていた。

右の頸筋深く、頸動脈を切断した切り創は、余程鋭利な刃物で切ったと見えて、鋭い縁をそのまま、パクリと口を開いている。そしてそこには、凝結した血が、深い溜りを作っていて、緞帳の余映で、滲み出た脂肪が金色に輝き、素馨花の冠が薄っすらと色附いている。それが、この惨状全体を、極めて華やかなものにしていたのである。

「熊城君、君は忘れやしまいね。風間九十郎の挑戦状の中に、来たれ、列柱を震い動かさん――とあったのを。それが、とうとう実現されてしまったのだよ」

検事は、風間の魔術に酔わされて、声にも眼にも節度を失っていた。

「うん、地震でもないのに、この大建築を玩具のように揺り動かすなんて、九十郎の不思議な力は底知れないと思うよ。だが、奈落とはよく云ったものさ」

熊城は死体から顔を離して、プウッと烟を吐いた。

「この事件でも、舞台の床一重が、天国と地獄の境いじゃないか。サア法水君、奈落へ下りるとしようか」

いずれにしても惨劇が奈落に於いて行われた事は明らかなので、舞台の上は、事件とは何の関係もないのだった。それから三人は、煤け切った陰惨な奈落に下りて行ったが、そこで凡ての局状が明白にされた。

が、それに先立って、一ことオフェリヤを運んで行く、小川の機械装置に触れて置かねばならぬかと思う。

それは、前後二つの切り穴を利用して、間に溝を作り、その中で、調帯を廻転する仕掛になっていた。従って、その装置は、戦車などに使う無限軌道のように作られていて、奈落から天井を振り仰ぐと、二重に作られている調帯の中央に、一つ大きな、函様のものが見える。

それが、オフェリヤを沈ませる装置であって、最初幡江がその函の中に入ると、下には扇風器が設けられてあって、その風のために、水面に浮んだような形で、裳裾が拡がる。そして、廻りながら、腰を落して行くので、てっきり観客の眼には、泥の深みへ、はまり込んで行くように見えるのだった。

幡江はそれが終ると、扇風器の上にある、簀子の上で仰向けになって、きっかけを、下の道具方に与える。と今度は、調帯が幡江を載せたまませり上って行って、その儘前方の、切り穴から奈落に落し込むのである。

所が、血の滴りは、調帯の恰度中央辺から始まっていて、最初の切り穴からそこまでの間にはなかった。それを見ても、幡江が刺された場所は明白であり、その高さも、六尺近いものなら、し了せるだろうと思われた。けれども、兇器は何処を探しても見当らず、血痕も、調帯の後半以外には皆無だった。尚、当時奈落には、二人の道具方がいたのだったけれども、合憎二人とも、開閉器室に入っていたので、その隙に何者が入り来ったものか、知る由もなかった。

然し、調査は簡単に終って、三人は法水の楽屋に引き上げた。

「とにかく、犯人が未知のものでないだけでも、助かると思うよ」

検事は椅子にかけると、すぐさま法水を振り向いて云った。

「つまり、この事件の謎と云うのは、却って犯罪現象にはない。むしろ、風間の心理の方に、あるのじゃないかね。真先に、殺すに事かき自分の愛児を殺すなんて、どうも風間の精神は、常態でないような気がする」

「うん」熊城は、簡単に合槌を打った。

が、法水は椅子から腰をずらして、むしろ驚いたように、相手を瞶めはじめた。

「なるほど支倉君、君と云う法律の化物には、韻文の必要はないだろう。然し、さっきの告白悲劇はどうするんだい。あの悲痛極まる黙劇（パントマイム）の中で、幡江が父に、何を訴えたかと思うね」

「なに、告白悲劇……とにかく、冗談は止めにして貰おう」と棘々（とげとげ）しい語気で、熊城が遮った。

「どうして冗談なもんか。現に前の幕で、オフェリヤは一々花を取り違えたじゃないか。然し、決してそれは、幡江の錯乱が生んだ産物ではないのだよ。あの女の皮質たるや、実に整然無比、さながら将棋盤の如しさ。ねえ熊城君、僕はエイメ・マルタン（花言葉の創始者）じゃないがね。人は自分の情操を書き送るのに、強（あな）がちインキで指を汚すばかりじゃない。それを花に托（かこつ）けて、送る事も出来るだろうと思うのだよ」

そう云って法水は、机の蔭から取り出した花束を、卓上に置いた。二人はその色や香りよりかも、法水が繰り拡げて行く、美しい霧に酔わされてしまった。

「君達にも、記憶が新しいだろうとは思うが、幡江は幕切れの際に、父の最期と云い、これだけの花を舞台に撒き散らしたのだ。最初は花葛（フラワー・クリーパー）——夜も昼も我が心は汝が側（そば）にあり——さ。次は木犀草（ミニヨネット）、これは、吾が悩みを柔げんは、御身（おんみ）の出現以外にはなし。それから、蕁麻草（ネットル）——貴方（あなた）は余りに怨深（うらみぶか）くいらっしゃる。そして、幡江は最後に、この翁草（アネモネ）と紅鳳仙花（レッド・バルサム）とで、結びを付けたのだよ。あの女は、許して下さい（フォアギブ・ミイ）、私にだけ触れないで（タッチ・ミイ・ナット）——と叫んだのだ」

「許してくれ（フォアギブ・ミイ）——成程、よく判った」そう云って検事は、皮肉な微笑を法水に投げた。

「然し、それだけでは、決して深奥（しんおう）だとは云われない。第一それでは、風間が吾が子を殺さねばならなかった心理が説明されていない」

「それから王妃の衣川暁子には、二つの花の名を云ったにも拘らず、折れた雪の下（サクジフルージ）を渡した……」

検事の抗議にも関（かかわ）らず、法水はずけずけと云い続けた。

「それは折れた母の愛——なんだよ。ねえ支倉君、この譬喩（ひゆ）の峻烈味はどうだね。

それから、レイアティズの小保内精一には、白蠅取草（ホワイト・キャッチフライ）と黄撫子（エローカーネーション）とを渡して、恥じよ、裏切者——と云い渡しているのだし、

あの方と云って、その場にいないポローニアス役の淡路研二には、仏蘭西金盞花（フレンチ・マリゴールド）と蝗豆草（ローカスト）を渡して、復讐（リヴェンジ）、地下から報い（アフェクション・ビヨンド・グレーヴ）——と叫んでいる。

勿論その二人には、風間に対する裏切者と云う意味の、諷刺を送った訳だが、寧（むし）ろそれは、主謀者だったロンネに送られねばならないだろう。

所がまた、王に扮したあの男に、渡した花と云うのが、頗る（すこぶ）妙なんだよ。第一に、紫丁香花（パープル・ライラック）――これは初恋のときめきだ。それから花簟草（フラワー・マッシューム）は、もう信ぜられぬ――と云う意味なんだし、最後には、紅おだまき（レッド・カラムバイン）を渡して、怖るべき敵近づけり――と警告を発しているのだ。

それを見ると、二人は曾（か）つて恋仲であり、最近には疎（うと）んぜられていたにも拘らず、なおかつ幡江は、ロンネの身を庇（かば）おうとしている。所が支倉君、幡江は自分のものとして、紅水仙（グリムスンポリアンサス）をとっている――つまり、心の秘密さ。

ハハハハ、一つ僕も、その花を取ろうかね。僕は、幡江の最奥のものに触れた手を、しばらくそのまま、そっとして置きたいのだよ」

法水は冷然と云い放って、湯気のなくなった紅茶を、一気に啜（すす）り込んだ。すると、その時扉（ドア）の向うで、衣摺（きぬず）れがしたかと思うと、その隙間から、楽屋着を押えた孔雀の腕が現われた。

彼女は、ズカズカ入り込んで来て、法水に声をかけた。

「それなら、私が黒苺（カラント）を貰ったとしたら、どうするんですの、曰く、正義は遂行されん（ジャスティス・シャル・ビー・ダーン）――でしょう。私、幡江さんの事なら、何でも聴いて貰いたいと思って、やって来たんですの」

「然し、幡江と云う人は、父親に殺される理由が、一番少ない人物なんじゃありませんか」

そう云って検事は、孔雀の顔を見上げ、瞼の縁（へり）に浮んでいる、奇麗な血管を眺め入った。この淫（みだ）らがましい獣のような娘を、少しでも見ていると、誰しも忌（いま）わしい誘惑を感じ、眩暈（めまい）がして来るのだった。

孔雀は臆面なく、肥った腰を椅子の上にポンと投げ出して、

「じゃ、まだお気付きにならないのね。父なんて、この小屋の何処にいるもんですか。第一幡江さんが、今夜の亡霊は父が勤めたのだ――なんて云いましたけども、真逆（まさか）にそんな事、御信用なさってるんじゃありますまいね。もしそうでしたら、法水さんの新釈ハムレットには、至極縁遠い方ですわ。ねえ検事総長、貴方はあのフロイド式解釈には、感覚がないんですの。あの亡霊はハムレットの幻覚で、もともとは、クローディアスにとついだ母に、嫉妬を感じたからなんですって。ねえ如何（どう）、それがもしかしたら、この事件永生の秘鑰（ひやく）かも知れませんわ。それに、もし私だったら――もし柱を震わすような、魔法が出来るんでしたら、多分法水さんにああ云う手紙を送ったでしょうからね。父をいくら捜したって、見付からないのが当然ですわ。それに、めいめいあの当時の不在証明（アリバイ）が判ったそうじゃありませんか。小保内さんにも母にもあるんですってね。すると、

ロンネと淡路はどうなんですの。ですから、淡路さんにお聴きなさいってば。そうしたらきっと、二人一役の夢が醒めるにきまってますわ。それから、父はあの夜、もう二度と帰らないと云いました。私は悲しくなって、父の胸に抱きついて、キュッとしめつけてみましたが、やはり同じ事を云って、それなり劇場の前で、別れたのが最後でした」

　と孔雀は、捲毛（まきげ）の先についていた金雀枝（えにしだ）の花弁を湿（しめ）した口に嚙ませて、じっと押し黙ってしまった。その花を、法水がスイと引き抜いて、

「たしかこの花降（はなふら）しは、警察の注意で、今夜からしたのでしたね。だが、これに僕は、妙な逆説（パラドックス）を感じているんですよ。あの真に迫った殺し場を、隠そうとしたものが、却って……」

「じゃ、私が犯人だって云うんですの」

　孔雀は眼をクリクリさせたがパッと口を開いて、真赤な天鵞絨（びろうど）のような舌をペロリと出した。

「サア見て頂戴。キプルスでは、口に入れた穀粒（こくつぶ）に、唾（つば）のついていない時には、その人間が犯人なんですってね。たとえ、あの時、雪のように降って来る花弁（はなびら）が、私の身体を隠し了せたにしてもだわ。どうして、あの短い間に、奈落まで往復出来るでしょうか。ああ私、ほんとうは隠し通そうとしたのでしたけど、思い切って云ってしまいますわ。実は、父を見たのです。見たどころかいきなり後（うしろ）から脊を打たれて……」

「なに、脊を打たれて……」

　熊城は莨（たばこ）を捨てて思わず叫んだ。孔雀は左眼をパチリと神経的に瞬いて、

「よく、オフェリヤの棺と間違えますが、衣裳部屋にある櫃（ひつ）の中から、もう一着、亡霊の衣裳を取り出して来いと云われました。私は初日から、雑夫（ざつふ）の中に父が混っているのを知っていたのです。だって、喰べ物を口にするとき、辺りを見廻わすなんて、誰が父以外にあるもんですか。それで、私は最初断りましたの。すると、私が着換えをしていると、またやって来て、あの大きな影法師に愕（ぎょ）っとした途端、いやというほど拳（こぶし）で脊を打たれました。ですから、右手の扉（ドア）の方に逃げようとすると、その前に立ち塞（ふさ）がって、とうとう私は、衣裳盗みをさせられてしまったのです。その時の痛さと云ったら、左の手首にずうんと響いた位ですわ」

　そう云って、取り出した、莨の烟（けむり）の中で、孔雀は裸の腕を擦（さす）り始めた。

「すると、それは何時頃（いつごろ）ですか」

　法水はその横顔をチラリと見て、事務的な訊き方をした。

「僕は円錐形（コーン）の影が、一体何処を指していたか、知りたい

のですよ。貴女はミルトンの『失楽園』の事を、誰からかお聴きになった事がありますか。これは、天上から見た地球の話ですが、太陽の蔭になった方には円錐形(コーン)の影が出来て、それが天頂に達すると夜半。そこと六時との間が、ほぼ九時になると云うのです。つまり、童話の神様が見る時計なんですよ」

「ああ、あの悪魔(ルシファー)がやって来た時のこと……」

孔雀はちょっと、白い頸窩(ぼんのくぼ)を見せたが、

「最初は多分三時前後だったでしょう。それから二度目に来た時は、正確に憶えていますけども、それが六時十五分だったと思いますわ」と云って、放逸な焔を眼一杯に輝かせた。

そして桃を包んだそのもののような、生毛(うぶげ)が生えている腕を露(あら)わに投げ出して、それには打たれても避けそうもない、まるで身体を擦り付けて来るようなものが感ぜられた。然し、孔雀の垂れた睫毛(まつげ)の間が、しんみりと濡れて来て、

「もう訊く事がないのなら、今度は私の話を聴いて頂戴。ほんとうに法水さん、つくづく今度と云う今度は、役者が嫌になりましたの。もうこの興業が終ったら、いっそ生活を変えて、私、子供でも生んでみたくなりましたわ」

孔雀が去った後でも、何やら四肢五体を、ほぐらかすようなものが残っていた。法水はプカプカ莨を灰にしながら、黙考に耽(ふけ)っていたが、熊城は絶えず揉手(もみて)をしながら、悦に入っていた。

「法水君、結局君の智脳が孔雀を救った事になるじゃないか。そうでなければ、仮令(たとえ)犯行が奈落で行われたにしてもだ。誰しも一応は、あの震動が孔雀の擾乱(じょうらん)手段ではないか――と考えるだろうからね」

今までも、あの不可解な震動については、妙に法水は沈黙を守っていた。その時も、彼は別の事を考えていたらしく、いきなり検事を振り向いて、

「ねえ支倉君、君が知ろうと欲している、心理上の論理だが、一つ僕は、その確固たるものを握っている。だが、九十郎と幡江は、おなじ同肉同血の親子じゃないか。その中で、たとえどのような動機があるにしてもだ。ああも容易(たやす)く、自然の根や情愛が、運び去られてしまうものだろうか……」

と暫く莨を持ったまま、ポツネンとしていたが、その時喚(よ)ばれた、ルッドイッヒ・ロンネが入って来た。

ロンネは鳥渡(ちょっと)見ただけでは、三十前後にしか見えないけれども、彼は四十を幾つか越えていて冷たい片意地らしい、尖(とん)がった鼻をした男だった。そして、入るとすぐ、故意(わざ)とらしい素振りをして、

「法水さん、貴方ほどの方が、不在証明(アリバイ)なんて云う、運命

的な代物を信じようとはなさいますまいね。僕はこの通り、不在証明(アリバイ)もなければ、空寝入(そらねい)りしようともしませんよ」

「いや、運命的なのは、オフェリヤ狂乱そのものじゃありませんか」

　法水は甲を顎にかって、突飛(とつぴ)な譬喩(ひゆ)めいたものを口にした。

「実は、君に聴こうと思って、待ち兼ねていたのですが、たしかこの劇場の中には、もう一つ——ねえロンネ君、もう一つ屍体がある筈ですがね」

　その瞬間、ロンネの長身が竦(すく)んだように戦(おのの)いて、殆んど衝動的らしい、苦悩の色が浮び上った。そして、ゴクゴク咽喉を鳴らして、唾を嚥(の)み込もうとしているのを、法水は透(す)かさず追求した。

「僕は、不図(ふと)した機会から、誰一人知らない——君と幡江との関係を知る事が出来たのです。然し、幡江は狂乱の場で、自分のために紅水仙をとったのですが、それを花言葉で解釈すると、心の秘密と云う事になるのです。だが、まあそれはそれとして、それから何故、台詞を台本通りに云わなかったのでしょうか。迷迭香(ローズ・メリー)でも——と云って、その次に、それでも百合の花(フルール・ド・ルス)でもどっちでもいいのだけれど、きっと凋(しぼ)んでしまうだろう——と云った。しかも、その百合の花(フルール・ド・ルス)を、フルール・ド・リシイと発音しているのですが、そうなると僕は、是が非にもフロイドぐらい、担(かつ)ぎ出さなくてはなりますまい。何故なら、人間の心理的機構と云うものは、至って奇妙なもので、類似した二つの言葉があると、一方の何処かに、その強い方のものが影響してしまうのです。つまりフルール・ド・リシイと語尾を云い違えたのは、迷迭香(ローズ・メリー)と云って、RoseとMaryと二つの言葉を思い泛(うか)べたために、それが聯想的に引き出したものがあったからです。ねえロンネ君、フルール・ド・リシイにフリードリッヒ——。この二つの音が非常によく似ているために、ルスをリシイと発音してしまったのですよ。つまり迷迭香(ローズ・メリー)でも百合の花(フルール・ド・ルス)でも——と云った台詞の意味は、もし女の子が生れたらローザかマリア、男の子だったらフリードリッヒと附けよう——。そう生れる子の名定(なさだ)めを、幡江がいじらしくも、思い続けていたからなんです。ねえロンネ君、幡江は君の種を宿していたのだ。そして、今夜を限り、君が堕胎させようとしたその子は、闇から闇に葬られてしまったのだよ」

　法水の意表に絶した透視のために、勝敗がこの一挙に決定してしまった。

　ロンネの蒼ざめた影のような身体が、扉(ドア)から蹌踉(よろ)めき出たのはそれから間もなくの事で、法水は何と考えたか、それなり追求を止めて去らしめてしまった。然し、その一事は、事件の表裏二様に咲いた、二つの花に等しかったのである。

やがて、検事がいそいそとして、その意味を口にした。

「君は早々に、この事件の賽（さい）の目を、二つだけにしてくれた——その事は、何と云っても感謝するよ。幡江が、自分の仇敵であるロンネから離れられず、あまつさえ、その種を宿しているのだとしたら、風間の憎悪は、第一自分の肉身にかかって行くだろう。また、妻のあるロンネにとると、幡江が仇（あだ）し子を生むと云う事は、どんなに怖ろしい事か。そして、幡江から堕胎を拒絶されたとすれば、それは母子（おやこ）ごと葬ろうとしたと云っても、もはや心理上の謎でなくなるのだ。おまけに不在証明（アリバイ）はないのだし、六尺豊かなあの男なら、幡江の咽喉を下から刺し貫く事も出来るだろう」

「いや、そうされるのは、多分法水さんの方でしょうよ。いま小保内のやつが、最後の幕で彼奴（あいつ）の胸をぶん抜いてやる——と力味返（りきみかえ）っていましたぜ」

と背後で太い濁声（だみごえ）がしたかと思うと、何時の間にか、そこには淡路研二が突っ立っていた。

この老練な新劇界の古強者（ふるつわもの）は、臆する色もなく、椅子を引き寄せた。彼はずんぐりとした胴に牡牛のような頸（くび）を載せていて、精悍そうな、それでいて、妙に策のありそうな四十男だった。

「何（な）にしろ小保内には、照明掛りの証言があるんですからね。自然気の強い事も云える訳ですが、僕は今始めて、舞台裏にも、絶海の孤島と云うやつがあるのを知りましたよ。所で、これだけ云ってしまえば、もうそれ以外に、お訊ねになる事はないと思いますが。ああそうそう、貴方から幡江さんの幻覚論を伺うんでしたっけな」

「いや、あの両所存在（ビロケーション）（同時刻に一人の人物が異なった場所に出現する事）の謎なら、とうから僕は問題にしちゃいませんがね」

法水は、眦（めじり）に狡（ずる）そうな皺を湛えて、云い出した。

「あの時、亡霊に吹き変わってから、君はたしか奈落へ下りたでしょう。そうすると、君にとって何とも不幸な暗合が生れてしまうのです。君は、クリテウムヌスの『虚言堂（ブギアーレ）』を読んだ事がありますか。羅馬（ローマ）の婦人は、男の腰骨を疲れさせるばかりではなかったそうです。凍らせた月桂樹の葉で、手頸（てくび）の脈管を切ったとか云いますからね」

「なに、それでは僕が、その間に何か、仕掛でも作って置いたと云うのですか」

淡路の顔には、突然憤怒が漲（みなぎ）って、両手をわなわなと顫（ふる）わせた。が、そうしているうちに、その硬張（こわば）った筋が次第に弛（ゆる）んで行って、何か激情を解かして行くものが、あるように思われた。

やがて、淡路は切なそうな諦めの色を現わして、

「止むを得ません。自分の無辜を証明するためには、恩師との約束も反古にせんけりゃならんでしょう。実はあの時、僕は奈落に降りはしなかったのです」

と奈落と云う言葉を口にすると、左眼を奇妙にビクリと瞬たき、淡路は風間の存在を裏書した。そして、最後に付け加えて、

「そんな訳で、今では僕も小保内も、恩師に反いた事を後悔して居ります。そして、貴方と云う侵入者に、決して快よくない事は、今も聴いた小保内の言葉でもお判りでしょう。だが、どうして師匠が捕まるもんですか。決して決して捕まりっこありませんぞ」

遂に、法水の巧妙なカマが、淡路の口を割り、あの朦朧とした幻が、実在に移される事になった。そうして次々と、焦点面に排列されてゆく風間の姿は、最早疑うべくもないものになってしまった。

然し、法水の顔は、益々冴えないものとなって、間もなく衣川暁子が、入って来たのも気附かないほどであった。

風間九十郎の妻、幡江の母暁子は、既に二十余年も新劇のために闘い続けている。そのためか、暁子の容姿からは女らしさが失せていて、眼は落ち窪み、鼻翼には硬い肉がついて、何かしら、冷酷な感情と狂熱めいた怖ろしさを覚えるのだった。

彼女は座につくと、胸をせり上げ、荒々しい語気を吐いた。

「どうしたって云うんでしょう。あのメデアみたいな男が、捕まらないなんて。彼奴は、自分の目的のためなら、それが吾が子だって、殺し兼ねませんわ。私、あの男の眼も胸も剔り抜いてやって、いっそ片輪にしてしまいたいんですの」

「いや、僕は決して、そうとは信じませんね」

法水は強く否定して、今までにない厳粛な調子になった。

「そうなったら第一、人間生活の鉄則がどうなってしまうのでしょう。父と娘——その間には無意識ですが、極く微妙な×××な結合があるのです。いっそこの事件は、父に依っては絶対に行えないものだ——と云いましょうか」

「では、父でないとすると」

暁子は冷やかに云ったが、顔には包むにも包み了せようのない、憎悪の波が高まって行った。

「ですから、いま貴女が云われたメデアと云う名を、僕はクリテムネストラに変えて貰いたいんです。姦通・嫉妬・復讐——ねえ暁子さん、ロンネと幡江は、今までどんな関係にあったのでしょうか」

と風間が帰朝してからも、尚絶とうともしないロンネとの不倫な関係を、法水は暗に仄めかした。そして、暁子の

怖ろし気な眼を見やりながら、

「なるほど子供は、自分の血と肉を分けた、一部に違いありません。だがもし、その愛と同じ程度の、憎しみが傍らにあるとしたらどうなりましょう。そうなると、母親の残虐性は、もはや心理上の謎ではなくなってしまうのですよ。僕は思い切って云いますが……」

と云いかけたときに、暁子は、聴くまいとするものの如く立ち上った。そして、引っ痙れた顔を、法水にピタリと据えて、

「よろしい、私は自分自身で、風間を探し出しますわ。でも貴方は、私に斯う仰言りたいのでしょう。お前は、吾が子の死の悲しみを忘れ、そうしてまでも、自分だけを庇おうとする――って。結局、風間を突き出すのが、一番いい方法だと云う事は、私にもようく分っているんですの」

そうして、暁子は去ってしまったが、今の問答は何となく、法水の詭弁のように思われた。四人をほしいままに踊らせたと云うのも、それぞれに底を割ってみれば、風間を捜し出す、前提に過ぎないのではないだろうか。

然し、それまでに宏壮な場内を、隅々までほじり散らしたにも拘らず、遂に風間は発見されなかった。そして、事件の第一日は空しく終ってしまった。

三、風間九十郎の登場

翌日は、他の劇団から傭った女優で、欠けたオフェリヤを補い、沙翁記念劇場はいつも通り蓋を明けた。が、前夜の惨劇が好奇心を唆ったものか、その夜は補助椅子までも、出し切った程の大入りだった。然し、オフェリヤ殺し場は、遂に差し止められて、あの無残な夢を新たにしようとした、観客を失望させた。

法水は演技の進行中も、絶えず俳優の動作に注意を配っていたが、恰度四幕目が終って休憩に入ると、何と思ったか、暁子と孔雀を自分の室に招いた。

「僕はとうとう、一つの結論に達しましたよ。と云うのは、あの当時、風間は奈落には居りませんでした。実は舞台の前方――隠伏奏楽所の中に潜んでいたのです」

と冒頭吐かれた言葉には、女二人のみならず、検事も熊城も驚かされてしまった。熊城は透さず抗議した。

「冗談じゃない。常套を嫌う君の趣味は、いつもながらの事だが、然し、隠伏奏楽所の入口と云えば、下手の遥か外れじゃないか。そして、そこと奈落の壁には、ほんの腿が入る位の丸窓が二つ三つ明いているに過ぎないのだ。だから、道具方が開閉器室に入るのを、見定めてからだと、

彼処へ行くまでに、時間の裕りがない。第一君は、刺されたのが奈落の中央だと云う事を、忘れているらしいね」

「そうなるかねえ」

法水は、嘲ら笑うような響を罩めて云った。

「知っての通り、屍体の顔は至極平静な表情をしている。所が、奇妙な事には、眼球が非度く突き出ているんだ。そこに、あの奏楽所からでないと行えない、一つの徴候が含まれているんだよ。ねえ熊城君、幡江が一気に咽喉をかき切られた場所と云うのは、実を云うと、奈落の中央ではないのだ——その端にあったのだよ。つまり、舞台から奈落に落ち込んで行く間は、身体がくの字なりになり、胸が圧されて、非度く窮屈な姿勢だったに相違ない。所が、漸く半身が奈落に入ると、胸が寛やかになって、一時に溜り切った息を吐き出すだろうからね。そこへ、奏楽所の小窓から手が差し伸べられて、頸動脈も迷走神経も、幡江はともども、一文字に掻き切られてしまったのだよ。何故なら、縊死者の眼を見ても判る通りだが、激しい息を吐く際には、脳が膨脹するので、眼球がそれに圧されて、突き出てしまうのだ。また、犀利な刃物を、非常な速力で加えた場合には、血管の断面が、一時は収縮するけれども、やがて内部の圧力が高まるにつれて、傷口からドクドクと吹き出て来るのだ。つまり熊城君、その二つの理論で、奈落の中央から血が滴り始めた理由が判るじゃないか。それから次に云いたいのは、あの妖術のような震動が、どうして起されたか——なんだ」

と息の間を置かずに、法水は云い続けた。

「たしかに、あれからうけた印象は、悽愴の極みだったよ、まさにその超自然たるや、力学の大法則を徹底的に蹂躙している。然し、あの現象は、この建築固有のもので、決して人の手で行われたのではない。当然、あの場面には起るべきだったし、ただ風間がそれを知っていて、舞台裏の注意を、自分から他に、外らそうとして利用したに過ぎない。ねえ支倉君、群衆心理の波及力には、悪疫以上のものがあると云うじゃないか。所が、その病源と云うのが、有名なツェルネル錯視なんだよ。現に、桟敷の円柱を見給え。横につけられた溝が、上から斜めに捲かれていて、それが一本置きに向き合っているだろう。だから、花弁が散って来て、その反映がチラチラ明滅すると、柱の平行線が、かわるがわる傾いで行くように見えるのだ。確か、三十年程前ライプチッヒ劇場にも、略々それに似た、現象が起ったとか云うそうなんだよ」

その間他の四人は、生気のない脱殻のように茫然としていた。まさに、変異の極みとのみ思い込んでいた劇場の震動も、蓋を割ってみれば他愛もなく、五千人の眼の中に、追い込まれてしまったではないか。

暁子は、指を神経的に絡ませて云った。

「ですけど、風間の方は一体どうなるんでしょう。なるほど、そう云う仮説は、貴方がたには是非必要でしょうけれども、私達には、風間の身体一つさえあればいいのですからね」

「それは次の幕に……」

法水は確信を仄めかせて、立ち上った。

「実は、風間が奏楽所を利用したのを知って、僕はその場所に最短線を引いてみました。するとそれに当ったのが、道具置場じゃありませんか。たしか彼処には、次の幕に使うオフェリヤの棺などが置いてありましたね。僕はその棺に、舞台の上から風間を指摘して、抛り込んでやりますよ」

次の場面「墓場」の幕が上ると、書割は一面に、灰色がかった丘である。雲は低く垂れ、風の唸りが聴えて、その荒涼たる風物の中を、ハムレットがホレイショを伴って登場する。

やがてハムレットが、オフェリヤの棺を埋めた、墓穴の中に飛び下りると、その瞬間、王妃の暁子が絹を裂くような悲鳴を上げた。何故なら、その重た気な棺の蓋を、法水が両手に抱えてもたげ始めたからである。

所がその中には、重錘と詰め物が詰まっていると思いのほか、蓋の開きにつれて得も云われぬ悪臭が立ち上って来る。そして、全く明け切られたとき、一同の眼は暗さに馴れるまで、凝っと大きく見開かれていた。すると、その薄闇の中から次第に輪廓を現わして、やがて一同の眼に、飛び付いて来たものがあった。

そこには一人の、腐爛した男の屍体が、横たわっていたのである。

「ああ、風間だ。風間が……」

暁子は、地底から湧き出たような声で叫んだ。

意外にもそれは、幡江の下手人と目されている、風間九十郎だったのである。

着衣も、腐汁に浸みた所だけは、腐ってボロボロになり、そこから黄ばんだ、雁皮みたいな皮膚が覗いている。眼窩には、…………………………溜っているだけで、黒いバザバザした髪が…………………跡には、肉の表面がドス黒い緑色に見える。そして、その上には、瘠せた蛔虫のような形、……………………………………。

既に、風間九十郎の上には、見る影もない腐朽の印しがとどめられているのだった。

「こら坊主、香を焚け、香を……」

墓穴の中から躍り出ると、法水は台本にもない台詞を叫んだ。そして観客に悪臭を覚られまいとした。

然し、続いて今度は、満場を総立ちにさせたほどの出来事が起った。

と云うのは、レイアティズがハムレットに争いを挑むところで、その役の小保内精一が長剣を抜いて突っ掛って来ると、いきなり蹌踉めいたものか、その剣光を目がけて、孔雀が飛び出したのであった。それはまったく、電光のような敏ばやさで、ハッと感じた小保内も、剣を引く隙がなく、余勢が孔雀の心臓を貫いてしまった。

その刹那、孔雀の全身が像のように静止して、何か言葉のような引っ痙れが、ひくひく頰の上で顫えていた。そして、唇の両端から、スウッと血の滴りが糸を引くと、何やら摸索しているようだった眼が一点に停まり、やがて孔雀は、棒のように仆れてしまった。

その同時に起った二つの出来事に依って、事件の帰趨は、略々判然と意識されたけれども、果してそれが、真実であるかどうか迷わなければならなかった。

然し、その翌夜になると、法水は劇場に一同を集め、事件の真相を発表した。淡い散光の下で昨夜通りの書割の前で、法水はあの妖冶極まりない野獣——陶孔雀の犯罪顚末を語り始めたのであった。

「最初に順序として、僕はこの事件に現われた、風間の影を消して行きたいと思うのです。勿論あの手紙は偽造であり、淡路君の経験も孔雀の陳述も、みな、供述の微妙な心理から生れ出たものに相違ありません。然し、幡江が淡路君の亡霊姿を見て、それを九十郎と信じたのは、まさに偽りではない。が、さりとてまた実相でもなく、実は幡江の錯覚が、起した幻に過ぎないのです。と云うのは心理学上の術語で仮現運動と云って、十字形に小さい円を当てて、その中心に符合させる。そして、その二つを、かわるがわるに入れ換える。すると、十字の横の一に、先がビクビク動くような、錯覚が起るのです。もともと、僕の嗜みからして、あの亡霊の顔粧りに、沙翁の顔を引き写したのですが、それが廻転している、幡江の眼を誤らせたのでしょう。また幡江は、恐怖に眼を瞑じて廻転に任せているうち、いきなりその椅子を逆に廻したものがあったと云いました。然し、それは恐らく、経験した人には不気味な記憶となって残る事でしょうが、椅子の実際廻転が衰えて行って、停止する十数秒前になると、今度は反対の方向に、烈しく廻り始めたような感覚が起るのです。皆さん、以上が真相の全部です。だが、もともと自然の悪戯であるとは云え、そうして幡江の心の末端に触れたものが、後々の謎に、どれほどの陰影を添えたか知れなかったのでしたよ」

そうして、幡江に映った心の魔像を消してしまうと、法水の舌は、続いて孔雀の分析に移って行った。

「所で、虚言の心理と云うものには、得てして饒舌が過ぎた場合、無意識に自己を曝露してしまう事があるのです。と云うのは、孔雀の場合にも当て嵌るのでして、あの女は、九十郎に脊の真中を打たれて、左手の甲まで痛みを感じたと云いました。然し、それがもし真実だとすれば、感動の伝導法則が根本から覆えされてしまわねばなりません。勿論、痛みをその部分以外にも覚えると云う事は、日常屢々経験される事でしょう。然し、それには退歩運動と云って、多くの場合、逃走しようとする方向に伝えられるのです。ですから、当然扉が右手にあるとすれば、何故孔雀が嘘を吐いたか、訝かしく思われねばなりますまい。所がその後になって、孔雀はうっかりそれを裏書してしまったのです。と云うのは、御承知の通り、幡江が九十郎と推した影を追い詰めて行くと、不図側わらの時計が、九時を指しているのに気が付いたのです。所が、その真実の時刻は八時三十分だったのですから、恰度その進ませ方が、十五分の直角を逆かさに倒したようになりましょう。私はそれに気附いたので、試みに円錐形と云う、図形の観念を孔雀に与えてみました。そうして、その後に、九十郎に逢った時刻を訊ねると、前の一回は三時前後、二度目は六時十五分だったと云って、明らかにその直角を、追うている事が曝露されたのです。つまり、淡路君は忠実に勤めを果したので、孔雀は王の衣裳を脱ぎ捨ててから、時針の変化で、幡江を遮ったのでした」

法水の、凄まじい推理力から迸り出る力に圧せられて、一座の者は化石したように硬くなってしまった。検事は胸苦しくなった息をフウッと吐き出して、

「それでは、オフェリヤの棺槨の外から、君が風間九十郎を透視した理由を聴こう。僕は、それを不思議現象だけで葬りたくはないのだよ」

「それは支倉君、実は斯うなのだ。孔雀の瞬きが、ある一つの微妙な言葉となって、僕に伝えてくれたのだよ。よく会話中に見る事だが、酸いような感覚を覚えると、僕等はどっちかの眼を閉じるものなのだ。所が、オフェリヤの棺と――僕が云った時に、孔雀は無意識にそれを行った。それで僕は、もしかしたらその感覚に、孔雀は死臭を経験しているのではないかと考えたのだ。また、その神経現象は、奈落――と云った時の淡路君にも現われたけれども、それは却って、無辜を証明するものになってしまった。と云うのは、あの当時は、奈落にニスの臭いが罩っていたので、酸味の表出で、淡路君が余儀ない偽りを吐いたと云う事が判ったのだよ」

「それでは、一体、九十郎は何時誰に殺されたのだね」

と今度は、熊城が疑題を投げた。

「云うまでもなく孔雀にさ。そして、その時期は、二た月ほどまえ家族と別れた――その直後だろうと思うのだがね」

法水は一向に素っ気ない声で云った。

「それには、九十郎の驚くべき特徴を、知る事が出来たからなんだ。あの男は、俳優とは云え半聾だったのだ。然し、内耳の基礎膜には、薇かに能力が止まっているので、それが九十郎に頗る科学的な発声法を編み出させたのだよ。それは、耳を塞いで物を云うと判る事だが、ハ行やサ行などの無声音以外は、欧氏管を伝わって内耳に唸りを起す。然しその無声音も、胸腔に響かせて胸声にして出すと、それが幾つもの段階に分れて、響いて来るのだ。つまりそれに依って、九十郎は自分が出した声を判別する訳だが、勿論相手の言葉は、読唇法や胸震読法などで、読み取る事が出来るだろう。然し、この場合もし胸腔を圧迫したとしたら、自分が口にした音が、耳底には異なって響くに相違ないのだ。そうすると、別れの際に、孔雀が九十郎の胸に抱きついたと云う事は、結果に於いて、その微妙な法則が如何なる毒と化したかも判らない。つまり、自分の意志に反して口に出たと信じた言葉のために、九十郎は死地に誘われたに相違ないのだよ。それで熊城君、九十郎が半聾である事を僕が知り得たのは、孔雀が云った、――喰物を口にする時は四辺を見廻すと云う一事からなんだ。それが、半聾者にとると、最も不安な時で、つまり、欧氏管から入る外部の音響が、唇で遮断されてしまうからなんだよ」

そこで、法水が一息入れると、聴き手は漸く吾に返り、惑乱気味に嘆息するのだった。

人間を弾奏する――孔雀が最後の別れの際に、九十郎を抱擁したのは、その目的がまさにそうではないか。さながら、風琴のカップラーを引き出して音色を変えるように、彼女は相手の胸腔を引きしめ、弛ませつつ音符を変化させた。そして、九十郎の耳底に思わぬ響きを送って、彼に錯想を起させたのである。

続いて法水は、音響病理学者のグツマンや、ダーウィンの友人ドンダース教授の実験などを例に引いたが、それは悉く、彼の仮説を裏書するものに外ならなかった。たしか、その微妙な秘密の中には、九十郎を再び劇場へ誘ったものがあったに相違ない。そしてその際に孔雀は、恐らく最初の犯行を行ったのであろう。

熊城は、妖しい霧の渦に巻かれているような思いがしたが、なお二つ三つ、残っている疑義を取り纏めねばならなかった。

「それでは、舞台の上にいた孔雀が、どうして奈落の幡江を殺す事が出来たのだね」

「それが、この事件の才智の魔術さ。詳しく云うと、オフェリヤの裳裾と繰り出しの調帯に孔雀が驚くべき技巧を施したからなんだ。君も知っての通り、オフェリヤが小川に落ちたと見せて、幡江が函の中に入ると、下からの風で、裳裾がパッと拡がるじゃないか。そして、その拡がった裳裾を、傘のように凋めながら、如何にもはまり込んで行くかの体で、腰を落して行ったのだ。だが、そうすると熊城君、風が裳裾の周りを激しく吹き上げるので、当然オフェリヤの頭上には、その輪廓なりに、気洞の円柱が出来てしまう。すると、それには対流の関係で、下行する気流が起る道理だから、当然頭上の金雀枝の花弁はあたりに散らばらず、その気流なりに、裳裾の中へ落ちて行くだろう。然しその花弁には、多分クラーレあたりの、皮膚を麻痺させる毒物が塗られていたに違いない。それが、幡江の鼻から吸収されるので、次第に全身が気懶るくなって行く。わけても、頭から上に触覚が鈍くなって、漸く横にはなったものの、それからは夢心地で奈落へ運ばれて行った事だろう。すると、恰度その折、観客は揺ぐような錯覚を感じて、総立ちになったのだ。然し、孔雀だけは自若としていて、最後の止めを幡江に加えたのだよ。と云うのは、予め二条の調帯のうちどれかの一本に、孔雀は鋭利な薄刃を挟んで置いた。そして、折からの騒ぎにまぎれて、その調帯の上を絶えず踏み付けたのだ。すると、緩く張った調帯が当然引き緊まって、廻転が早められる道理だから、アッと云う間もなく、その刃物は恐ろしい速力で幡江に追い付いた。そして、グタリと垂れた頸を、横様に掻き切ってしまったばかりじゃない、その瞬後には、再び孔雀の眼前に戻っていた理由だよ」

そうして余す所なく、犯行の説明を終えると、法水は衣袋から、一葉の紙片を取り出した。その刹那、彼の眼には、何かしら熱っぽい輝きが加わって、その紙片ごと、指先がわなわなと顫えた。

然し、その一片には、故国の空に憧がれる、孔雀の不思議な心理が語られてあった。

——もう幕にも間がないままに、鉛筆で走り書きに記す事に致します。貴方はいま、次の幕には必ず風間を指摘すると仰言いましたわね。それで、何もかも終ってしまったのに気が付いたのでした。何故かと申せば、次の幕に現われるものと云えば、風間を入れたオフェリヤの棺以外に何がありましょう。私はもう、最後の覚悟をかためねばならなくなりました。ですけど、私は何故風間を殺し、幡江にも手を加えねばならなかったのでしょうか。

と申しますのは、外でも御座いませんが、あの風間と云う男は、まこと真実の父ではないので御座います。当時私の母は、父に先立たれて、私を胎内に抱えたまま、路傍を彷徨って居りました。そこを、風間に救われたのですが、多分そうした、風間の強い印象が、胎内の私に影響したからでしょう。私の髪や皮膚の色には、御覧の通り、混血児のそのままのものが現われてしまったのです。

所が、日本に連れて来られてからと云うものは、日増し私には、郷愁が募って参りました。あの濃碧の海、同じ色のような空――街中はひっそり閑としていて、塔があちこちに聳え、時折は、家毎の時計が、往還の真中でさえ聴える事が御座います。ねえ法水様、北イタリー特有の南風が吹き出す頃になると、チロルの聯隊では、俄かに傷害沙汰が繁くなるとか申します。けれども、まったく土の肌、大気の香りと云うものには、事実、云うに云われぬ神秘な力があるものですわね。

で、いつのまにか私は、あの荒涼たる淋しさを、どうする事も出来なくなってしまいました。外面は、さぞ燥ぎおごっているように見えましたろうけれど、絶えず私は、体内に暴れ狂っている雨風を凝っと見詰め、どうしたらいいか――それのみ考え続けて居りました。そうして遂に、私にとれば枷に等しい風間を葬って、あの懐かしい土を、再び踏もうと決心致しました。

ですから、幡江さんを手にかけたのは、父のない私の、本能的な嫉妬なので御座います。父と娘――あの血縁の神秘は、それを欠いているものにとれば、寧ろ嘲りに過ぎません。

どうか法水様、いつまでも私をお憶い出し下さいませ。そうして、その時はきっと、あの古びた街の幻影をお泛べ下さいますよう……。

【解題】

小栗虫太郎　おぐり・むしたろう（一九〇一―一九四六）

●底本
『小栗虫太郎集　日本探偵小説全集6』（創元推理文庫／一九八七年）

●初出　「改造」一九三五年二月号

●資料1　都筑道夫「小栗虫太郎」（一部引用）

《小栗虫太郎の筆名で、創作活動に本腰を入れはじめたのは昭和八年、〈新青年〉誌に「完全犯罪」を発表してからです。つづいて「聖アレキセイ寺院の惨劇」「夢殿殺人事件」『黒死館殺人事件』から昭和十一年の『二十世紀鉄仮面』まで、法水麟太郎という、錬金術師が化けたファイロ・ヴァンスみたいな名探偵を、異常な舞台で活躍させました。この時期の小栗を、江戸川乱歩がチェスタートンに擬しているそうですが、これはどうかと思われます。混乱した現実を、逆説と抽象化した論理で濾過して、再認識させてみせるのがチェスタートンで、人工庭園のなかに模写された現実を超論理でねじふせてみせる小栗とでは、根本的にちがうはずです。悪文家の小栗とでは、修辞を比較することもできないでしょう。
　いまは悪口めいた表現になりましたが、人工世界を魔法のパスワードを思わせる論理の飛躍で支配して、悪文を魅力に逆転させたところにこそ、小栗の特徴はあるのです。むしろ推理小説でないイギリス文学、たとえば世紀末のワイルドなんぞが影響していたのではないか、と考えられます。江戸の読本や歌舞伎の影響も、見のがせないでしょう。歌舞伎には推理小説的な部分がありますが、偶然を多用した強引な解決ぶりは、しばしば小栗を連想させます。》
（『死体を無事に消すまで』（晶文社／一九七三年）所収）

●資料2　名探偵・法水麟太郎

刑事弁護士、前捜査局長。短篇「後光殺人事件」（一九三三年）に初登場。友人の支倉検事、熊城捜査局長とともに事件に挑む。かつて外遊した際には、有名なシェイクスピア役者ルジエロ・ルジェリに師事したという演劇通で、自らの作・演出で「ハムレットの寵姫」を上演、主役を演じた。登場作品に『＊黒死館殺人事件』「聖アレキセイ寺院の惨劇」「夢殿殺人事件」「失楽園殺人事件」「オフィリヤ殺し」『＊二十世紀鉄仮面』（＊は長篇）がある。

＊註　『名探偵事典』（東京書籍／一九九五年）、『日本ミステリー事典』（新潮選書／二〇〇〇年）を参照。

久生十蘭　ハムレット

敗戦後一年目のこの夏、三千七百尺の高地の避暑地の、ホテルのヴェランダや霧の夜の別荘の炉辺でよく話題にのぼる老人があった。

それは輝くばかりの美しい白髪をいただき鶴のように清く痩せた、老年のゲエテ、リスト、パデレウスキなどのPhenotype（顕型）に属する壮厳な容貌をもった、六十歳ばかりの老人だが、このような霊性を帯びた深い表情が日本人の顔に発顕するのはごくまれなので、いったいどういう高い精神生活を送ったひとなのだろうと眼を見張らせずにはおかなかった。

服装も非常に印象的で、生地はいまから二十年ほど前、手織木綿のような手固さと渋さを愛された英国のウォーステッドという古風なもの、フォルムも大正のよほど早いころの流行でそれはともかく、着方にどこがどうとはっきりと指摘できぬ何ともいえぬもどかしい感じがある。アフリカの土人に洋服を着せると、どんなにきちんと着付けてやってもいつの間にか微妙に着崩してしまうということだが、この老人の着方にも、ややそれに近い、なんとなくぴったりしないところがあった。

この老人は、東京の空襲で一家爆死した阪井有高の別荘に、祖父江という見るからに沈鬱な青年と二人で住んでいて、ゴルフ場のそばの落葉松の林や愛宕山の下の薄原の道を散歩するのを日課にし、いっさい避暑地の社交に加わらなかった。

阪井有高というのは華族の中でも有数な資産家で、健康も知恵もありあまるのに、どんな会社にも事業にも関係せず、どのような趣味も特技も持たず、完全な安逸と無為のうちに生涯の幕を閉じたオブロモフ式の徹底的な遊民だったが、その最後はちょっと前例のないほど異変的なものだった。

細君の琴子は京都の西洞院家から来たひとで、小松顕正の許嫁だったのが、どういうわけか小松の叔父の阪井と結婚し、鮎子という美しいがどこか狂信的なところのある娘といっしょに毎夏軽井沢へ来ていたが、阪井の近親にこんな秀抜な老人がいることはだれも聞かず、少なくともこの二十年阪井へ出入するのを見たものがなかった。

ホテルなどでは、たぶん長らく外国にいて、この四月の欧州最後の引揚船で帰ってきたひとなのだろうというところへ意見が落ちつきかけたが、それにしてはあの大正式のスタイルとみょうな着ざまはどうしたものだと一人がいいだしたので、この推測もあやしくなってきた。

外廊や炉辺でそういう噂が焦げつくようになったある日の午後、老人がめずらしく一人でホテルのグリルへやってきて、給仕に、Spiter というむずかしい英語で昼食を命じた。なるほど昼食という意味ではあるが、それは五百年ぐらい前に使われ、いまはまったく死語になっている言葉であった。

もちろん給仕は死語など了解しようわけはなく、だいたい察してランチを持って行くと、その老人は十六世紀の欧羅巴人（ヨーロッパ）がそうしたように鹹豚肉（ベーコン）を右手の人差指に巻きつけて食うというふしぎな局面を演じたが、奇をてらっているのでも錯乱しているのでもない証拠に、その作法がいかにも家常的（かじょうてき）でぴったりと身につき、フォークやナイフを使っていることが気はずかしくなったほど魅力のあるものだったので、見ていただけの人間にメランコリックな戸惑いを感じさせた。

それでグリルにいた一人がすばやくすり寄って行って会話のきっかけをつかんだ。

言語は非常に明晰（めいせき）でニュアンスに富み、頭脳のみだれも思考の障害も感じさせないが、最近二十年間ぐらいの日本の社会事情に触れると当惑の色をあらわしてしどろもどろになってしまう。満洲事変も上海事変もまるで知らず、太平洋戦にいたっては、そんなことがあったそうだという程度の薄弱な認識ぶりだった。やはりこれは外国の、それも思いきった辺境に長らく住んでいた人なのだと察してたずねてみると、ずっと日本にいて、いちども外国へなど行ったことがないという意味の返事だった。

それ以来その老人はけっして一人で出歩かないようになった。ときたまバアへアペリチフを飲みにくるが、いつも青年がいっしょで、だれか老人に話しかけると、なんとなく割ってはいって返事をみなひきうけてしまう。その青年が老人に同伴しているのは、老人に話しかけられるのを防ぐためだということがわかった。

そういう不分明（ふぶんみょう）な、どこか漠とした事情がそれからもいろいろと重なったので、その老人は避暑地の前景の中で一種の超人的（エルロオ）な存在になった。もっとも同伴者のほうはまもなく素性がわかった。祖父江光という有名な建築家の長男で、ながらくロンドンにおり、郡虎彦（こおりとらひこ）などのあとで演劇に関係し、早川雪洲（はやかわせっしゅう）の弟子になったとか、巴里のパチエ・ナタンの映画のエキストラをしていたとか、そういう噂がきこえていたが、太平洋戦がはじまる年の春、飄然（ひょうぜん）と日本へ帰ってきたのだとある一人がつたえた。

八月も末に近い霧の深い夕方、二人はいつものようにホテルのバアへやってきたが、老人はバルザックを一杯飲んで先に帰り、祖父江が煙草を吸いながらヴェランダへ掛けにきた。そのときいつもの連中が五人ばかり残っていたが、こういうこともあろうかと待ちかまえていたところだったので、そのうちのひとりが辞令ぬきで祖父江にたずねた。

「祖父江さん、いつもあなたといっしょにいられる、あの立派なご老人はどういうかたなのですか。お差つかえなかったら、われわれにもご紹介ねがいたいですね」

祖父江は薄闇の籐椅子に掛け、もう赤く光りはじめた煙草の火を見つめていたが、まもなく顔をあげるとこんなことをいった。

「たぶんみなさんは、あのあやしげな老人はいったいなにものだと、おたずねになっていられるのだと思いますが、あなたがたのご満足を得るようにするには、あの老人の再生のお話をするのがいちばん手っとり早いようです」

「なるほど、あの老人はこんど公民権を回復した一人だったのですね」

「いや、わたしの再生というのは、墓の下から出て来たという意味です」

「墓というと」

「人を葬る、あの墓のことです」

なんともいいようのない不快な感じに襲われ、みないちように身ぶるいした。ホテルの芝生に霧が川のように流れ、たしかにうすら寒い夕方でもあった。

「黒岩涙香の『白髪鬼』という小説がありましたが、あなたのお話もなにかそんなふうなロマネスクな匂いがしますね」

「あの復讐綺談はわたしも少年のころに読みました。あの話にはこしらえものにつきもののこじつけや矛盾があって、それが一種の救いになっていますが、あのひとの過去には、残念ながらそういうものは一つもありませんでした」

「それで、あの人はいま幸福なのですか」

「たしかに幸福だともいえるのでしょうが、かすかな灯明がいっそう闇を暗くし、伐木丁丁山さらに幽なりで、再生したことがかえって真の悲劇という感じを深くしているようにわたしには思われるのです。わたしは非常に話下手なので、三日ばかり猶予をくだされば、メモをとってきて、それを読みながらくわしくお話しましょう」

と約束して帰って行った。

それから三日後、祖父江は、細かく書きこんだノートを持ってやってきた。それでみなはヴェランダからJ子爵の別荘へ移り、炉辺の安楽椅子に沈みこんでこころゆくまでその話をきいた。祖父江がノートに書きつけてきたのは、次のような数奇な物語であった。

わたしが阪井有高とつきあうようになったのは、今年から数えるとちょうど二十九年前の大正六年の夏のことでした。

まだみなさんのご記憶にありましょうが、左団次の自由劇場以来、われわれの仲間で翻訳劇の私演会を催すことが流行し、近衛（このえ）秀麿（ひでまろ）や三島章道（みしましょうどう）や土方与志（ひじかたよし）などの「芽生座（めばえざ）」がまずトップを切りましたが、大正の終りごろになると、フランスのアヴァン・ギャルド運動に刺戟されてまた新しく勢いをもりかえしてきました。

阪井などはその一方の旗頭で、坪内さんの講義をきくために帝大の法科と早稲田の文科をかけもちしたくらいでしたが、大正六年の夏「ハムレット」の新演出で、日本の前衛運動の最初ののろしをあげようということになり、三カ月の暑中休暇を利用し阪井の別荘に合宿して猛練習をはじめましたが、ハムレットは小松顕正（こまつあきまさ）、クローデアス王が阪井、オフィーリヤが後で阪井の細君となった小松の許嫁（いいなずけ）の西洞院琴子、わたしがハムレットの親友ホレーショーと、まあ大体こういう配役でした。

小松というのはちょっとめずらしい生真面目な男で、じぶんがハムレットをやるときまると、死んだおやじの書庫からエリザベス朝に関する文献をありたけひきずりだし、建築から服飾、工芸品、装身具、食器、料理、作法、狩猟、遊戯というぐあいに、当時の風俗と日常生活の一般を細大洩らさずしらべあげ、そのうえマンツァーメスの「牧詩（エクログス）」「獅子と狐」などというそのころの寓話まで眼をとおすといううちこみかたでした。小松の父は外交官として長らく英国におり、落合の邸は日本でただ一つの純粋なアングロ・ロマネスクの建築で、その書庫は大英図書館と綽名（あだな）されたほど有名なものでしたので、こういうディレッタンティスムを満足させるにはまず十分以上だったのです。

「ハムレット」が書かれた時代のようすが一通り頭へはいると、こんどはハムレットの生国のデンマークの研究にかかり、デンマーク公使館の、ヌルデンシェルトから参考書を借りだし、十六世紀頃の法律、制度、文化、国民的気質、日常生活と、やすむひまなく追求をつづけ、ようやくのことでそのほうが一段落つくと、いよいよ本腰をすえて脚本の解釈にかかり、ダイトンやカッセルの注釈本を参考にして、So とか Such とか That とか、そんな簡単な言葉についてもいちいちアクションをかんがえる。そういうあいだにもウィリアム・アーヴィングをはじめ、ダヴィット・ギァーリック、フォーブス・ロバートソン、ジョン・バリモア、セイッシイとあらゆる名優のハムレットの舞台写真を集め、扮装（ふんそう）とメイキャップの工夫をするというふうにハムレットになりきるために異常な努力をつづけていました。

さっきもお話しましたように、落合の小松の邸はいくつも破風をもったエリザベス朝式の建築で、ポーチには白い柱がならび、バルコンには獅子の紋章を浮き出しにした古風な金具がつき、ダイヤモンド格子の明層窓には彩色硝子が嵌っているというぐあいですが、舞踏室といっている二階の広間はくすんだ色の樫の格天井と黒樫の高い腰板をもった、十六世紀の郷士や護法武士の饗宴場を模倣したものなので、背景とか書割とかいうものをいっさい使わず、そういう様式を生のままむきだしにし、ミッドル・テムプル・ホールの大広間で、シェークスピアがエリザベス女王のために御前演芸をやった、一六〇〇年ごろそのままの幕無しの演出をやり、普通の劇場では出せないクラシックな舞台効果をあげようというのがねらいだったのです。

いよいよ私演会の当日になると、この新演出が評判になって有名な劇評家や一流新聞の記者までつめかけ、予想以上の大成功のうちにたいした穴をあけずに進行しましたが、いよいよ最後の「城内大広間」の場にかかるとまもなく思いがけない事件が起りました。

大詰の五幕二場はご承知のように、「オフィーリヤの兄レーヤーチーズと、ハムレットの決闘、並びにデンマークの王家の絶滅」という悲劇のクライマックスに達するのですが、この場面の装置は舞台正面は樫の腰板をそのままむきだしにし、その両端に対照的についてる大きな窓を隠すために、デンマーク王家の金の摺箔の紋章をつけた、オールドローズの天鵞絨の幕をゆったりと垂らしてあるという凝ったもので、下手の幕に寄せて王座をつくり、ここで王と王妃と廷臣らが決闘の見物をするというのです。

クローデアス王はこの決闘にかこつけてハムレットを殺してしまうつもりで、レーヤーチーズにひそかに毒を塗った剣を渡してあるがハムレットはそんなことは知らない。

一回、二回ともレーヤーチーズがかすり傷を受け、第三回目、いよいよはげしい接戦になり、ハムレットがだんだん上手へさがる。レーヤーチーズがつけ廻し、つづけざまに長手の突きをやる。ハムレットは切先であしらい、幕に背を擦りながら上手から正面へ廻るということになっていました。

わたしはホレーショーの役なので、廷臣と並んで下手の奥に立っていましたが、ハムレットが上手の垂幕のところでレーヤーチーズの長手突をあしらっているうちに、どうしたのか、とつぜんぐっと頭を前のほうへ投げだすようなみょうな素振りをし、よろよろと幕に凭れかかったと思うと、ちょうど幕に呑まれたように、ハムレットの姿がふっと舞台から見えなくなってしまった。

われわれはちょっと度胆をぬかれましたけれども、小松の即興的な思いつきで、芝居をひとつ増やしたのだろうと考えつき、ああそうかと思って笑いながら見ていましたが、どうしたのかハムレットはいっこうに出て来ません。

われわれのほうは笑ってもいいのですが、決闘の相手に消えられたレーヤーチーズのあわて方といったらない。幕のほうへ向って、さあ出て来いとか、隠れるのは卑怯であろうとか、出鱈目なセリフをいいながら、ひとりで暴れていました。そのうちにとうとうもちきれなくなったとみえ、やあやあ、といいながらじぶんでも幕のうしろへ入りこんで行きましたが、すぐ真青な顔で舞台へ飛びだしてきて、「たいへんだァ、小松が死んでいる」とふるえながら幕のほうを指さしました。

もう芝居どころでなく、王も妃も廷臣もいっしょになって上手へ駆けだし、幕のうしろへ入ってみますと、小松は四十尺も下の玄関のそばにうつ伏せになり、頭のまわりの敷石に真赤な血潮が磯ぎんちゃくでもうちつけたようにどろりとねばりついていました。

アングロ・ロマネスクの建築は伸びあがったような高いスタイルにするため、一階ずつ階高をもたせるのが特徴で、二階といってもこれがむやみに高いので、万一にもころげだしたりしないように芝居のある間は絶対に舞台の窓をあけないことにしていたのですが、なにしろ非常に暑い日だったので、うっかり忘れてだれかが開けてしまったものと見えます。小松はそんなことは知らないから、夢中になって決闘しているうちに、われともなく幕に凭れかかったので、そのまま窓からころげだしたというわけなのですが、運悪く窓の下は御影石の車寄せだったので敷石で頭をうち割ってしまったのです。

さっそく近所の病院へかつぎこみましたが、なかなかの重態で、四日ばかりは生死の境を彷徨し、一時ははっきりと絶望と宣告されました。それでもどうやらすこしずつもちなおし、あやうく命だけはとりとめましたが、敗血症脳炎のためにとうとう精神に異常をきたし、郊外のなんとかいう脳病院へ入院したということでしたが、その後、生きているのか死んでいるのかいっこう消息をきかぬようになってしまいました。

すばやく手をうったので、この事件は公にならずにすみましたが、この事件のために気勢をそがれたかたちになり、新劇研究会は解散してしまいましたが、それからしばらくしてから、あるところでこの話が出たとき、その日の見物の一人だった友人が、

「あのとき、阪井のクローデアス王が王座から降りて下手の幕のうしろへ入ったがあれはなにをしに行ったのかね」

と、ふとそんなことをいいました。

「阪井が……それは、どんな時」

「小松のハムレットが幕といっしょによろけるすこし前」

「そして、いつ出てきた」

「ほんの五分ぐらいの間のことだ。レーヤーチーズが幕のうしろへ入る前にもう戻っていた。君は知らなかったの」

「知らなかった」

阪井のクローデアス王の王座は独白をひきたてる関係で客席に近い前舞台の端にあり、そのとなり、つまり舞台に向って斜右に王妃の座があり、それから舞台の奥へ向ってわれわれが三列に並んで決闘を見物している。王のほうへふりむいたりすることもなかったので、阪井が幕のうしろへ入ったことはわれわれは一人も知りませんでした。

阪井が幕のうしろへ水でも飲みに入ったのかとも考えられますが、小松が幕の中へよろけこむ一瞬前、ショックでも受けたようにぎくっと頭をのめらせたことを思いあわせ、なにかみょうな気がしないでもありませんでした。しかしいまおはなししましたように、正面奥の壁は腰板がそのまままむきだしになっているので、舞台を露骨に横切る以外に上手へ行けるわけはないから、阪井が下手の幕のうしろに入ったということが上手にいた小松の墜落に関係があろうとはかんがえられませんが、そのころ阪井はいつもにやにやと薄笑いをし、なんともいえぬ底気味の悪いところがあって、阪井と話をしていると、ときどきなんの理由もなく、ぞっと戦慄を感じるようなことがよくありました。阪井とわたしは友人といってもごく浅いつきあいで、この芝居に駆りだされたという程度の関係でしたので、そんな不快を忍ばなければならぬわけはなく、それとなく遠のいて間もなく交際を断ってしまいました。

わたしが大学に居りますころ、天尾四郎や小酒井などの影響を受けて差異心理学や人格心理学の研究をしているうちにロバックの性格学に興味を持つようになり、本式に勉強するつもりで英国へまいりました。一九二五年の春、二十六歳のときでした。

その後、七年ばかりの間、オールボートについて真面目にやっていましたが、郡虎彦が演出したジェミエの「修善寺物語」を見てから、それに刺戟されてまたぞろ芝居が病みつきになり、舞台美術の研究をしたりアヴァン・ギャルドの私演会に出演したりして遊び暮しているうち、昭和九年の春、阪井が細君の琴子と、そのころ十三歳になった娘の鮎子をつれぶらりとロンドンへやってきました。

阪井とは十年ぶりに逢ったわけでしたが、見ちがえるように福々と肥り、安定したいい表情になっていましたが、性格学の研究で養われた眼で見ると、阪井の顱頂はアッシャーヘンブルグの類別による典型的なアッテーケン型であることに気がつきました。こういう形の頭をもっている人間は、どうしても犯罪を犯すほかに人生の行き道がないという先天的に陰惨な運命を指し示されている犯罪者のアプリオリなのです。これはと思ってそれとなく注意して見ますと、阪井の性格類型はフライエンフェルスのいうC型、知的残忍型というやつなのです。

あまり専門的になることは避けますが、個性の進展というものは、要するにその先祖の一貫した全道程を表現しているもので、血統の上に先祖の影響が強く残っているものなのです。いいかえれば人間というものは長い家族史の梗(こう)概(がい)のようなものなので、いったい阪井の先祖にどういう大悪党がいたのか調べてみたい衝動を感じたほど猛烈なものでした。十六年前阪井と話しているといつも漠然とした嫌悪と恐怖を感じたのは、なるほどこういうわけだったのかとはじめてその理由がわかりました。

ところがおどろいたことには、阪井の細君がまた歴然たる犯罪型なのです。琴子の耳は耳輪の上部が折れ曲っているモーレル氏型耳の典型的なやつで、こういう耳の持主を情緒的犯罪型といい犯罪を情緒で美化して陶酔するという非常に厄介な性格で、いってみればこの上もない好一対の悪夫婦というところなのです。

阪井も阪井の細君ももともと好かないやつらだったのでいよいよ相手にする気もなくなりましたが、そういうことがわかると鮎子という娘の不幸な行末がまざまざと見えだし、かわいそうでたまらないので、ケンシントン・ガーデンやグリンパークへ散歩に行ったりストランドへ映画を見に連れて行ったりしました。翌年の春、阪井の一家は二カ月ばかりの予定で巴里(パリ)へ遊びに行きましたが、なぜかあわててアメリカ経由で匆々(そうそう)に日本へ帰ってしまいました。

それからわたしの生活などはかくべつおはなしするに足るようなことはありません。父が残した資産はもちろん、東京の邸まで売らせて送金させ、欧羅巴(ヨーロッパ)とアメリカの間を意味もなく彷徨してくだらない生活をつづけ、ロンドンの爆撃がはじまるすこし前無一文で日本へ逃げ帰って来ましたが、住む家どころか明日から食う金もないというありさまなので、友人にたのんで青山のさる脳病院の看護夫の口を紹介してもらい、それでようやくひと息つきました。

そのうちに日本の状態が逼迫(ひっぱく)するにつれ、わたしの生活状態も一日ごとに低下し、希望のないみじめな生活を送っていましたが、東京の爆撃がはじまりかけた十九年の十二月の夕方、青山行の電車に乗っていると、わたしの頭の上から、

「お久しゅう、あなた、いつ日本へお帰りになって」とだれかが声をかけました。顔をあげてみると、ヴァジン・ウ

ールのしゃれたスキー服を着た二十二、三の娘なんですが、そのスキー服というのは一九三九年の冬の「スノオ・ファッション」に紐育のマックス百貨店が売りだしたハドソン湾毛布地でつくった「パイン・ツリー・スーツ」という緑色のスキー服の変り型なのです。こういう戦争の最中に、だれも知らないと思って、米国製のスキー服を防空服がわりに着けてとぼけているというのは、相当な娘にちがいないと思い、半ばあきれながら顔を見ていましたが、だれだったのかどうしても思いだせない、そのうちにいらいらしてきたので不機嫌にだまりこんでいると、その娘は、唇の両端をひきさげてみょうな薄笑いをしながら、

「お忘れになって。わたくし、ロンドンでいつもあなたに、べたべたくっついて歩いたあのへんな娘よ。阪井鮎子ですのよ」

そういわれれば、なるほどそうにちがいない。あのころは青んぶくれの見るかげもない貧相な小娘でしたが、どういう飛躍をとげたものか、琴子の若いころそっくりな、まるで研ぎだしたような鋭い美しい顔つきになり、よく動くはしこそうな眼が、日本人にはめずらしい大胆な表情をつくりあげているのですが、せっかくの生気も濃いアイ・シャドーのおかげでだいないしになり、ブゥルヴァルを流して歩く高等内侍の顔の中にある、あのどこか汚穢な感じのまじった一種特別な美しさになっています。ゼーゼマンの主型 Schalk……流動的娼婦型という手に負えない類型をあらわしかけているのです。阪井と琴子の犯罪的因子が合併してこんなふうに鮎子の上にあらわれたのかといささか感慨を催しておりますと、鮎子は落ちぶれはてたようすからわたしの境遇を察してしまったらしく、急に高飛車な調子になって、「いまお困りになっていらっしゃるんじゃないのかしら。そうだったら、あたしたちお助けしてあげられてよ。むかしお世話になったこともあるのですから、ご遠慮には及びませんのよ。これからいっしょに家へいらっしゃらないこと。父も母もおりますから」とそんなことをずけずけというのです。

生意気なやつだと思いましたが、わたしの困りかたといったらないので、むかしのよしみでいくらかでも助力してもらえたらと鮎子にくっついて行くことにしました。

阪井の邸は赤坂表町の坂下にあって、ポーチの薄暗い外灯がぼんやり車寄せを照らしているほか、どこからも灯ひとつ洩れないひどく閉めこんだ陰気くさい構えでした。まもなく阪井と細君が出てきましたが、十一年前にロンドンへ来たころは福々しいくらいに肥っていたのがとげとげと痩せ、流動的な明るい快活さも、充ち足りたような寛闊さもすっかり消失して、学生時代のあの暗ぼったい皮肉なよ

うすにかえっていました。

細君の琴子のほうは阪井と反対に見るから嫌悪の情を催すような不快な肥満のしかたをし、鈍重なそのくせたえず動揺しているような不安定なようすをしていました。阪井はわたしなどになんの興味も感じないらしく、冷淡な気のない応対をしていましたが、そのうちに、

「君は精神病理を専門に研究したということだが、失礼だが、どの程度のものなんだね」とたずねました。わたしは阪井にとりついていくらかでも借りだしたい下心があるので、性格学という学問について、オールポートの人格研究法の十五項……社会的フレームワークによる分析、人相学的研究、とりわけ、その人間が一日に何度笑うかというような各種行為の頻度記録による分析、社会的測定、セレノのいわゆる心理的地誌すなわち友人群や知人群による分析、パターン及び筆蹟研究、行動テスト、特殊反応予想、深層分析つまり無意識行為の分析、自由連想と空想の分析など、素人わかりのするような例をあげて性格研究の特殊方法を説明し、この研究をまとめたいのだが生活が悪いので思うようにならないというと、阪井はこの話に非常に興味を感じたらしく、行動テスト、深層分析のやりかたをいろいろ質問したりしていましたが、「なかなか面白い学問じゃないか。そういうことなら、そんなつまらない仕事をやめていっそ家へ来たらどうだ。洋館の東側の二間を君の書斎と住居に提供するから、生活の心配をしないで落着いて著述を完成させたまえ。できるだけの後援をするよ。鮎子は大学で心理学の勉強をしていたから、君の助手ぐらいはつとまるかも知れない」とそんなことをいいだしました。すると琴子は気質転移をひきおこした乖離病患者のようなめざましい上機嫌になって、

「学問というものの本質はもともと貴族的なものなんでしょう。生活なんかとやりあってせっかくの才能を失落させてしまうのはあたし不賛成よ。ねえ、そうなさい。あたしこころからおすすめするわ」と熱心にすすめだしました。鮎子は鮎子で、いかがわしいほど愛情的なようすでわたしの肩に手をかけながら、

「あなたのお顔、スウチンの『死せる基督』にそっくりだわ。ぞっとするほど陰惨よ。お父さまは助手とおっしゃったけど、あなたはいま助手より看護婦のほうが必要なんだわ。あたくし一日中おそばにいて看護してさしあげてよ。それこそマグダラのマリヤのように毎日『ダッチェス・オブ・ヨーク』で足を洗ってあげるわ。侍女のようにお仕えするわ」とそんなことをいいました。

わたしはあまり人好きのするほうではないし、阪井や阪井の細君が学問のポルテエジュを希望するような高雅な心

情を持っているとも思えません。たったいちどの説明で阪井の一家がどうして急にこんな好意をしめしはじめたのか、極端に利己的な阪井の平素を思いあわせると、なんとなくうさん臭い気がしないでもありませんでしたが、わたしとしては、ただ当面のひどい貧乏からぬけだしたいだけでいっぱいで、深くかんがえもせずに、むしろよろこんで阪井の保護に身を任せることにしました。

そういうわけで、わたしはその翌日からペルチヒ風の贅沢な部屋におさまり、いささか過度な鮎子の奉仕を受けながら著述の真似事をすることになりましたが、見ていると、鮎子というのはいちどこうと独断するとどうしても思想をかえることができない狂信者型で、幻視と幻聴があり意識を凝固させると自在に見神ができるという霊媒者的素質をもったふしぎな娘であることがわかりました。したがって日常の行動にも、常識で判断できないような奇抜なことが多く、とりわけ迷信ぶかいことはたいへんなもので、スプーンの外側に絶対に唇を触れないとか、階段はかならず左足からのぼりはじめるとか、鮎子にとってはそれはいちいち相当な理由があるのですが、そういうあやしげなフレームの中で生活をしているわけですから、愛情呈示の様式もおよそ人間ばなれのしたもので、羞恥とか逡巡とかいう感情は微塵もなく、人前であろうとなんであろうと遠慮なく極端な愛情を流露させるというやりかたなのです。

こういう過敏な娘なので、わたしが著述に熱意のないことをかんたんに見ぬいてしまいましたが、鮎子としてはむしろこのほうが気にいったらしく、それ以来、毎日なにか理由をつけて遊びにひきだすようになりました。阪井は子供の教育ということにどんなルーズなかんがえをもっているのか知りませんが、鮎子のハンドバッグにはいつもびっくりするほどの金高が入っているばかりでなく、非合法的なレストランや秘密のバア、舞踏場、バッカラ倶楽部などをじつによく知っていて、まるで仕事のようにつぎからつぎへひっぱり廻しました。

二月すえ神田へ焼夷弾が落ちた日、二人で逗子のさる家のワイルド・パーティでさんざんに踊り、帰れなくなってその家へ泊りこむことになりましたが、わたしがパジャマに着替えていますと、鮎子が眠りからさめきらぬ子供のような顔つきで入ってきて、

「いまマリウスの霊が来たわ」とぼんやりした声でいいました。

いいわすれましたがマリウスの霊というのはときどき定期的にあらわれて鮎子の運命を予言し、いろいろと助言してくれる親切な霊なのだそうで、これに見舞われると、鮎子はひとがちがったようなしっとりと情味のある娘になる

のですが、その晩もまたそんなふうで、その家のマダムに借りた足まで隠れてしまうようなだぶだぶの白の寝間着（シミーズ・デ・ニュイ）の裾をひきずり、霞んだような眼差で立っているようすは、ちょうど舞台で見る気のふれたオフィーリヤそっくりでした。わたしはまたかと思って、「それではマリウスの霊がなんといったんだい」とたずねますと、鮎子はわたしと並んで寝台へかけながら「あなたの因子とあたしの因子は、一六〇一年の二月十日にどことかで別れたきり、今日まで三世紀も逢わなかったんですって。それできょうの夜十二時までに二人が結婚しなければ、これからまた三世紀も互いにさがしあわなければならないというの。そんなの、あたしいやだわ。なんでもいいからいそいで結婚してちょうだい。十二時までにあと十分しかなくってよ。まごまごしてはいや」というとなよなよ首に手を巻きつけてわたしを寝台へおしたおしました。

こういうわけで二人の関係に悪い深みがつき、阪井の友情を裏切ったかたちになりましたが、阪井も阪井の細君もはじめっから二人の関係を許容しているふうで、とがめだてしないばかりか、むしろ奨励するようなようすさえ見えました。

二人がそういう関係になってから一と月ほどたった四月のはじめのある日、阪井がじぶんの書斎へわたしを呼んでだしぬけにこんなことをいいました。

「祖父江君、君は小松がまだ生きていることを知っているかね」

「小松って、どの小松」

「三十年ばかり前にハムレットをやったあの小松顕正のことだよ」

これはまったく初耳だったので、わたしもおどろいて、

「へえ、それは知らなかった。それでいまはどうしている」とたずねますと、阪井はとぼけた顔で、

「小松が気がちがったことは君も知っているだろうが、それはずいぶんへんなものだったんだよ。意識はとりもどしたが、小松顕正の過去の記憶は、全部消失してハムレットの記憶しか残っていないんだ。追想喪失症と精神乖離症の合併とでもいうところかね、君は専門だからよく知っているだろうが、あれ以来小松は落合の邸で三十年もハムレットになりきったまま生きていたんだ。それで、君にひとつおねがいがあるんだが」

阪井の依頼というのは、なにしろこんな時世だから、出来るなら解放するほうがどちらのためにもいいのだが、奔（ほん）逸（いつ）する危険がないかどうか行ってしらべてくれということなのでした。

小松顕正は端正な容貌と明晰な頭脳をもった秀抜な青年

で、われわれ同年代一般の憧憬的人物だったのです。とりわけわたしなどはひそかに女性的な愛情さえ感じたくらいで、その小松が三十年近くもそんな陰惨な生活をしていたということを聞きますと、なんともいえないほど気の毒になって、解放できるものなら解放してやりたくなりました。

「それは気の毒な話だな。いいとも診てやろう」といいますと、阪井は非常によろこんで、「君にやってもらえるなら安心だ。わけのわからない精神病科の医者なんかにいじくりまわされるのは不愉快だからね。ただ困ることにはあいつは気むずかしくて、医者などはいっさい傍によせつけないから、看護夫の態で住みこんでそれとなくやってもらうほかはないんだが、それも承知してくれるか」

「そんなことはなんでもない」

「それはありがとう。執事の北山にも君を新しく傭った看護夫だということにしておくから、そのへんも含んでおいてくれたまえ」

　翌朝早く家を出てバスで落合まで行き、聖母病院の前の通りを入って行くと、突当りに小松の邸が見えだしました。数えてみますとあれからちょうど二十八年たっているわけでしたが、家の正面がすこし汚れ、車寄せのそばに防空壕が掘ってあるほかなにもかもむかしどおりになっていました。呼鈴をおしますと阪井から電話で通じてあったとみえ、執事の北山が玄関へ出てきました。二十八年前私演会に駆り出され、ポローニヤスをつとめたころのおもかげはどこにもなく、むかしはいかめしかった口髭も長い顎髯も真っ白になって、そのままでポローニヤスの役がつとまりそうなマスクでした。

　北山はわたしを応接間へ通すと仔細らしい顔で経歴などを聞いてから、

「くわしいことは阪井できかれたでしょう。毎日、下手な田舎芝居のようなことをしなくてはならないのでその点馬鹿々しいと思われるでしょうが、それさえ辛抱してくだされば、ここの生活はそう悪いもんじゃありません。検温は二回、隔日に検尿、気質状態を病床日誌に書く……仕事というのはこんなところですが、あなたの前任者はひどく感傷的になって、患者が不当監禁を受けているような妄想をおこし、つまらぬことを隣組へふれまわったり、警察へ投書したり、まるで明治年間の相馬事件のような騒ぎをひとりでやっていましたが、けっきょくI・I（伝染性精神病）になって脳病院へ入ってしまいました。ここの患者はみょうな親和力を持っているので、あなたもへんな魅力にひっかからないように十分にご注意ねがいますよ」とそんな事をいっているところへ、罐から出たてのアスパラガスのような、ぶよぶよと白い、見るからに看護婦じみた二十

五、六の女が入ってきて椅子にかけました。うんと開いた膝の間から派手な色彩をこぼし、だらしない格好で卓に頬杖をつくと、

「あなた、こんどいらした方ね。あたしここでは侍女の役をやっていますのよ。でも場合によってはガーツルード妃になったりオフィーリヤになったり、それはそのとき次第ですわ」というとぞっとするような猥らがましい流眄をつかいながら、

「おわかりになって？　そのときのそちらのご気分次第で、娘にでも年増にでもなりますわ、どうぞよろしく……あたし、綣村愛子……でも、今村と呼んでいただきますわ。だって、ねえヘソムラじゃあまりあけすけですもの……」いかにも可笑しくてたまらないように身体を折り曲げてほほほと笑うと、急にきょとんとして、

「あなたは精神病理をなすったそうですけれど、ハムレットの性格をどうおかんがえになりますの。一般には正義多感な青年ということになっていますけどあれは大嘘ね、たとえば三幕四場で母を責めているとき『いかなるご用あって尊霊にはここへ？』などと口走ったり、なに乱心狂気でない証拠はいま言うたことを一言もまちがえずにいうてみましょうなどと、むきになって正気の強弁をしていますが、じぶんが気狂いでないと抗言する病識欠如はよく気狂いにみられる徴候で、記憶がよく、おなじ言葉をまちがいなくくりかえすことも、ある種の、精神病にはよくあることなのでしょう……シェークスピアというのはみょうな男ね。気狂いを主人公にして、正気の人間を大勢まわりでうろうろさせるなんてずいぶんふざけた趣向でないこと。けっきょくハムレットの悲劇は、気狂いの妄想でまわりの人間がつぎつぎに犠牲になって行く、『狂気の悲劇』とでもいうようなものなのね。いったいあんなものに芸術的な価値なんかあるものかしら。トルストイは三文のねうちもないようにくさしていますが、それはあたしも同感よ。あんな『狂人劇』、真面目になって見てやるほどの代物じゃありませんわ」と意想奔逸なようすでとめどなくしゃべりつづけるのです。

　北山は掌で髯を撫でながら窓越しに庭を見ていましたが、綣村のほうが一段落つくと、ではこれから患者にひきあわせるからと長い廊下の突きあたりの、頑丈な樫の扉をあけて内部へ入り、しばらくここで待っていてくれといって、どっしりと床まで垂れた暗赤色の天鵞絨のカーテンの奥へ綣村と二人で入って行きました。

　わたしは椅子にかけて三十分近くも待っていましたが、いつまでたっても出て来ないので、どうしたのだろうと思ってそっとカーテンをまくって見ますと、その向うは美し

い嵌石の床をもった広い部屋でダイヤモンド格子の明層窓が気持のいい排列をし、左手に側廊を隔てる円柱の列が高い穹窿天井を支え、彩玻璃の薔薇窓からさしこむ春の陽ざしが床のうえに配色図を描いています。正面の奥にはチュードル式の垂直な紋様で飾られた王座があって、脇に獅子の頭を彫刻した背板の高い椅子が一つ据えられてあります。

ふと見ると庭に沿った長い側廊を、ブロンド編髪をやさしく胸に垂れ、レエスの胸衣に鯨骨入りの裳をつけて大きな西班牙の扇を持った少女が、白い長袍に金襴の外衣を羽織った白髪の老人と肩をならべひとのこころをときめかすような優雅な香りを流しながらしずしずと歩いています。

このときわたしの当惑をどういいあらわしていいかわかりません。わたしはこのままエリザベス朝の中へ閉じこめられ、二度と再び現代へ戻ることができないのではないか。そういった得体の知れない不安に襲われて思わず身ぶるいをしました。

ポローニヤスの扮装をした老人は北山で、ブロンドの鬘をつけた少女は要するに綣村だと、わたしはすぐ意識をとりもどしましたが、この東京の一隅、しかもこんな戦争の最中にエリザベス朝の生活がそのまま寛闊に繰りひろげられていようとはさすがのわたしも想像さえもしませんでした。

二人はまもなくカーテンをまくって控室へ戻ってきましたが、壁際に据えた大きな衣裳櫃からタイツ、刺繍のある胴着、赤毛の鬘、尾長鳥の羽根飾の帽子、細身の剣、銀留金のついた爪先の反った妙な靴……そんなものを一揃えとりだしてわたしに着せると、正面奥の王座の前へ連れて行きました。さっき隙見したときは柱の陰になって見えませんでしたが、王座の右手の唐草を彫刻した台座の上に等身大の聖母の像がすこし俯向き加減に立っているのに気がつきました……いやマリヤの像ではない。よく見るとそれは光輪のかわりに花鬘をつけたオフィーリヤの像なので、胡粉で薔薇色に頬を染め、腕の中に菫や紫雲英や苜蓿や、そういうつつましい野の花を抱き、なにかいいかけるように前のほうへすこし首を傾けて立っていますが、それはリュウベンスの描いたあのオフィーリヤの顔ではなく、瓜実顔の優しい眼と眉を持った琴子の顔なのです。

ポローニヤスはわたしを王座の前に残し、左手のクローバ形の扉の前に行って、手に口をあてて、軽い咳払いをしますと扉の向うから、

「何者なればかくしばしば予を訪い苦しむるぞ。ああ人生のわずらわしさ。永久の眠りこそ望ましいわい」という

朧気(おぼろげ)な声がきこえてきました。

まもなく沈鬱な足音がして、黒い絹の短上衣(タブレット)に銀の帯をしめ、三つ重ねの襞衿(ひだえり)をつけた六十歳ばかりの男が、眼を伏せながら謁見室(えっけんしつ)へ入ってきて、しずかに壇を上って王座に掛けました。

それにしてもなんという立派な顔でしょう。運命に忍従しているようなものしずかな眼差、高い知性を示す蒼白な広い額、寛容をあらわすゆるやかにひき結ばれた唇。こうして額に手をあててうつむいているようすはいかにもハムレットらしく、アーヴィングでもバリモアでもこれほどのすばらしい肉体化は出来なかったろうと思われたほどでした。しかし、まだ五十四歳でしかないのに鬘の下から房のような異常白髪がのぞきだし、眼にはもう老人環(ろうじんかん)が出来、この二十八年の歳月は小松にとってどんなすさまじいものだったか雄弁に物語っていました。

ポローニヤスは慇懃(いんぎん)に進みでて、

「殿下、ローゼンクランツがまいりました」とせりふもどきにやりますと、ハムレットはつと眼をあげてまじまじとわたしの顔をながめてから、第二幕第二場の台本どおりに、

「ああ、さてさてなつかしい。どうじゃローゼンクランツ、よい景色かの？」とたずねました。わたしもすぐ、

「まず世間並でござります」と調子をあわせますと、ハムレットはじっと眼を見すえたまま「時に友達ずくで遠慮なく問うがこのエルシノーアへはなにしにお来やった？　両陛下からお使いを受けたのであろう？　自身の好みか？　全く任意の訪問か？　さ正直に言やれ」としみだすような声でいいました。

これは第二幕第二場のセリフどおりにちがいないですが、阪井の意をうけてやって来たことを見すかされたようで、ちょっと返事にこまっていますと、小松はすぐ追いかけて、

「こりゃ、ローゼンクランツ、友たるの信義、幼い折の交りを思わば包まず真直ぐに話してくれ。お迎いをうけたのか、どうじゃ」

わたしの思いすごしかも知れませんが、小松はわたしを見知っていて、わたしがこんなところへやって来たのを不審に思いはじめたのではないか。芝居ならここで連れ立ってきた相手に、どうしたものであろうと相談するところですが、そういう相手もいないので「お迎いを受けましたのでござります」と正直にこたえました。

次の日から廷臣またはローゼンクランツとして近侍(きんじ)の生活がはじまりました。午前八時に土製水瓶(アルカザス)と足付杯(キアリース)を持ってハムレットの寝室へ行きます。これは洗面と含嗽(うがい)の水なのですが、そのとき部屋の隅にある香炉(キヤサレット)に竜涎香(りゅうぜんこう)を投げいれる。そこへ侍女が朝食を運んでくるのでそれを受け

取って、食卓をこしらえハムレットの食事が終るまで傍に立っていて〝蠅追い（シャッス・ムッシュ）〟で蝿を追う真似をしなくてはなりません。

　木皿に盛った蒸パンに野菜を添えた簡素な朝飯をハムレットは手掴みでやり、汚れた指先を木椀（ジャツト）の水で濯（すす）ぎ、その水を飲みほしてナフキンで丹念に唇を拭うと、これで朝の食事が終ります。食事が終ると小松は謁見室へ行き、オフィーリヤの像の下に跪（ひざまず）いてなにか長々とお祈りをする。そのあとは書見をするために居間に入るか時には庭へ散歩に出かけます。これだけのくりかえしですが、小松の頭脳機質は雨にはもっとも清明し、曇天の日はこれにつぎ、快晴の日はいちじるしく快戯（かいぎ）性を帯びてきて終日落着かず熟慮困難の症状をあらわすようでした。

　いろいろ観察するところ、はなはだしく空想に耽（ふけ）るとか、異常軽率、衝動行為や感情のいちじるしい転換もなく、強迫観念や幻覚に襲われるようなところも見られず、ときどき軽度の偏頭痛を訴え言葉がはじまるのが遅いようですが、言語障碍（しょうがい）は認められませんでした。

　そのうちにわたしには小松が精神病の雑多な症状群を連絡もなく模倣していることに気がつきました。いったい精神病の症状は互いに有機的なつながりを持ちながら非常に明瞭な群をつくるのですが、小松の症状を見ると、興奮はあるが躁陽病（そうようびょう）に来るべき爽快、意志奔逸症を欠き、また緊張病のような不自然行為や衒奇（げんき）症状を持たず、ことさら指南力を欠くような真似をするので、かえって真の疾病（しっぺい）でないことをさとらせるのです。ときには妄覚病の真似をしますが意識は非常に清明で、その上全部の症状を真似することができません。また当意即答症のような真似をしますが、緊張病者のような奇抜な答えでなく、感情と意志の障碍はすこしも認められないことです。

　こういうところからかんがえますと、小松は発狂して精神病院に入院した看護夫の狂態を仔細に観察し、そのまま上手に模倣しているのではないか、精神病学の通俗な知識を得たいにも、そんな本を手に入れる手段も機会も小松はまったく持っていないからです。

　しかし現代の精神病学はＳ・Ｍ（佯狂（ようきょう））というものの存在を疑い、気狂いの真似をするようなものはすでに病的性格者だとするのが定説になっていますので、模倣だと思っていることも案外本物かもしれずそのへんの決定はなかなか困難でしたが、それから一週間ほどのち、わたしが例のとおりハムレットの書見の側に近侍して蝿を追っていますと、ハムレットはマンツァーヌスの「牧詩（エクログス）」を読みながら奇妙な身振りをしました。

　これは小松の愛読書の一つなのですが、この日もなにか会心の章句にゆきあたったらしく、低い声で朗誦しながらしきりに頁を繰っていましたが、ふと見ると、右手の人差指と中指がちょうど胃袋のあたりで律動的に動いているのに気がつきました。わたしもはじめなんの気なしにながめていましたが、そのうちにとつぜんある連想が喚起（かんき）されました。それはわたしの知人の中に、書見に熱中するといつもチョッキの胸の時計の鎖を律動的に弄（いじ）る癖のあること、そうしてこういう偶然行為をするひとをあげようと思えば、わけなく幾人でもあげることができることです。わたしを刺戟したのはつまりこの記憶なのです。ハムレットの短衣（タブレット）の胸に打紐の細い肋骨（ろっこつ）がついて、ハムレットはそれを律動的にいじっているのですが、その打紐は、この場合、観念内で時計の鎖の代償をしているのではないかということです。ハムレットが時計の鎖をいじる……ハムレットのように現代の記憶を喪失した乖離性追想喪失症には、これは絶対にありえないことなのです。わたしはこの点に非常に興味を感じたのですが、これは症状行為なのか、偶然行為なのか、それとも単なる痙攣（けいれん）運動なのか、習慣的なものか孤立的なものか……これだけではいかなる決定をも与えることができませんが、しかし、ひきつづいて起った次のような事情がこの疑問に明確な方向を与えることになりました。

それから二日ほどのち、わたしはハムレットと夕暮の窓際で将棋（チエス）をさしていました。そのうちに窓の外は、おいおい薄蒼く暮れ、将棋盤の上がおぼろげになって来ましたので、わたしは呼索（よびづな）をひいて燭台を持ってこさせようと思っているとき、ハムレットは熱心に将棋盤を見つめながら傍の小卓のほうへ斜に右手をのばし、しきりになにか探るような真似をしました。

それがなぜわたしの注意をひいたかといえば、それはちょうど卓上の電気スタンドのスイッチをさぐる指先のように見えたからです。その小卓の上には丸い笠で蔽われた青銅製の聖龕（ジャーツス）が置いてありますが、その形はわれわれの書机の上にある青銅製の電気スタンドにじつによく似ているのです。

定型性偏執狂の観念内にエリザベス期と現代とが併存（へいそん）するはずはないから、これがもし電気スタンドのスイッチをさがす動作だったら……つまりハムレットの Vergreifen（やり損い）だったら、ハムレットは完全に治癒しながら、なにかの必要があって気狂いの真似をしていたのだと思うほかはないのです。

わたしはいろいろかんがえたすえ、簡単なしかし非常に効果的なちょっとした実験をしてみせました。それは小松の放心状態のとき唐突（とうとつ）に年齢をたずねるという実験です。

これにたいしてわたしは二様の返事を予期していました。つまり、二十六歳と五十四歳……二十六歳というのはあの不幸な事件のあった年齢で、五十四歳のほうはハムレットの現在の年齢です。小松がもし二十六歳とこたえれば、小松が非常に用心深い、もしくは依然として記憶中断の状態にあるとかんがえてよく、反対にもし不用意に五十四歳とこたえれば彼が詐病(さびょう)者であることを示すわけです。

わたしはハムレットの返事に興味と期待をかけていましたが、意外にもハムレットは全然わたしの予期を裏切って、四十四歳とこたえました。これによってわたしはハムレットの精神病はすでに十年以前に自然治癒していたのではなかろうかとかんがえるようになり、そういう意味のことを手紙で阪井へ報告しますと、翌日、阪井からすぐ来るようにという電話がありました。

出掛けて行ってみると阪井はいらいらしたようすで書斎に待っていて、わたしが椅子にかけるかかけないうちに、

「君の報告は読んだ。小松の気狂いが癒(なお)っているのではないかという疑念は、おれも早くから持っていたんだ。最初に感づいたのは北山ですぐ巴里へ電報をうってよこした」

「どんなことがあったんだね」

「小松がひと晩のうちに白髪になってしまったという電報だった」

「それであの時あわてて日本へ帰ったというわけか」

「そうだよ。しかし正気になったものなら訴訟でも起して正当の権利を主張するのが当然で、気狂いの真似をしてとぼけていなければならないわけはないんだからね。それでそのままずっと変化がなかったんだが、去年の暮、君が家へ来るすこし前、鮎子がとつぜん霊感をうけた。やはり小松は癒っていて、われわれに復讐する機会をじっと待っている、とそういう見神なんだ。知っているように鮎子の霊感は的確だからね。それでおれが行ってようすを見たが、どうもよくわからない。そこへいいぐあいに君が飛びこんで来てくれたので、君に診察を依頼したというわけだったんだよ。ともかく、小松が癒っていることは事実なんだね」と早口にまくしたてました。

わたしは学問的な興味で、深くもかんがえずに阪井へ報告したわけでしたが、阪井のクルエルな人相を見ているうちに、これは下手なことをすると小松の運命を悪く変えることになるかも知れないと急に不安になって、

「ちょっと待ってくれ。そうかんたんにきめられてもこまる。あんなものは報告でもなんでもありはしない。エッセエぐらいのところだ」というと、阪井はそっぽを向いてなにかかんがえていたが、急に振り返ってじろりとわたしの顔をみると、

「なにかおれに隠していることがあるんじゃないのか。君がもしそういう態度をとるならわれわれの仲はおそろしく気まずくなると思うんだが」

「それはどういう意味だい」

「どういう意味？　とぼけてはこまる。君は性格学の大家なんだからおれがどんな人間かよく知っているはずだ。隠すには及ばない」

「そんなことをいうところをみると、やはりあのとき君が小松をやったんだね。小松が幕の中に倒れこむ前、ぎくっと頭をのめらしたが、つまりあれは幕越しに棒かなにかで小松の頭を叩いたんだろう。それにしても、どんなふうにして下手から上手へ行ったのだ」

「わけないさ。窓の外に、人が一人通れるだけの蛇腹（パラペット）が廻っている。みなが決闘に夢中になっている間に下手の幕のうしろの窓から出て上手の窓から入り、ハムレットが幕へ凭（もた）れるのを待っていたんだ」

「小松の財産をとるつもりで、はじめから計画してやったことだったんだな」

「そうだよ、相当長く研究した。あんな馬鹿が五百万円の財産と美しい許嫁をもち、おれのような優秀な人間がただの千円の資産もないというのはどうかんがえても不合理だからね。それにあいつは本さえ読んでいればいい男だが、おれは遊ぶことと贅沢がすきだからいくらだって金がいるんだ」

「すると琴子さんも同腹（どうふく）だったんだな」

「もちろんそうだ。王妃の椅子は王座のすぐとなりにあるんだから、琴子が同腹でなければあんな芸当ができない、小松は知らなかっただろうが、われわれはあの事件の一年も前から関係ができていたんだ」

「それで、いったいおれになにをしろというんだ」

「話が早くていい。つまりさ、気狂いがほんとうになおっていたら、君の手でうまく小松を始末してもらいたいんだ。あいつに財産返還の請求をされたらわれわれはその翌日から無一文にならなければならない。それではまったくやりきれないからね。弁護士だの弁理士だのというるさいやつが近づかないようにこの二十八年ずっと北山を見張りにつけてあるが、どんな方法で外部と通信しないともかぎらないからね。どうだ祖父江君、やらないかね。条件はいいんだぞ。財産の五分の一はだまって君にあげる。もちろん鮎子もやる。そのへんで手をうたないか」というのです。

わたしはゆるしがたい気持になって、

「年をとって無精（ぶしょう）になったな。二百人もの見物を前において手際のいいところを見せた君なんだ。おれなんかに頼むよりさっさとじぶんでやったほうが楽だろう」といいます

と阪井はせせら笑って、

「おれは小松の頭を叩いたが、突き落したおぼえはない。小松がひとりで落ちていったんだ。そのへんのところを誤解のないようにたのむ。いったいおれは良心の力を信じるから人殺しだけは絶対にやらないことにきめている。盗人も割に合わない商売だが、世の中の人を殺すぐらいくだらないことはない。どんな仕事でも人殺しの苦い味がつくとたちまち趣味が下落してしまう。おれは快楽のために小松の財産をとったのだから、じぶんでたのしみを半減させるような馬鹿はしないのだ」

　阪井はむかしから均衡のとれた常識をもち、どんな場合でもけっして昂奮しないことはわたしも知っていましたが、これほど徹底した悪党だとはその日までいちども考えたことはなかったのです。

「人殺しは、いつも他人にやらせることにきめておけば、君の良心は終生痛まない理屈だが、すこし虫がよすぎはしないかね。君のほうはそれで都合がよかろうが、おれのほうは浮かばれない。おれにだって良心のかけらくらいはあろうというもんだからな」というと、阪井はゆっくりと葉巻の灰を落しながら、

「祖父江君、落着いてよくかんがえてみたまえ……いったい生きているより死んだほうが幸福だという種類の人間はたしかにいることはいるんだ。ことによれば当人ももう生きていたくないと思っているのかも知れない。ただ勇気がないばかりに自殺することができないんだ。助けてやる気はないか。しかし、君がいやなら北山がやる。そのほかにだってやりたいやつはいくらでもいる。場合によれば琴子だって一服盛るぐらいのことはやってのけるさ」というと急にわたしの手をとって、「祖父江君、鮎子がかわいそうだ。あいつはほんとうに惚れている。出来るなら君にもらってもらいたい……しかし、いくら鮎子がかわいそうだからといって、いつ敵に廻るかわからないような人間のところへたった一人の娘をやる気はない。おれが君にハムレットを殺せというのは、君でなければハムレットを殺せないというのではない。君もおれのような弱味を持ってくれといっているのだ。舅（しゅうと）を脅（おびや）かすような出過ぎた真似をしないように、君もひとつ泥にまみれてくれというのだ……返事はすぐでなくてもいい。まあ明日までゆっくりとかんがえてもらおう」

　といいたいだけのことをいうと、のっそり書斎から出て行ってしまいました。

　それから三日ほどのち、ハムレットの居間の書棚を整理していますと、そのうしろの壁に丹念にナイフで彫りつけたみょうな数字を発見しました。

0|2|35

数字だけではなにごとも説明してくれませんが、数字の頭についている符号を見るとこれはなにを意味するかわけなく了解されるのです。ご承知のことでしょうが、このみみずのような形のものはエジプトの古代生理学で「大脳」をあらわす記号だからです。

ハムレットの精神錯乱はすでに十年前に自然治癒していたことはこれでもう疑う余地のないことになりました。つまりハムレットは一九三五年の二月中に正気にかえり、記念のためにその日付を彫りつけておいたのです。日数のところが0になっているのは、何日から正気だったのか日の境界がじぶんにもはっきりしなかったためでしょうが、いろいろの事情からおすと、ハムレットの意識の目覚め……正覚(しょうがく)は夜中から朝までの間であったろうと思われるふしがあります。

ハムレットの正覚は厚い雲の中から月が顔をだすように非常に徐々に緩慢(かんまん)に進行して、正常な自意識に到達するまでには相当な時間がかかったのでしょうが、意識が正常の閾(しきい)に達したとき、ハムレットはタイツを穿(は)いて剣をさげているじぶんの阿呆なすがたに気がつき、意味をつかめずに茫然としていたにちがいありません。さてその時期がすぎ、この疑問を解決するためにたいへんな努力をしたのち舞台でレーヤーチーズと決闘した私演会の記憶をたぐりだし、じぶんはその日のまま相当に長い年月の間気がちがっていたらしいということ、だれかが幕の向うから強く頭を叩き、それが狂気の発端になっているということ、じぶんはいまもなにか容易ならぬ危険の中にいるのだということ、そうして事件の真相を十分に見きわめるまでは突然の正覚をひとにさとらせぬほうがいいというところへ到達したのでしょう。ハムレットの正覚が夜中から朝までの間にはじまったであろうというのはつまりはこのことなので、これが昼だったら敵にたいする身構えができないうちに北山にいろいろな質問をし、相手にはっきりと正気をさとられてしまったろうと思われるからです。これはハムレットの運のいいところで、同時にまたハムレットが非常に沈着で冷静だったことを証拠だてています。

こうしてハムレットは、北山と綣村(へそむら)のちょっとした会話から、看護夫の不用意なおしゃべりから、長い間忍耐強くすこしずつ材料を掻きあつめ、組みたて、けっきょく阪井がじぶんの財産を横領し、狂するばかりに愛していた琴子さんを奪うために、こういう境遇へつき落した、この事件の惨憺たる事情をはっきりと見きわめることができたのでしょう。

ハムレットにとって正覚はよろこびではなく、苦い、索漠たるものでした。覚醒してみると、じぶんはもう四十四歳……財産も愛人も叔父にうばわれ、体力は衰え、能力は退化し、人間並の生活をすることさえおぼつかないのに、友もなく知人もない孤独無力なじぶんが阪井を相手に争うなどということはかんがえるさえ無意味であるばかりか、じぶんが正気になったと知ったら阪井はたぶん生かしてはおくまいが、じぶんが気狂いであるかぎり、生活と生命の心配はない。もうどうすることもできない。北山や綣村を相手にして気狂いの真似をしながら生涯を終ることにしよう……この諦観に達するまでにハムレットはどれほど懊悩したことか。一夜のうちに白髪になったというのはたぶんこのころのことだったのにちがいありません。壁に彫りつけた日付の彫の深さを見ているると、この数字の一つ一つにどれほどの涙が滴ったか、そのときの小松の悲嘆と苦悶のさまが目に見えるようでした。

それからまた二日ばかりたった夕方、いつものように夜の水瓶を持ってハムレットの居間へ行きますと、ハムレットは窓ぎわの書見台で立ったまましずかに読書していました。だんだん暮れかけてきて蒼茫たる夕闇の中にハムレットの顔と本の頁だけがくっきりと白く浮きあがり、詩人的な風格をもった憂鬱な横顔にあるかなしかの余光が戯れていました。それにしてもこの男はなんという穏やかな眼差をしているのでしょう。小児の眼のように無心で、修道僧のそれのような限りない忍辱の影を宿しています。財産も、愛人も、この世のさまざまな愉楽も、人間としての権利も不当不条理に剝奪され、かつて前例のないほどの道化た待遇を受けながら、悶えもせず、嗟嘆もせず、見るからに閑寂な生活を送っています。わたしは小松のそばにいると、精神が高められ、魂が浄められるような清々しい気持になることをすこし以前から感じていましたが、この立派な立像をながめているうちに、いったいそれはなになのか、北山がみょうな親和力といったものの正体がぼんやり摑めるような気がしました。

水瓶を側卓の上に置き、夕食の仕度をするためにひきさがろうとしますと、ハムレットがだしぬけにこちらへふりむいて、「のうホレーショー」とわたしに呼びかけました。わたしはおどろいて、

「これはしたり、御前、手前はローゼンクランツにござります」というとハムレットは首をふって、

「いやいや、おぬしはホレーショーにちがいないよ。よほ

ど以前、演劇を演じた折、おぬしをホレーショーと呼んだおぼえがある。はて、おぬしは忘れたか」

こんなことをいうと、じぶんの正気を自白しているようなものなので、小松にとって、これほど危険な表現はないわけなので、小松ほどの周到な男が、どうしてこんな不用意なことをいいだすのかとわたしはむしろ当惑して相手の顔を見ていますと、ハムレットはなんともいいようのない優美なしぐさで、

「ホレーショー。おぬしこそはわしが交際ろうた人のなかの真の君子人じゃ」

「はて、これは」

「ああ、いや、追従とばかし思うまい。わしのこの心が物を選りわくる主となって、人の性を能く見別くるようになってからは、おぬしに無上という印を捺した」

シェークスピアの「ハムレット」では、ホレーショーはハムレットのこの世のただひとりの味方、心の友、無二の親友として登場するのですが、これはわたしにたいするハムレットの心からの信頼と愛情の表現だと感じ、孤独の悲哀の海に漂流しながらわたしに手をさしのべるこの不幸な男を、どんなことがあっても見捨てまいとこころに誓いました。

いままでは鮎子の愛情にひかされて、阪井の悪事に黙会しているような気味合いもないではありませんでしたが、こうなった上は敢然と阪井と決闘するほかはなくなりました。裏切りを宣言した瞬間からわたしの生命はたちまち危険に瀕するわけですが、阪井の扶持から離れるとたちまち無一文になってしまうこのわたしが、廃人同様の男を抱え、どういう武器で阪井を斬り伏せるのか、しかし、なにがなんでもやりぬくほかはないと、夕暮の窓に佇みながら心はむらむらと燃えたつばかりでした。

その翌日、夕方の六時ごろ、阪井からすぐ来るようにという電話がありました。たぶんこの間の返事を求めようというのでしょうが、阪井に決闘を申しこむにはちょうどいい機会だとすぐ赤坂へ出かけて行きますと、阪井は琴子と鮎子の三人連れでついさっき落合に行ったという挨拶なのです。

かんがえてみると、阪井ほどのやつがいつまでも便々とわたしの返事を待っているはずはない。わたしをハムレットからひきはなしたのはいよいよ今日なにか直接行動にとりかかろうというのにちがいない。あわてふためきながら落合へとってかえし、急いでハムレットの居間のほうへ行きかけますと、クローデアス王に扮装した阪井が琴子の妃と鮎子のオフィーリヤをつれて長い廊下のむこうから戻ってきてわたしのそばまでくると、

「祖父江君、君を待っていても仕様がないから、われわれだけできょうつまらない実験をやってみたのだよ」と含んだようなことをいいました。話を聞いてみると、鮎子は年も顔も身丈も、私演会のころの琴子とそのままなので、だしぬけにハムレットに逢わせて、動揺させて正体を見あらわそうというのだったのです。鮎子が春の霞のような白い寛衣(ブザン)の裾を長々とひき、手に野草の花束を持ち、ちょうど王座のそばのオフィーリヤの等身像そっくりな扮装をしているのは、なるほどこういうわけだったのかとはじめて了解しましたが、阪井の不機嫌な顔をみると、この心理試験はたいして効果をあげず、けっきょくのところ、またしてもハムレットの智力の勝利になったのだと推測され、なんともいえぬほど痛快でした。阪井はいくらかまじめな顔つきになると、

「祖父江君、おれは君のやりかたに非常に腹をたてているんだよ。なぜそんなに感傷的になるのかしらないが、くだらないことをかんがえずに、おれがいったとおりにやりたまえ。もう一度だけ君にチャンスをやる」とそういうと琴子と二人で本館のほうへ行ってしまいました。鮎子は花束の匂いをかぎながらじろじろとわたしの顔を見ていましたが、「ねえ、ハムレットは正気なの狂気なの。たったひとことでいいからいってちょうだい。ね、ね」といってわたしの首に手を巻きつけました。わたしは相手にする気もなく、「そんなことはマリウスの霊に聞け」とつっぱねますと、鮎子は案外平気な顔で、「そんならそれでもよくってよ。あたしトリックを使って、かならず尻尾をつかまえてみせるわ」というと、寛衣(ブザン)の裾をひきずりながらゆうゆうと行ってしまいました。

鮎子のトリックというのはどんなものか見当がつきませんが、阪井の一家が落合へ泊りこんでいる間いつどんなことをするかまったく油断がならないわけなので、わたしはじぶんの部屋へ帰ってひと眠りし王座の高い背板のうしろに隠れて監視しているうちに、ちょうど夜の一時ごろ、ハムレットが影のように謁見室(えつけんしつ)へ入ってきて、オフィーリヤの等身像の下にうずくまっていましたが、

「おれはいったいどういう星の下に生れたのだろう」とつぶやくようにいうと、さすがに感傷にたえぬらしく、沈んだようすで居間へ帰って行きました。

小松ほどの沈着な男でもやはり取り乱すこともあるのだと思い、やるせない気持で王座の背板を撫でていますと、オフィーリヤの像が微妙に身ぶるいをしはじめました。おどろいて見ているうちに、白い裳(もすそ)がひとゆれゆらりとゆれたと思うと、すらすらと台座から降りてきてわたしの前へ立ちはだかり、

「とうとう聞いてやったわ」

　というなり、とつぜん身をひるがえして本館へつづく廊下のほうへ駆けて行ってしまいました。

　鮎子がトリックといったのはつまりこのことだったので、オフィーリヤの像の代りにじぶんが台座の上に立っていて、深夜のハムレットの行動をこっそり見てやろうということなのでした。

　わたしはあっけにとられて廊下のほうを見やっていましたが、いまならまだなんとか運命のずれを食いとめる方法もあると思い、急いで本館へ行ってみますと、鮎子は酒棚の前で立ったまままちびちびとヴァイオレットを飲んでいました。わたしはつとめておだやかな調子をつくりながら、「やられたね、おれの負けだよ、もう観念した」といいますと、鮎子はにやりと笑って、「こんなことをするのも、あなたとお別れしたくないからなのよ。こんなにまで惚れてしまったあたしを、すこしはかわいそうだと思ってちょうだい」

「思うよ」

「なんといっても、あたしははっきり見とどけてしまったんですからあなたも観念して、父のいうとおりになってくれない。わたしからはなにもいいませんから、あなたいいぐあいに報告して機嫌をとってちょうだい。父に逆らうことだけはやめなさい。あなたが死ぬのを見るのはいやよ」

「だから観念したといっているじゃないか、よくわかった。君のいうとおりにしよう。これで話がきまったんだから、おれにも一杯くれないか」というと、鮎子はうまい手つきでフィーズをつくってわたしの前へ置きました。

　わたしは鮎子と別れると、鮎子のいうことなどを信用して安心していたらどんなことになるか知れたものではない、ともかく今夜のうちにハムレットを連れて逃げるほうがいいと思いながら謁見室の入口まで来ると、どうしたのか急に耐えがたい倦怠を感じて壁に凭れたと思うと、そのままずるずるとそこへ崩れおち、そのとき空襲警報のサイレンを聞いたと思いましたが、それっきり意識を失ってしまいました。

　それからどれほどたったのか、ふと眼をあくと、わたしはさっきのまま座に向いた謁見室の入口の側廊（アイル）に倒れていて、眼も見え、耳も聞こえるのですが、全身が痺（しび）れたようになって身動きすることも声をだすこともできません。どうしてこんなことになったのだろうとかんがえつめて行くと、さっき鮎子がいきなり駆けだしたのは、当然わたしが追いかけてくるのを予想して酒棚の前へおびきよせ、余計な手だしができないような状態で転がしておくために、たぶんマンダラゴラかなにか、そういった種類のものを盛ったのだとわかりました。

わたしは文字どおり手も足も出なくなって、丸太のようにぶざまに寝ころんだまま漠然と天井をながめていましたが、謁見室に人のけはいがするようなので眼をうごかしてそのほうをながめますと、ハムレットが王座に坐り、その下に阪井と鮎子と琴子が会議でもするように影のように黒々と掛けているのが見えました。なにがはじまるのだろうと耳をたてていますと、長い沈黙ののち阪井の声で、

「君の不幸は宿命というもので、君が生れたとき、すでに身につけて来たものなんだよ。おれという人間がどんな力を持っていたって、こうまで完全に君を不幸にすることができるもんじゃない」

「おれにしたって君にそんな力があるとは思っていない」

「わかってもらえば幸福だが、君とわれわれの一家は、とうてい両立しない星のめぐりあわせになっているんだね。どうせいままで君は不幸だったのだから、ついでにもうすこし不幸になって、われわれの一家が安心して生活できるようにしてくれないかね」

「どうすればいいんだ」

「君がもう一度気狂いになってくれるといちばんいいのだが、それができなかったら死んでくれるわけにはいかないか」

「僕は財産なんかに未練はないから、とりかえそうなどと思っていない。それは誓ってもいいのだが、それではいけないのか」

「それではやはり困る。いつ君の気持が変るかわからないし、安心できるわけのものではなかろうじゃないか」

「ではどうしてもおれを殺すというのか」

「とんでもない。おれにしろ、琴子にしろ、また鮎子にしろ、君を殺そうなどとかんがえている人間はここには一人もいない」

「どうもよくわからない」

「じぶんで死んでもらいたいといってるんだよ。それも、血だらけになったり、われわれの眼の前で苦悶したり、このへんへ死骸を投げだしておいたりしてはこまる。贅沢をゆるしてもらえるなら、なるたけ美的にわれわれにすこしの悪い印象も残さないように、消えるように死んでもらいたいんだ」

「そんなうまい方法があるのか」

「わけはないさ、君がじぶんで防空壕へ入って、『おれはもう死んだ』と中から声をかけてくれ。そうすれば、われわれ三人はよろこんで君の墓に土を掛けるお手伝いをする。君の注文どおりに、丸くでも三角にでも好きな形に土を盛ってあげる」

「防空壕が墓になるとは、戦時らしい趣向だね」

「あの防空壕は君の墓のつもりで掘ったのではない。そういう事情はその後に起きたものだ」

「もしおれがいやだといったら」

「君はいやだとはいうまい。この戦争の成行きから見て、君のような状態で、これからさき生きのびると、いよいよ不幸を深めるばかりだということを、君はよく知っているからだ」

「それは君のいうとおりだ」

「わかってくれてありがとう。小松君、おれは君の墓をつくり終ったら、不幸な君の一生に心から同情できるようになるだろう。おれと君ほどの悪因縁はこの世にすくないだろう。おれは涙が出るよ」

　すると琴子の声で、

「顕正さん、あなた死んでください。おねがいするわ」

　こんどは鮎子の声で、

「あなたが死んでくだされば、いちばん幸福になるのがわたくしなんですから、生きているかぎり、いつも思いだして感謝するわ」

「こうなると、なんだか死ぬことも楽しくなってきた。では死のう」

「ようやく決心してくれたか。急がせるようで悪いが、もうまもなく二時だ、そろそろとりかかってくれないか」

「死ぬ前に、この道化た服をぬいでさっぱりしたいもんだ。背広はないかね」

　琴子の声で「そのへんに北山のスーツがあるはずよ。探してくるわ」

　まもなく鮎子の声で、「よくお似合になってよ。お若くなったわ」

「ありがとう。じゃ、行くよ」

「いいころにわれわれが行く」

　小松が硝子扉(ケースメント)をあけて庭へ出て行きました。それから十分ほどすると阪井が、「おい、ショベルは出ているか」とたずねますと、琴子の声で、

「ええ、三本出してあります」とこたえました。「もういいでしょう。そろそろまいりましょうか」

「ああ、行こう」といって一本ずつショベルをかついで庭へ出て行きましたが、防空壕のそばへ行くと阪井が大きな声で、

「小松君、君はもう死んだかね」と声をかけました。防空壕の中から、

「ああおれはもう死んだよ」

　と小松の返事がかすかにきこえました。

　駒込のほうでうなっていた編隊の爆音がだんだんこちら

へ近づいてきましたが、三人はそんなことには頓着なく、せっせと防空壕の中へ土を投げこみはじめました。薄月の光を浴びながら影のように動いている三人の姿はまさにこの世のものとは思われませんでした。そこへ防護団の制服を着た連中がどやどやと駈けこんできました。

「阪井さん、小滝橋のあたりへ爆弾が落ちました。あぶないから気をつけてください」

「ご苦労様、これが終ったら待避します」

防護団の連中はなんということなくそこへ立って三人のすることを見ていましたが、現在じぶんたちの眼の前で、こんな残忍な埋葬が行なわれていることに、一人として気がつくものはありませんでした。わたしは側廊に寝たまま大きな声で、

「そこでいま人が埋められている」と叫ぼうとしても声がでないのでした。

ちょうど午前二時だった。壁煖炉の薪は勢いよく燃え炉辺のひとの顔を赤く染めあげた。窓のそとには濃い霧が流れ、庭の桃葉珊瑚の黒い枝が水に洗われるように見えたり隠れたりした。J伯爵がいった。

「阪井のひどい最後は、わたしも聞いて知っています。摑み裂かれたように、股から真二つに裂けて死んでいたそうですね。それでハムレットはどうなったのですか」

「防空壕のそばへ爆弾が落ちると、爆風と地動で土盛が崩壊し、ハムレットが中からとびだしてしまいました。お前はまだ死ぬ必要はないといって、いったん受け取ったものを地獄の番卒が投げかえしてよこしたといったふうでした」

「わたしはそう感じたのですが、このお話にはたぶんに宗教的な味がありますね。『黙示録』の現代訳といったようなー」

祖父江は微笑しながらうなずいた。

「……さて、神は大いなる魚を用意してヨナを吞ませたまえり、という章句は美しいですね。摂理というものは、機械の組織のように、抜目なく出来ているものだと、わたしもこのごろ信じるようになりました。ただし地獄がハムレットを投げかえしてよこしたことは、ハムレットにとって、幸福なのか、不幸なのかわたしにはまだわかりかねています」

【解題】

久生十蘭　ひさお・じゅうらん（一九〇二―一九五七）

●底本

『久生十蘭集　怪奇探偵小説傑作選3』（ちくま文庫／二〇〇一年）

●初出

「新青年」一九四六年十月号

●資料　都筑道夫「久生十蘭『刺客』を通じての試論」（一部引用）

《久生十蘭は、戦後まもない昭和二十一年十月号の〈新青年〉に『ハムレット』という短篇を発表している。（……）この『ハムレット』は十蘭の代表作のひとつに数えられ、アンソロジーにも収められた（……）。

『刺客』は、その『ハムレット』の原型なのだ。廷臣役の西洞院久と山北徳一が、北山という一人物に整理されているほかは、登場人物の名も役どころも、物語のおよその付置結構も、『ハムレット』と変わりがない。しかし、細部はかなりちがう。『ハムレット』では戦後の軽井沢のホテルで、祖父江光が滞在客にせがまれてする打ちあけ話によって、物語が展開していくが、『刺客』では祖父江の旧師Jにあてた手紙で展開する。このJは『ハムレット』にはぜんぜん登場しないし、『刺客』でも表面には出てこないが、役わりとしては重要な人物だ。舞台も原型は南伊豆の波勝海岸だが、改作は東京の落合――聖母病院の前を入ったところ、というから、現在の新宿区中落合二丁目で、いわゆる目白文化村のとば口あたり。昭和二十年五月二十五日の大空襲（あのへんは四月十四日にも被害をうけているけれど、作ちゅうの記述から推理すると、その日はとうに過ぎている）の夜が、クライマックスになっている。

登場人物の比重も、原型では重い廷臣役、侍女役の男女が改作では軽く、悪くいえば尻きれとんぼになっている代りに、原型では軽くあつかわれすぎた阪井夫妻が、ぐっと改作では重くなっているし、主人公もより細密に書きこまれている。その代り、原型のほうがストーリィの起伏は激しく、どんでん返しにつぐ、どんでん返しの波瀾万丈さで、エンタテインメントとしての手の籠みようは、改作以上ともいえるだろう。》（『死体を無事に消すまで』所収）

＊註　短篇「刺客」とこの都筑道夫の一文は、ともに（底本として使用した）日下三蔵編の「ちくま文庫」に収録されている。

【編集後記】

このアンソロジーはすべてこの一文から始まった。《志賀直哉の『クローディアスの日記』、小林秀雄の『おふえりあ遺文』、太宰治の『新ハムレット』、福田恆存の『ホレイショー日記』と、現代日本文学にはシェイクスピアの『ハムレット』に材を採つた作品が多い。これはひよつとすると近代日本文学の特徴の一つと言へるかもしれない。本場のイギリスでさへ一流文学者による『ハムレット』の書きかへはこんなに多くないからである。（イギリスで文学者の関心を惹くのはむしろシェイクスピアの伝記のほうだ。）

この現象は、われわれの文学が浪曼主義の輸入によつてはじまり、そして現代文学はその浪曼主義からどのやうに脱却するかを問題にしつづけたことの結果であらう。言ふまでもないことだが、憂愁の王子ハムレットといふ図式を作りあげたのはヨーロッパの浪曼主義者たちであり、そして今世紀のシェイクスピア批評はこの図式を改めることに努力したのであつた。

大岡昇平の『ハムレット日記』は四半世紀前に書き出して中絶してゐたものを今度やうやく完成した小説だが、そのやうな性格を最も鮮明に示す作品と言へよう。大岡はハムレットといふ、憂愁に悩みながらしかも行動的な青年を、具体的な政治の場に置くことで、もういちど詳しく検討しようとしてゐる。

具体的な政治とは、一方ではデンマークの国内政治であり（そこではポローニアスはブルジョアの代表である）、他方ではヨーロッパの国際政治である。（ハムレットの死後、イギリスはノールウェイのデンマーク領有に反対し、結局、フォーティンブラスは旧ノールウェイ領を恢復し、デンマークはそれ以外の土地をイギリスの庇護の下に領有する。）

つまり王子ハムレットはルネサンス期のヨーロッパの権力政治によつて試される。あるいは翻弄される。が、もう一つ彼を苦しめる条件として加はるものは、当時の神学、あるいは人間の魂についての考察である。彼はカトリックとプロテスタントの教義のあひだで揺れ動き、不安にさいなまれる。この若者は狂気に陥り、数多くの霊たちと出会ふ。父の亡霊（これは原作にある）だけではなく、ポローニアスの霊とも、オフィーリアのそれとも。この亡霊づくしの趣向はまことにおもしろいもので、小説的な興趣に富んでゐる。それはエリザベス朝の劇作家の劇作術よりもむしろ、わが歌舞伎の伝統とフランス心理小説の手法との巧みな結合と言ふに近い。

物語ははじめハムレットの日記によつて叙述され、次いでホレーシオの追記によつて閉ぢられるが、王子の不健全さと学友の健全さとの合せ鏡によつて明らかにされるのは、個人の病としての浪曼主義をむしろ社会の疾患として位置づける、人間への憐れみの視線である。華麗でしかも着実なレトリックはどこやらかつての『野火』を思はせるもので、当今の小説には珍しい魅力になつてゐる。》

初出は「週刊朝日」一九八一年一月一・十六日合併号。タイトルは〈デンマークの王子〉、大岡昇平『ハムレット日記』についての見事な書評である。書評者は丸谷才一。（原文通り歴史的仮名遣いで引用した。）

（『快楽としての読書　日本篇』所収　ちくま文庫／二〇一二年刊より）

この書評を読んで、ぼくはあわてて本屋さんに走った。読み終って溜息をついた後は、次に未読だった「ホレイショー日記」を探さなければならない。当時この名作を読むためには国会図書館へ行くしかなかった。いずれにしても、『ハムレット日記』と「ホレイショー日記」を読んで、自分だけの「異聞ハムレット」アンソロジーに夢中になったのだった。

結局、本書を編むまで四〇年の歳月を要したことになる。

ここで註のようにしてつけ加えると、「ハムレット日記」は、現在岩波文庫で全篇を読むことができる。（書名は『野火・ハムレット日記』）。本書では長い間欠落部分だった「オフィーリアの埋葬」のみを収録した。これは短篇小説として読んでも、見事に完成された作品である。その証拠に、講談社文芸文庫のシリーズ『戦後短篇小説アンソロジー③　さまざまな恋愛』（二〇〇一年）の冒頭に収められている。

＊

もちろん、諸事情で収録できなかった作品もある。

例をあげれば堤春恵『仮名手本ハムレット』。この戯曲は一九九二年度の読売文学賞を受賞し、翌九三年に文藝春秋から単行本が刊行された（上演を見逃したぼくは、この本で楽しむしかなかった）。文明開化の明治三十年、東京・新富座で「ハムレット」を上演しようとする歌舞伎役者たちの物語。第一幕の冒頭部分を紹介すると、こんな感じ――

幕が開くと、舞台は真暗。突然、スポットライトが舞台下手寄りに立つ市川薪蔵（ハムレット）に当る。薪蔵は黒のフロックコートにズボン、靴。髪は散切り。手には歌舞伎の小道具の日本刀を持っている。

薪蔵（ハムレット）　いづこへ予（われ）をつれゆかうとや。答へい。われはもはや行くまじいぞ。

スポットライト、舞台中央の中島半十郎（父王亡霊）に当る。半十郎は浅黄の裃（「忠臣蔵」四段目、塩冶（えんや）判官（はんがん）の死装束）を着け、足袋をはいている。髪は散切り。

どうです、つづきを読みたくなるではありませんか。

もう一篇は、歌人・塚本邦雄の定型詩劇『ハムレット』（深夜叢書／一九七二年刊）。これも、ほんの少しだけご紹介。

ハム　行け　オフェリア
　鉄の扉の尼寺へ　果物酒（ヴエスペトロ）満つ汝が壺抱きて
　　さんさんと花火鳴るかな尼寺を追はれ
　　ゆけその背（そびら）のなみだ

もちろん、海外にもハムレットを題材にした作品はある。入手しやすい二冊――「ハムレット」の脇役二人を主人公にしたトム・ストッパードの戯曲『ローゼンクランツとギルデンスターンは死んだ』は、二〇一七年にハヤカワ演劇文庫に入ったし、ハイナー・ミュラーの『ハムレットマシーン』（未來社／一九九二年）は今も健在だ。

＊

このアンソロジーで特筆すべきは、谷川俊太郎さんの本書のための新作詩と山本容子さんによる装画と口絵を得たことでした。山本さんの作品はカバーから口絵に至る六点、すべて新作です（加えて、モノクロですが本文中の中扉挿画もぜひご覧ください）。

最後に、本書への収録をお許しいただいた著作権者の皆さまに心より御礼申し上げます。

（刈谷政則・記）

[編集付記]

本書に収録した作品には、今日から見れば不適切と思われる語句や表現が含まれています。収録するにあたって、作品が書かれた時代背景や著者・訳者が故人であり、差別助長の意図で使用していないことなどを考慮し、底本のままとしました。

なお、底本が旧漢字旧仮名遣いの作品については、著作権者の了解を得て新漢字新仮名遣いに改めました（但し、ランボオの訳詩二篇は底本のまま収録）。

装画・挿画（口絵／中扉）――山本容子
装丁・本文デザイン（口絵／目次／中扉）――十河岳男

編集――刈谷政則

ハムレット！ ハムレット!!

2021年11月9日　初版第一刷発行

著者――谷川俊太郎／太宰治／芥川比呂志
志賀直哉／小林秀雄／ランボオ
大岡昇平／ラフォルグ／福田恆存
小栗虫太郎／久生十蘭

訳者――小林秀雄／中原中也／吉田健一

発行者―飯田昌宏

発行所―株式会社小学館
〒101-8001 東京都千代田区一ツ橋2-3-1
編集 03-3230-5132　販売 03-5281-3555

ＤＴＰ―株式会社昭和ブライト

印刷所―図書印刷株式会社

製本所―牧製本印刷株式会社

ISBN978-4-09-386623-1